Eugène Ébodé

La Rose
dans le bus jaune

Postface de Valérie Loichot

Gallimard

À Aya Ébodé

Ne demandez jamais quelle est l'origine d'un homme; interrogez plutôt sa vie, son courage, ses qualités, et vous saurez ce qu'il est. Si l'eau puisée dans une rivière est saine, agréable et douce, c'est qu'elle vient d'une source pure.

ÉMIR ABDELKADER

30 août 1994 : le signal d'alarme

J'ai toujours rêvé d'être centenaire. L'agression dont j'ai été victime le 30 août dernier a failli tout remettre en question. Joseph Skipper, ce voyou qui m'a frappée, malgré mon grand âge, pour me voler une poignée de dollars, aurait pu m'occire, anéantissant par là même l'espoir de souffler mes cent bougies ! Le destin m'a probablement envoyé cette fripouille, me suis-je dit en quittant l'hôpital, pour me faire prendre conscience de ma fragilité !

J'ai donc décidé de noter dans mes carnets intimes, que je confierai à mon increvable Elaine Steele, ce que j'ai jusqu'ici volontairement tu. Il me revient qu'il y a quelques années, à New Haven dans le Connecticut, lors d'un hommage rendu au combat pour les droits civiques, une petite fille amérindienne, qui appartenait au « peuple des hommes de la longue eau », m'accueillit en disant : « Vous êtes pour nous la Rose dans le bus jaune ! Vous avez enfanté un nouveau pays ! Quel est le plus important souvenir que vous gardez de votre engagement ?

13

Avez-vous encore un grand rêve?» J'ai été touchée par ces mots, comme si Dieu tout-puissant m'invitait à ouvrir mon cœur. Dominant tous les frémissements qui me parcouraient, je demandai son prénom, on me le donna. Je souris à cette délicieuse enfant et répondis en m'adressant à elle et à l'assistance :

« Chère Emily, mes chers amis, merci, merci beaucoup! Que puis-je vous dire que vous ne sachiez déjà?... » Un nom me trotta aussitôt sur la langue, me brûlant même les lèvres, voulant à toute force franchir la barrière du silence dans lequel il gisait. Je fis un monstrueux effort pour l'avaler in extremis. Si je l'avais prononcé ce jour-là, cela m'aurait conduite à ébruiter un secret que j'avais promis de taire, avec la ferveur des serments impossibles à délier. Il s'agit de Douglas White junior, cet homme blanc qui, le 1er décembre 1955, entra dans le bus de Cleveland Avenue et s'immobilisa devant la rangée de sièges où j'avais pris place. Je ne l'avais jamais vu. La suite est connue : on me demanda de me lever. Je refusai! Je le rencontrai pourtant plus tard. Nous fîmes plus ample connaissance. Il me révéla son identité et son histoire. Bouleversantes. Je promis que je ne parlerais de lui que le jour de mon centenaire!...

C'est un ancien voisin, cet incorrigible Scottie Folks qui, sans le savoir, a fait surgir dans mon esprit le désir d'être centenaire! Même si je n'ai jamais apprécié son comportement phallocrate, il faut reconnaître qu'il avait du caractère et était de la classe des hommes qui retiennent l'attention! À cent quatre ans, il parcourait encore chaque jour dix kilomètres à pied pour s'entretenir! Quand il ne fricotait pas avec les femmes, il était fourré dans les bois à la recherche d'une plante miraculeuse! «La nature nous a tout donné, professait-il. Le bon grain comme l'ivraie.» Le fringant vieillard avait de l'instruction et aimait manier les antonymes pour résumer la vie sur terre. Il était un fervent adepte de Washington Carver, ce botaniste noir qui a sauvé les plantations du Sud cruellement menacées par l'anthonome du cotonnier au début du XXe siècle. En 1940, à quatre-vingt-dix ans bien sonnés, et trois mois après le décès de sa troisième épouse, qu'il n'avait pas réussi à guérir d'un cancer des ovaires, Folks en avait pris une autre, de cinquante ans sa cadette, bien en chair mais avare de son propos. Le vieux séducteur à la barbichette blanche et au poil rare sur le caillou réussit l'exploit de l'engrosser dès le lendemain de leurs épousailles. Seigneur! c'est fou, comme la chose fit cancaner et causer! On se montra d'abord circonspect à Hot Hill Village où habitait Folks, à un jet de pierre de notre appartement, au temps où nous vivions encore au 634 Cleveland Court, à Montgomery, Alabama. La naissance de Scottie Folks junior fut abondamment commentée! Elle requinqua aussi et fit saliver tous les croulants qui voulaient toujours se voir en Apollon. D'abord prise pour un canular, la naissance de l'enfant déclencha une telle curiosité que le mouflet eut droit à la couverture du *Montgomery Advertiser*. On accourait de loin pour regarder le malicieux poupon ridé, malingre, mais craquant, aux yeux vifs de furet qui brillaient d'une lueur sympathique, et dont les petites joues appelaient les caresses et de sonores baisers. On ne tarda cependant pas à chuchoter que Scottie Folks senior n'était pas le père de l'enfant, qu'un voisin plus jeune en était le géniteur. Erreur, ce gosse ressembla bientôt à notre thaumaturge ; il avait le même front haut, les mêmes pommettes saillantes, la lèvre supérieure en accent circonflexe. Il avait certes les yeux en amande de sa mère, sans le gras qui enflait ses joues, mais nous avions là la copie de Folks. On changea aussitôt de refrain, pronostiquant cette fois que le petit être, conçu si tard, s'avérerait simplet ou quelque chose de sinistrement approchant. Las ! les années passant, on fut bien obligé de constater qu'il avait fière allure, ne toussotait jamais, ne faiblissait pas comme les autres gamins qui, dès l'entrée en hiver, étaient patauds, avaient les yeux qui pleuraient et une morve qui descendait de leur nez et qui semblait aussi longue que la traîne d'une mariée. Sa santé se révéla splendide, et le petit trésor fut espiègle, remuant, curieux de tout, surtout de botanique, et également brillant à l'école. Il nourrit très tôt, comme son père, une passion extrême pour l'Afrique dont il ne cessait d'étudier la carte, de parler des populations, de nommer les fleuves majestueux, de dessiner les immenses arbres et les grands singes qui l'habitait. On mit vite tous les dons de cet enfant sur le compte des talents d'herboriste de son père. Ah! il fallait voir les vieillards affluer du même coup chez Scottie Folks senior pour lui réclamer ses potions! Les plus téméraires voulaient s'adonner à la marche, comme notre brave ancien, et arpenter les forêts à l'image de leur modèle qui s'y connaissait comme personne en botanique et ne jurait que par la médecine traditionnelle. C'était une science, affirmait-il, qu'il tenait de ses lointains ancêtres africains et que les générations des Folks avaient su entretenir et transmettre. Telle était sa conviction. Il était inutile de la discuter, de le disputer sur ce point. Son fils est du reste parti en Afrique, en Guinée, très exactement. J'ai maintenu des liens d'affection avec cet enfant aussi curieux, fantasque et attachant que son père! Que de fois ce dernier ne s'était-il arrêté chez nous pour vanter ses onguents à Leona, ma mère. Certes elle souffrait du dos mais surtout de la solitude, depuis que son charpentier de mari, mon père, était parti ailleurs bâtir d'autres toitures et construire d'autres ménages. Mère n'aimait guère la pharmacopée naturelle que vantait Folks! Nous savions ce qui emmenait ce coquin sous nos fenêtres. Une envie de troubler mère, de l'enrouler dans ses mots, de l'enchaîner à ses onguents, de l'envoûter comme un parfum enroule de sa magie un esprit, l'empoigne, l'ensorcelle et le soumet à son charme. L'increvable vieillard trouvait Leona tellement belle!... Elle l'était! Mais elle se laissa surtout embastiller par le souvenir de son unique amour pour mon père.

Depuis l'agression de Skipper, il me manque de courir de comté en comté, en février, pour entendre le chant des enfants, voir leurs belles bouilles entonner le doux et câlinant joyeux anniversaire qui arrondit de bulles heureuses leurs petites bouches d'anges. J'aimais tant les voir souffler, à ma place, toutes ces bougies qui illuminaient notre ciel, jadis si terne et bas, de lumineuses et plaisantes lumières. Avant l'attaque de Skipper, il me plaisait d'aller de Detroit dans le Michigan à Chicago dans l'Illinois, de Denver dans le Colorado à Gainesville en Floride, et même sur des campus universitaires comme celui de Soka, à Los Angeles, en Californie, pour mes tournées d'anniversaire. Il nous est aussi arrivé, avant la disparition de Raymond, de nous rendre à Eugene dans l'Oregon, l'État du castor — cet animal préféré de mon mari — où vivaient les Nez-Percés, ces *Native Americans* dont le courage l'éblouissait... Il trouvait du reste que j'avais leur apparence physique et leur force mentale. Je dois sûrement avoir du sang indien, probablement apache, qui coule dans mes veines. Mais Raymond me rattachait surtout aux gens de l'Oregon pour leur détermination froide et sèche. N'ai-je pas raconté quelques aspects de cette joyeuse errance dans ma biographie, *My Story*? Mais je n'ai pas tout dit...

Disons qu'au cours du fameux hiver 1955, tandis qu'une force inouïe me portait comme si j'avais été guidée par le souffle de Dieu, du courage, mon homme, mon Raymond, en manqua ou du moins, redoutant le pire, son corps ne fut que tressautements musculaires et tremblotements. Il m'avait pourtant semblé, d'instinct, qu'une nouvelle romance sociale et politique, nationale et internationale, commençait. Quand j'entends encore aujourd'hui, près de quarante ans après ces événements, la chanson *C'est si bon*, un délicieux petit air d'Armstrong, enregistré en 1947, je repense à cet hiver-là. Il fut à bien des égards une saison prodigieuse. Aussi cette chanson de Satchmo, notre poète de la trompette, me vient-elle régulièrement aux lèvres. Je ne suis d'ailleurs jamais seule à la chanter, car, aussitôt qu'elle l'entend, ma chère Elaine la reprend à ma suite, et nous la fredonnons en claquant des doigts, moi, dans un faux tempo, elle avec la précision qui sied à un métronome :

> *C'est si bon*
> *Lovers say that in France*
> *When they thrill to romance*
> *It means that It's so good*
> *C'est si bon*
> *Like the French people do*
> *Because It's oh so good...*

J'aimais entendre cet air, quand j'étais jeune. J'aimais m'enfouir dans cette mélodie, m'aspergeant des phrases musicales comme d'un parfum enivrant, vautrée dans mon ancien canapé aux coussins bleus. Je buvais un soda placé sur le guéridon en bois d'acacia, mes colères s'évanouissant, se liquéfiant à travers les grains de mots du chanteur, du souffle rauque, félin et suggestif d'Armstrong. Parfois, maladroite comme mère, je renversais la boisson sur la broderie de soie mordorée qu'elle avait faite au crochet, d'une main vive, fine et experte. J'ai hérité de son habileté au crochet et de sa maladresse aussi, celle qui lui faisait briser les verres ou se cogner contre les portes... Enfant, quand je rentrais de l'école, comme elle, je brodais : le point de croix fut mon école du soir. Après les devoirs et une fois le repas avalé, je sautais sur le crochet ou sur les aiguilles. Ce faisant, il m'enchantait de voir la pelote de laine tournoyer autour de mes doigts. J'imitais mère qui se fabriquait un chandail ou un pull pour l'hiver. Nous ne nous sentions jamais, ainsi livrées à notre besogne, prises, mère et moi, comme des rats dans les souricières de l'ennui. L'année du boycott, je n'eus plus l'occasion de faire du crochet à mon aise, mais il m'arriva encore de chanter à tue-tête : « C'est si bon ! »

Lance vers le ciel tes éclats de rêve

J'ai donné à entendre toutes les variations possibles sur le sentiment de révolte qu'on éprouve quand on côtoie journellement l'injustice. Montait aussi en moi une résolution de fer. Assise comme je le fus ce jour-là dans le sombre bus jaune à la toiture blanche traversée d'un liseré vert, je n'en étais pas moins un condensé de nos longues frayeurs et fureurs mêlées. Elles avaient au fil du temps tendu nos nerfs comme un arc. Nous étions aussi, je parle des militants de l'égalité, comme la mèche liée à un baril de poudre qui n'attend plus qu'une étincelle pour que se produise la grande explosion. Mon être tout entier était une construction de nos difficultés. M'appartenait-il encore en totalité? Je ne le crois guère. Aucun programme, fût-il le plus élaboré, ne pouvait prévoir nos réactions face à Jim Crow et son arsenal de lois épouvantables. Me replongeant dans les menus détails de la journée du 1er décembre 1955, ce jour incertain, hésitant, gris, venteux, pleurant en sourdine des miettes de pluie et nous humectant de sa fine et énervante larme, j'ai le sentiment que je fus semblable à une outre gorgée de joies et d'amertume. Une phrase, venue à mon réveil se lover dans ma tête comme une intrigante mécanique, disait : « Il faut encore avoir du chaos en soi pour enfanter une étoile qui danse. » Je l'ai longtemps conservée dans un recoin de mon âme, et enfouie loin des regards inquisiteurs. En me levant, je m'interrogeai, bien sûr, sur sa signification. Était-ce le changement brutal, le chambardement que l'on préfère à la répétition des mêmes jours ? Je n'étais pas mère ! Je n'avais toujours pas enfanté cette petite fille à laquelle je tresserai des couettes fines sur la tête et apprendrai à mon tour l'art de la broderie et le combat contre Jim Crow. J'avais tant rêvé d'être maman. Je le désirais encore. Mais quel avenir pouvait-on offrir à un enfant chez nous ? La lutte épuisante pour l'égalité semblait interminable. Depuis douze ans, je militais dans le mouvement des droits civiques. Nous avions la très nette impression de piétiner. Fallait-il souhaiter le chaos ? Voilà qui nous débarrasserait de l'étouffant statu quo qui fossilisait le Sud ! En sautant du lit ce matin-là, j'ignorais que je refuserais de céder ma place à un homme blanc dans le bus... Quelle affaire ! Des millions de gens avaient souffert et un nombre considérable de personnes avaient été pulvérisées pour avoir bravé la consigne ségrégationniste, pour s'être précipitées dans des toilettes pour Blancs, parce qu'elles ne pouvaient plus se retenir et contenir une urgence physique, physiologique. D'autres s'étaient jetées dans une salle d'attente interdite aux gens de couleur comme on fonce dans la gueule d'un loup pour y être déchiqueté. D'autres Noirs, exténués par un régime d'interdictions d'un autre temps, avaient poussé la porte d'un restaurant d'où ils avaient ensuite été expulsés comme des chiens galeux. Certains, pour avoir simplement osé franchir la porte d'une bibliothèque, d'une pharmacie, d'une épicerie, d'une clinique, pour avoir osé se courber sur la tombe d'un ami enterré dans un cimetière réservé aux Blancs, en avaient chèrement payé le prix. On les avait, selon l'humeur des tortionnaires, brûlés vifs, pendus, molestés, battus comme plâtre, humiliés, châtiés. Les morts de ces traitements-là fulminaient certainement encore sous la terre ingrate. Comment était-il possible que leurs cris, plus impressionnants que mon seul refus de me lever d'un maudit bus jaune, n'aient retenu l'attention pour modifier en profondeur les situations décriées et entraîner le juste changement qui s'imposait? C'est Raymond qui avait raison, lorsqu'il me disait, quand je m'emportais et m'interrogeais sur le scénario qui me poussa au-devant de la scène : « L'heure c'est l'heure! Avant l'heure, ce n'est pas l'heure! » En effet, Louisa, Mary, Orleta, Colvin et d'autres femmes oubliées, comme cette New-Yorkaise qui renonça à se lever dans un tramway à traction animale vers la fin du XIXe siècle, avaient bravé l'interdit au temps de la ségrégation dans les transports. L'histoire est passée sur leurs noms et sur leurs corps sans aucune marque de reconnaissance. Quand l'heure n'a pas sonné, rien ne se passe!

Ce fameux jour, je m'étais réveillée à quatre heures quarante-deux minutes. Je m'en souviens encore. Mon Raymond dormait. Il avait étiré des poings fermés. J'avais caressé son torse, puis m'étais levée pour sacrifier à ma courte promenade matinale le long de la rivière rasant notre lotissement, où les miroitements de l'eau, au commencement du jour, me désembuaient d'ordinaire les yeux et le cerveau. Il ne pleuvait pas encore, mais une petite voix me dit : « Il faut encore avoir du chaos en soi pour enfanter une étoile qui danse. » De loin, j'avais vu les lumières s'allumer dans les maisonnées, entendu des bâillements et des bruits de chaises qu'un voisin encore ensommeillé faisait grincer. Me parvint aussi le claquement des talons aiguilles d'une secrétaire qui commençait nerveusement sa journée en les faisant tinter sur son parquet. Ailleurs, le bruit d'une cuiller à café remuant dans un bol annonçait le petit déjeuner matinal, lui aussi nerveux, car on l'engloutissait l'œil rivé à la montre, avant de s'élancer vers le bus à la conquête d'une pauvre paie. Le crépuscule, chassant encore timidement les dernières ombres de la nuit, se faufilait entre les arbres et la pluie. Les porteurs de journaux serpentaient entre les immeubles et livraient leurs moissons de papiers et de nouvelles. Cela tombait bien, je pus me saisir des journaux de Raymond !

Leona, ma mère, dormait. J'étais entrée dans sa chambre. Elle tressaillit. Elle se frictionna les avant-bras. Je lui déposai un baiser sur le front et je quittai la chambre aux murs blancs, où nos portraits, celui de mon frère Sylvester et le mien, adolescents et souriants, trônaient sur une vieille commode. J'étais descendue à la cuisine, sautillant un peu sur moi-même pour me délester de ces lourdeurs et pesanteurs que le sommeil dépose insidieusement dans nos corps de dormeurs. Raymond, redoutant toujours le pire, n'aimait pas cette habitude que j'avais de quitter la maison aux aurores. Mais il avait fini par s'y faire et admettre que « Dieu protège les cœurs purs » comme le lui répétait mère. J'avais allumé tout doucement la radio de peur que son crachotement ne réveillât Raymond. Il ne manquait pas dans ce cas de venir, bougonnant, prendre le café avec moi. Il allait ensuite embrasser mère et s'assurer, avant de quitter sa chambre, que la malade trouverait sur la commode ses médicaments contre la tachycardie. Nous échangions souvent deux ou trois choses, parlions de nos réunions du jour, s'il y en avait, au siège de l'Association pour l'amélioration de la condition des gens de couleur. Par mégarde, j'avais haussé le volume de la radio et mon homme était arrivé.

« Je rentrerai à la maison aussitôt le travail terminé, dis-je en avalant précipitamment ma dernière tartine de pain au miel.

— As-tu prévu d'adresser une demande de salle à l'université pour ton séminaire des 3 et 4 décembre?

— Oui, mon chéri! J'appellerai Council Trenholm, le président de l'université d'État de l'Alabama, pendant la pause-café. J'ai aussi rendez-vous avec Fred Gray. Nous déjeunerons ensemble à midi.

— Donne-lui mes salutations! Il m'est sympathique, ce jeune homme!»

Je promis de le faire. Le juriste Fred Gray, âgé de vingt-cinq ans, venait d'ouvrir un cabinet d'avocat à Montgomery. Il militait pour l'inscription des Noirs sur les listes électorales. Ah, quelle foi en notre combat! Il avait dû, pour continuer des études supérieures qu'il n'aurait pu mener à Montgomery, s'exiler dans le Nord. Il avait obtenu une inscription dans un institut chrétien, à Nashville, dans le Tennessee, puis à Cleveland, dans l'Ohio, où il avait fait son droit; c'était une matière pour laquelle notre foutu État de l'Alabama ne permettait guère l'accès aux Noirs. Pendant toutes ses pérégrinations, Gray avait inscrit dans son journal intime le serment secret de devenir avocat pour ensuite revenir en Alabama afin d'y détruire le système ségrégationniste de Jim Crow. J'étais étourdie d'admiration quand j'écoutais ses plaidoiries, la précision de ses analyses, la concision de ses arguments. Il impressionnait par les recherches qu'il s'épuisait à mener sur l'urbanisme et la géographie urbaine pour retrouver les cartes, les statistiques démographiques qui lui permettaient ensuite de démonter les arguties des conservateurs et clouer le bec aux manipulateurs déguisés en juges. Ces gens-là empêchaient toute élection d'un Noir et réduisaient à néant jusqu'à l'espoir que ça arrive en tripatouillant les circonscriptions électorales. Leurs découpages biaisés favorisaient l'avantage électoral accordé aux racistes. Gray remontait le temps, brandissait les cartes électorales et mettait au grand jour les ruses par lesquelles la démocratie était ficelée et entravée, les Blancs taillant à leur convenance les circonscriptions. Les chiffres de Gray étaient pertinents ; il pouvait ainsi pulvériser les pièces produites par nos adversaires. Il avait défendu la jeune Claudette Colvin qui, neuf mois avant mon affaire, resta crânement assise dans un bus. Elle était âgée de quinze ans et son refus de céder sa place à une Blanche déchaîna les foudres contre elle. La pauvre fillette fut molestée puis jetée hors du maudit bus. J'ai gardé le souvenir de cette affaire, de nos efforts pour défendre ses droits bafoués. Hélas, ce fut l'échec. Claudette tomba enceinte et nous dûmes abandonner l'espoir de transformer sa mésaventure en un cas exemplaire pour saisir la justice et la Cour suprême de l'inconstitutionnalité des lois ségrégationnistes qui sévissaient dans les compagnies de transport du Sud.

Raymond s'était assombri à l'évocation de notre déconvenue. Je le gratifiai d'un grand sourire et lui tapotai gentiment l'avant-bras. Il ne me resta plus qu'à courir m'apprêter dans le cabinet de toilette. Il était cinq heures. Machinalement, je me plantai devant ma glace, dans la salle de bains. Après un dernier coup de brosse à ma chevelure, je mis une pince pour réajuster mon chignon, il me sembla qu'un peu de poudre de riz éclairerait mon visage. Je pris la houppette et me tamponnai les joues. Une crème n'huilerait-elle pas avantageusement mes mains un peu sèches? J'ouvris une boîte en métal et prélevai la substance adéquate. Avisant un bracelet que m'avait offert mon époux, je le glissai à mon poignet gauche. J'ajustai mon corsage et courus embrasser Raymond. Il sifflotait dans la cuisine et m'accompagna jusqu'au seuil de la porte. J'entends encore sa voix, me chuchotant des mots que j'aimais, et le revois faisant mine, de ses doigts fins, de redresser mon chignon... Je sortis, guillerette, sur le palier.

Avant de m'éloigner, je m'étais retournée vers la cuisine où Raymond se trouvait encore, j'en étais certaine, un café fumant sur la table et un journal à la main, celui que j'avais remonté après ma petite promenade matinale. Cet appartement était situé à Cleveland Court, un nouveau et coquet lotissement, boisé, en briques rouges et noires. Il était constitué de deux parties : un rez-de-chaussée, où je trouvais parfois mère allongée sur le canapé vert bouteille ou assise dans le fauteuil bordeaux, accoudoirs et têtières en désordre ou échoués sur le sol. Une cuisine, au fond de ce séjour, était l'autre pièce de cet espace où trônait ma vieille machine à coudre, une Singer noyée sous les tissus et vêtements à repriser ou à ourler, et une armoire des années trente généralement pleine à craquer. À l'étage, se trouvaient la salle de bains et nos chambres : celle de ma mère, qui donnait sur la cour et sur un parking qui n'était guère encombré de véhicules à l'époque, puis la nôtre, avec son grand lit en bois marron qu'entouraient ma coiffeuse et son miroir mobile, le porte-chapeaux de Raymond, ainsi que des valisettes en cuir et un meuble de chevet sur lequel se tenaient notre réveil, un petit transistor et de minuscules coffrets à poudre. Nous n'avions certes pas le jardinet de nos rêves, mais le loyer de cet appartement était très abordable. Il avait plu à Leona qui habitait depuis quelques années avec nous. Ma petite mère avait d'abord trouvé, dans notre nouvel environnement de la classe moyenne noire des faubourgs de Montgomery, un voisinage certes turbulent, mais solidaire. Cependant, après une dizaine d'années, elle allait se montrer critique, à cause de la présence de la drogue dans le quartier et d'une baisse des efforts pour une meilleure éducation des enfants. Elle ne décolérait pas contre la « peste blanche », cette poudre honnie qui rongeait la vie des jeunes Noirs. Avec Raymond, elle avait souvent eu des discussions sur l'évolution du quartier. Mon homme appréciait notre appartement, plus spacieux que celui que nous avions loué juste après notre mariage. Étant de dix ans mon aîné, ses avis ont compté dans ma formation militante et universitaire. En allant prendre le bus du matin, j'avais repensé à la première fois que j'avais vu ce garçon presque blanc. À une fête communale! J'avais à peine dix-huit ans. Il n'était pas mon premier amoureux, mais il restera celui qui fit battre mon cœur comme il n'avait pas autant tambouriné et comme il ne cognerait plus jamais avec la même puissance d'étourdissement. Ah! il y avait bien eu Samson Smith, mon premier flirt! Mais ce garçon était trop théâtral et ne rêvait que de partir à New York. Il avait des mains de pianiste et un regard de félin! Il m'appelait sa Dalila! Nous étions adolescents et il m'avait offert des branches de peuplier dont je revois les feuilles argentées briller devant ses pommettes saillantes! Certes, mon cœur avait très tôt battu pour le Christ, que son message d'amour avait su envelopper et inonder de pulsations harmonieuses, mais je trouvai que ce Samson-là avait trop l'âme d'un aventurier. Lorsque, courbée dans la prière, je sollicitais la puissance, la miséricorde du Christ pour mieux lire en moi, si mes sentiments pour mon Samson étaient durables, je n'obtenais aucune réponse satisfaisante. Quand je vis Raymond la première fois, passé le moment d'éblouissement qui vous arrache à vous-même, à vos certitudes ou à vos interrogations, je me troublai. Il était d'une blancheur! Il n'y avait qu'en Amérique où on pouvait prendre cet homme-là pour un Noir! Lui, loin de s'en offusquer, en était fier. Il fallait voir la véhémence avec laquelle il revendiquait son appartenance à la négritude, à « notre état de paria », disait-il, comme si cela avait été le meilleur brevet, la plus haute distinction qui l'honorât. Le presque trentenaire exerçait le métier de coiffeur et attirait une nombreuse clientèle. Il savait y faire avec les dames ! Mais ce fut vraiment la blancheur de sa peau qui me dressa contre ses avances. Samson, qui était d'un noir d'ébène, était parti. À cause des questions raciales, si vives à l'époque, nombreux étaient les Noirs qui éprouvaient une réticence instinctive à nouer des relations avec les métis trop clairs de peau. Je pense que Raymond, avec délicatesse, sut comprendre la réserve avec laquelle j'accueillis ses premières approches. Ses yeux doux comme une caresse, ses lèvres au dessin harmonieux quand il souriait, la souplesse de ses doigts, finirent par détruire l'une après l'autre les barrières à l'abri desquelles ma timidité et mes appréhensions m'avaient tapie. Il se considérait, m'assura-t-il avec ce velouté si particulier que prenait sa voix, « comme un nègre intégral » malgré le sang blanc qui coulait à gros bouillons dans ses veines. La conception américaine voulait que, si vous aviez une seule larme de sang noir parmi les millions de gouttes qui circulaient en vous, cette larmichette-là l'emportait. Raymond assumait cette idée. Se voir appliquer l'appellation de « nègre » ne le chagrinait pas. Il en était fier. Il la recevait avec une joie si visible que c'en était curieux. Bien sûr, tout dépendait de celui qui l'utilisait à son propos et de la

31

manière dont il était prononcé. Entre Noirs, il sonnait comme un mot de passe employé avec ce zeste d'autodérision qui ouvre les portes de la conversation plus qu'il n'attise le feu des confrontations. C'est par lui que nous avions conservé, semble-t-il, le cousinage à plaisanterie, ce legs de nos lointains ancêtres africains. Dans la bouche d'un Blanc le même mot nous pénétrait comme la lame affûtée d'un poignard. Ah, comme les premières approches de Raymond me jetèrent dans les bras du doute! Et s'il ne me voyait que comme un divertissement dans la somme des aventures qu'on lui prêtait? Et si ce presque Blanc se moquait de moi? Et si ses éblouissants sourires cachaient une détestable voracité? Dieu, qu'ils étaient lumineux!... Mère l'accepterait-elle? Elle si soupçonneuse et raide sur les principes? Nous avons cependant fini par nous lier, Raymond et moi, car l'amour fut d'une force supérieure à mes hésitations.

Après notre mariage, célébré dans la plus stricte intimité à Pine Level, Raymond avait trouvé un poste de barbier à Montgomery puis à la base militaire de Maxwell Air Force, au nord-ouest de Montgomery. Elle s'étendait sur plusieurs hectares, le long de la rivière Alabama. De la grand-route, on apercevait ses casemates de briques rouges, ses pistes d'atterrissage ainsi que de vastes friches où s'entraînaient les militaires. Raymond y avait été attiré par la mixité ethnique qui régnait dans les casernes depuis la fin de la Seconde Guerre mondiale. Apprécié de son patron, il l'était également de ses clients. Après l'obtention de mon baccalauréat et quelques courtes études en psychologie dans une université noire, j'avais eu de nombreux métiers avant d'être embauchée à Maxwell Air Force. Grâce à quelques relations et à une jeune femme blanche, Rose, avec laquelle je prenais souvent les transports en commun, j'avais également pu faire entrer Raymond Parks à Maxwell. Le comportement de Rose était curieux : nous pouvions circuler ensemble et côte à côte dans les bus de la caserne, mais, en ville, elle rejoignait les places de l'avant réservées aux Blancs, sans vraiment se soucier de moi qui m'étranglais de rage à l'arrière. Elle était originaire du Mississippi, n'était pas une mauvaise personne, mais s'accommodait de cette situation qui pouvait écœurer ou émouvoir. Malgré mon niveau de qualification, j'avais dû me contenter, comme de nombreux Noirs de l'époque et certainement d'aujourd'hui encore, d'un emploi de secrétaire. La santé déclinante de Leona me poussa à raccourcir les distances de mon travail à la maison. C'est ainsi que j'échouai au Montgomery Fair. Les horaires de travail et la perspective de gagner un peu plus d'argent m'avaient aussi poussée à changer de métier. Raymond était resté dans la caserne de Maxwell où, avec bonne humeur, il tondait soldats et soldates, afin de les rendre conformes à l'image virile qu'on exigeait des militaires. Le patron de Raymond était un Blanc modéré qui n'hésitait pas à lui administrer des bourrades dans le dos après un mot d'esprit. La seule critique qu'il adressait à son employé était son goût, trop prononcé selon lui, pour la lecture. « Nom d'un chien pendu, vous avez toujours un journal dans les mains, cela ne sert à rien d'autre, Raymond, qu'à vous foutre la haine au cœur dans notre beau pays ! » Chez nous, lire était sacré ! Leona, ancienne institutrice, l'avait ainsi voulu. En bon militant de la cause noire, mon barbier de mari avait pour lectures favorites la revue *The Crisis* et le *Montgomery Advertiser*. Ses yeux s'arrondissaient quand il prenait connaissance des sempiternels faits divers relatant les malheurs des Noirs dans le « Dixieland ». Il ne se passait en effet pas de jour sans que les journaux ne nous abreuvent d'atrocités : un nègre abattu sans sommation par une patrouille à Selma ; un nègre déchiqueté par un train dans des circonstances suspectes, car pieds et poignets ligotés ; un nègre poignardé, baignant dans son sang parmi les détritus d'une décharge sauvage dans les faubourgs de Montgomery ou le long des berges du Mississippi ; un nègre émasculé et se balançant à la corde d'une potence dans une ferme ; un nègre empalé, un nègre calciné, une famille nègre, le père, la mère, les enfants, criblés de balles et abandonnés sur une route de campagne, une négresse violée puis égorgée, une négresse brûlée dans un champ de patates, une négresse affalée et agonisante sur les bords de l'Alabama River où flottaient souvent des corps sans vie, une enfant noire et sa poupée de chiffon pendant sur des fils électriques, un groupe de femmes sauvagement tuées pour avoir ostensiblement compté leur paye devant un attroupement de Blancs éméchés, des maisons de syndicalistes ou de militants progressistes incendiées, des domiciles de leaders de l'égalité soufflés par des bombes, des Blancs, suspects de sympathie pour les Noirs, froidement abattus par l'adversaire au masque terrifiant et déterminé à tuer. Raymond consultait aussi assidûment les rubriques consacrées aux bavures policières et aux atteintes aux droits fondamentaux commises sur les Noirs. La lecture des journaux qu'il recevait à la maison ou qu'il rapportait de son travail ne contribuait pas à améliorer sa sérénité. Dans notre chambre traînaient toujours de nombreuses dépêches : *Pittsburgh Courier*, l'*Amsterdam News*, *Chicago Defender*... J'étais militante, mais parfois je pensais que les intarissables chroniques sur les malheurs des Noirs ne diffusaient qu'une anxiété aux effets traumatisants, ravageurs et émollients sur son psychisme déjà fortement surchauffé. Il aimait aussi la poésie, mais elle creusait en lui des rigoles de tristesse où venait ruisseler l'alcool. Je lui disais de reposer ses yeux, mais c'était surtout le niveau de la liqueur contenue dans la bouteille qu'il avait devant lui qui m'intéressait. Il s'offusquait de ma remarque et je tournais les talons. Je manquais de force pour lui retirer ces boissons qui le détruisaient lentement. Il protestait :

« M'enfin, ici, je peux me tenir informé de ce qui se passe sans avoir dans le dos l'œil noir de mon patron ! » Je me retirais alors à la cuisine avec mère. Très vite, les grognements que ne manquait jamais de pousser Raymond lorsqu'il lisait montaient à nos oreilles. Il venait de tomber sur des informations qu'il allait découper aux ciseaux et transmettre aux membres de la NAACP locale, l'Association nationale pour l'amélioration de la condition des gens de couleur.

Celle-ci avait été fondée en 1910 par des Blancs et des Noirs qu'avait horrifiés le lynchage d'un jeune Noir à Springfield, dans l'Illinois. Raymond militait dans cette organisation depuis le 31 mars 1931, jour du scandaleux procès des neuf garçons de Scottsboro, en Alabama. Âgés de treize à dix-neuf ans, ils avaient été injustement accusés d'avoir violé deux filles blanches dans le wagon d'un train de marchandises. Raymond avait été bouleversé par leur procès et ses calamiteuses conclusions. Un article publié dans les pages du *Montgomery Advertiser*, journal farouchement opposé à la ségrégation, démontra que l'expertise médicale n'avait relevé aucune trace de viol sur les plaignantes. Néanmoins, les juges condamnèrent huit des neuf garçons à la peine capitale avant que la vague de protestations ne modifiât et n'atténuât ce verdict. Raymond avait collecté les fonds et soutenu les accusés. À l'époque, un simple témoignage suffisait à envoyer un ou plusieurs Noirs à la potence. Le bras de la justice n'était d'ailleurs pas nécessaire pour pendre un nègre. Dans notre chambre, Raymond avait encadré et accroché au mur le poème d'un enseignant juif new-yorkais d'origine russe, Abel Meeropol (1903-1986). Pour la postérité et contre les pendaisons qu'on appelait « necktie parties », cet enseignant a écrit *Strange Fruit* avant de rencontrer Billie Holiday et de l'autoriser à chanter des vers que nous avions appris par cœur :

Fruit étrange
Les arbres du Sud portent un fruit étrange
Du sang sur leurs feuilles et du sang sur leurs
  racines
Des corps noirs qui se balancent dans la brise du
  Sud
Un fruit étrange suspendu aux peupliers

Scène pastorale du vaillant Sud
Les yeux révulsés et la bouche déformée
Le parfum des magnolias doux et printanier
Puis l'odeur soudaine de la chair qui brûle

Voici un fruit que les corbeaux picorent
Que la pluie fait pousser, que le vent assèche
Que le soleil fait mûrir, que l'arbre fait tomber
Voici une bien étrange et amère récolte!

Une pluie fine peut annoncer
le printemps

Je n'avais pas quitté le 634 de Cleveland Court que le jour se faufilait entre les gouttes de pluie. J'envisageais donc de remonter à l'appartement pour prendre mon parapluie. Mais réglée comme une horloge par Leona, ma mère, cette institutrice méthodiste qui avait une sainte horreur du moindre retard, je renonçai à retourner sur mes pas et me jetai à l'abri des sassafras et des grands chênes espagnols. Je suivis d'un pas rapide les personnes enchapeautées qui marchaient en file indienne devant moi. Tous les travailleurs qui se lèvent tôt savent combien la pluie porte sur le moral. Elle vous plie déjà, bien avant que ne paraisse devant vous la détestable figure du contremaître. Notre lotissement était situé au sud-ouest de Montgomery. Je prenais mon bus à six heures et mon travail une heure plus tard. Le bus roulait pendant une vingtaine de minutes environ avant de me déposer *downtown*, à son terminus de Court Square. J'étais ainsi en avance et pouvais papoter avec les copines avant de m'installer à mon poste à sept heures.

Il me fallait une poignée de minutes de marche pour atteindre le grand magasin Montgomery Fair et la section des couturières à laquelle j'appartenais. Cet établissement datait de 1868 et vendait essentiellement du textile et des objets décoratifs; situé au bas de Dexter Avenue, près de la fontaine de Court Square, il s'élevait sur près de sept étages et faisait partie de ces vieux immeubles en brique rouge et au charme désuet que les Montgomériens fréquentaient assidûment. L'atelier était lugubre et le cadre m'indisposait mais ma relation avec les autres ouvrières, que je représentais lors des conflits du travail, m'attachait à ce lieu. Mes collègues femmes et moi y formions une belle équipe. Nous étions soudées les unes aux autres par la colle de la sainte colère noire et par notre commune aversion des contremaîtres!

Dans notre atelier de couture, John Thunder, le contremaître aux narines fulminantes, ne transigeait pas avec les retards, surtout les miens! Il m'arrivait d'être prise en faute. Mère m'aurait blâmée si elle en avait été informée! La cause était toujours la même : souvent, je laissais passer un bus qui descendait *downtown* s'il était piloté par un chauffeur que j'exécrais : James Blake. Vous n'imaginerez jamais combien cet homme a hanté mes nuits! On a beau penser ce qu'on veut des femmes, prétendre qu'elles ont des lubies, stigmatiser leurs manies, souligner leur forte tendance à l'émotivité ou à la sensiblerie, mettre l'accent sur les inexplicables ressorts qui les conduisent à apprécier untel ou à abhorrer tel autre, on ne peut nier que nous ayons un flair particulier, messieurs! Qu'on le désigne sous l'appellation de sixième sens m'est égal. Le mien me poussait à vomir Blake. Cet homme-là me portait sur les nerfs! Douze ans avant mon arrestation dans son bus, j'eus à affronter ce chauffeur-là. Me restera à jamais la lueur démente qui dansa dans son œil. Ai-je jamais raconté tout ce qui se passa vraiment en moi après qu'il m'eut fait descendre de son bus sous un fleuve de mots tordus? Ce fut un sale jour, tout aussi pluvieux et moche. Mon porte-monnaie était tombé près d'un siège réservé aux Blancs. Je m'étais assise, le temps de le ramasser. Blake m'interpella abruptement. J'en frémis encore d'indignation. Après l'invective, j'étais descendue de l'avant du car pour monter à l'arrière. Que pensez-vous qu'il fit? Le monstre m'abandonna sous la pluie, les pneus de son véhicule m'aspergeant même d'une eau boueuse et saumâtre. Depuis ce jour-là, je préférai affronter l'ire de mon contremaître plutôt que de voyager sous la traumatisante conduite de James Blake. Lorsque la rotation des chauffeurs l'expédiait sur ma ligne, je renonçais tout simplement à monter à bord de son véhicule. C'était plus fort que moi. J'attendais le bus suivant. Thunder avait beau s'énerver en me voyant arriver après le début de la prise de service, les mâchoires frémissantes, l'œil sombre et figé sur sa montre, je n'inventais nulle excuse. Je lui

41

disais : « Prélevez donc l'amende sur ma paie de la semaine. » Et on en restait là... J'étais une bonne ouvrière. Il pouvait grogner mais difficilement se passer de moi !

Parfois je préférais marcher plutôt que de prendre le bus de Blake. Je repensais immanquablement, en le voyant, à Pine Level, le bourg où Sylvester, mère et moi avions atterri après que père nous eut quittés. Mes grands-parents maternels y avaient une ferme. En ce temps-là, les Noirs allaient à l'école ou à leur travail à pied. Seuls les plus fortunés avaient des voitures. Les bus étaient réservés aux seuls Blancs. Nous nous disions, mon frère et moi, sur le chemin de l'école, qu'ils étaient quand même gentils, les Blancs, parce qu'ils ne nous écrasaient pas sous les roues de leurs autos, le long des routes sombres que nous empruntions. Ils auraient tout aussi bien pu le faire à leur guise, puisqu'une vie nègre n'était rien et pouvait donc être anéantie, écrabouillée en rase campagne. Un jour venteux, je perdis mon chapeau. Il voltigea sur la route et je fis l'erreur de vouloir l'y récupérer. La chaussée était glissante. Je m'étalai. Un bus arrivait. Le chauffeur était naturellement blanc. Cela ne fait l'ombre d'aucun doute. Il freina à mort. Il stoppa à deux pas de mon petit corps dévasté par la peur, sanglotant et mortifié...

À Montgomery, des années plus tard, lorsque je pus monter à mon tour dans un autocar, ce fut quand même un soulagement, même si nous restions confinés à certaines places. Confiner !

Quel sale verbe! Le temps passant, ce confinement devint insupportable. Comme ce fameux 1er décembre...

J'étais donc sortie de l'immeuble de notre appartement, coiffée, poudrée, légèrement parfumée derrière les oreilles, parée de bagues. Les matins vous donnent des ailes et, parfois, vous les rognent aussi. Je me revois posant un œil attendri sur l'architecture de notre lotissement. Les images captées, fugitives, instinctivement, vinrent se fourrer dans une valisette rassurante. J'avais même passé une main caressante sur les briques rouges. Je priai le ciel de faire en sorte de retrouver les miens le soir. Rien n'était sûr dans notre condition. Je murmurai aux murs de veiller sur ma mère et sur Raymond! Ce dernier n'allait pas tarder à sortir... Peut-être caresserait-il à son tour le même pan de mur avant de partir à son office de barbier. Ces murs épais et colorés nous offraient une meilleure sécurité que les bungalows en bois, typiques du Sud, que j'apercevais plus loin, à quelques blocs, de l'autre côté de Cleveland Court. Ils s'enflammaient si vite au passage des *klansmen*! Les gens du Ku Klux Klan, nostalgiques de l'esclavage et défenseurs convaincus de la supériorité de la race blanche, se déployaient à nouveau, torches brûlantes à la main, figés dans une blancheur de revenants. Ils incendiaient tout sur leur passage. Selon leur expression, « il fallait vite envoyer au diable les nègres qui ne baissaient pas leurs sales yeux de bête devant l'homme blanc ». Engoncés dans leurs longues robes couleur crème, les membres du Klan avaient l'inquiétante allure de fantômes. En ces lointaines années cinquante, après une brève éclipse, l'organisation raciste était de retour à Montgomery! Elle avait repris sa tournée d'incendies, lynchant, brutalisant sans raison, arrosant de pétrole ses victimes et y craquant une allumette, noyant sans discontinuer les « niggers » qui militaient pour la déségrégation, qui protestaient, qui s'inscrivaient sur les listes électorales, qui regimbaient dans un restaurant quand on leur balançait du ketchup ou de la moutarde, qui osaient regarder l'homme blanc dans le blanc des yeux, qui voulaient boire à la même fontaine une eau identique et rafraîchissante ou qui, franchissant le seuil d'une bibliothèque, avaient voulu lire un ouvrage introuvable dans les rayonnages clairsemés des tristes et ridicules centres documentaires réservés aux Noirs.

Lorsque j'ai rejoint Raymond dans le mouvement pour les droits civiques, j'ai constaté combien les forts en gueule de notre organisation attiraient l'attention de nos adversaires et les galvanisaient aussi. Les injustices, nos leaders les combattaient avec ferveur, mais des erreurs de stratégie avaient été commises, prolongeant d'autant la durée de notre calvaire. Vient cependant un moment où, tel un fruit pourri, un système s'épuise et tombe de l'arbre qui le portait. J'ai eu la chance de voir s'écrouler l'arbre, mais pas forcément les arbustes et les plants en pots qui poussaient dans les jardins des partisans de Jim Crow. Raymond, l'impatient, sombrait souvent dans le pessimisme et mes paroles de réconfort avaient peu d'effet sur lui lors de nos apartés :

« Le règne de la justice et de l'égalité est plus long à établir que celui de l'oppression ! » disais-je. Son visage se plissait. « Non, c'est nous qui sommes lents à arracher la victoire ! » ripostait douloureusement mon gaillard.

Je le voyais saisir une bouteille qu'il s'empressait d'ouvrir. Ne voulant pas de dispute qui aurait pu s'envenimer, j'en laissais, désespérée, mais aimante, couler la liqueur brune et agressive dans son verre à whisky.

Raymond pouvait se montrer un jour vaillant, mais tout aussi bien succomber le lendemain à des accès de résignation. Ils le plongeaient alternativement dans des crises mélancoliques, colériques et parfois même éthyliques.

Est-il supportable
de ne pas enfanter?

J'ai toujours détesté avoir les cheveux mouillés. C'est un réflexe féminin, paraît-il. Le bus pour Court Square, qui allait donc en centre-ville, était à l'arrêt. Je suis montée, j'ai payé, puis, comme l'exigeaient les stupides règlements du Sud, je suis redescendue du véhicule pour y remonter par l'arrière. Ce manège m'écœurait, surtout les jours de pluie, car on fermait son parapluie en allant payer sa place au chauffeur, puis, pressé de courir à l'arrière du bus, on subissait l'averse et prenait en râlant la douche froide. Là, j'étais calme. Je me frayai une place au milieu des grands gaillards qui m'environnaient. L'un, me prenant certainement en pitié, s'écarta et je m'assis. Il y avait beaucoup de femmes, la plupart jeunes et rondes, vives et plaisantes, qui travaillaient comme bonnes dans les grosses fermes ou les habitations cossues. En chemin, elles piaillaient, s'exprimant de manière crue et populaire, racontant ce qui les attendait : des maîtresses de maison sévères, des maîtres bougons, des enfants heureusement guillerets, loin de la morgue parentale, prompts, quant à eux, insouciants de toute convenance, et qui leur sauteraient joyeusement dessus, donnant ainsi de la consistance à un quotidien mou, fait des mêmes obligations et services. Elles se renfrognaient parfois en songeant que les mêmes petits chéris, devenus grands, gros et poilus, se changeraient en ours, oublieraient le sein qu'ils avaient tété et cogneraient à leur tour à bras raccourcis sur de pauvres âmes noires, pourtant si semblables à celles qui les avaient veillés, dorlotés et soignés. Elles maudissaient d'un unique cri le malheur qui les avait faites Noires.

Je ne participais pas à leur conversation. Ma réserve naturelle me l'interdisait. Elles allaient descendre avant le terminus, bien avant que nous arrivions en ville et quelques jeunes-vieux, qui étaient aussi des employés de maison, leur emboîteraient le pas. Ces oncles Tom donnaient l'impression de n'avoir jamais été chatouillés par l'envie de broncher ou de poser bas les fers invisibles qui engourdissaient leurs mouvements et entravaient leur liberté. Leurs têtes ensommeillées dodelinaient dans le bus. Ils parlaient rarement. C'étaient des taiseux. Une hâte d'obéir les faisait parfois sursauter à un arrêt et ils regardaient au-dehors, craignant d'avoir manqué leur arrêt, leurs yeux inquiets, luisant d'une terreur vive qui saisit ceux qui sentent déjà cingler dans leur dos le fouet du maître ou heurter dans leurs oreilles sa furieuse remontrance. Ce peuple de serviteurs partait généralement pour les fermes des cotonniers. Il ne venait jamais aux réunions de la Voter's League, apeuré et ne « voulant pas d'histoires », comme il s'en défendait, penaud, poltron, en prenant le large ou en abaissant les yeux sur des chaussures bien cirées ; c'était là le meilleur moyen, plaidait ce peuple las, d'échapper aux brimades et sévices. Dieu ! comme nous nous regardions souvent en chiens de faïence ou préférions nous éviter pour ne pas avoir à nous injurier ou à nous empoigner !

Le véhicule traversa bientôt la pinède, puis les bungalows construits sur le modèle de la maison traditionnelle du Sud. Bâties en longueur, ces habitations avaient l'air d'autobus ou de caravanes prêtes à prendre la route, à quitter un lieu provisoire pour un autre. À voir la forme de ces bungalows, le Sud paraissait être un vaste territoire où des hommes et des femmes se trouvaient comme en escale sur les chemins incertains de leurs existences. Souvent, une chaise en fer, rouillée, attendait le patriarche sous la petite véranda. Il venait s'y écrouler, les yeux rivés vers le lointain, fixant le bitume qui courait, sans lui, vers un ailleurs toujours rêvé, mais que seule une poignée de ceux qui avaient la peau sombre comme lui oserait emprunter sans redouter qu'un loup ne surgisse à l'horizon et ne le découpe en morceaux. On roula, le bus dévalant les longues lignes droites et pilant sans ménagement aux arrêts, redémarrant en trombe, secouant nos estomacs au risque de leur faire rendre nos repas de la veille ou ceux que nous venions d'avaler en vitesse. Il fallait une vingtaine de minutes pour arriver à destination. Le bus dépassa quelques habitations cossues aux portes de la ville, puis on fit un détour par Holt Street, avant de rouler vers le cœur déjà animé de l'ancienne capitale des États confédérés pendant la guerre de Sécession. Je vis des figurines à l'effigie du Père Noël qui pendaient aux persiennes des maisons les plus huppées du centre-ville. Leur style néoclassique et tapageur était proche, pour certaines, du modèle gréco-renaissance. Des ouvriers noirs ramassaient des sacs d'ordures, la tête enfoncée dans une grande capuche. Des travailleurs se hâtaient. Les rues de Montgomery respiraient aussi déjà l'air de la fête de la Nativité. Des guirlandes lumineuses ornaient des sapins, des traîneaux et des crèches clignotaient derrière les vitrines des magasins du centre-ville. Je me dis avec soulagement que j'avais bien fait d'achever la construction de la crèche de Noël comme tous les ans, avec l'aide de ma mère Leona, si pieuse. Ce travail occupait ainsi ses journées un peu monotones. Parfois, pendant que nous cousions et que je lui montrais comment aller plus vite dans son ouvrage, elle soupirait. Je comprenais que, tout en admirant ma dextérité, elle ne manquait pas de se dire que je n'étais pas faite pour le travail de coutu-rière ; il m'avait donné plus d'habileté, certes, à coudre des tissus pour en recouvrir les per-sonnages d'une crèche, mais ce n'était pas l'un de ces métiers intellectuels que mère espérait me voir pratiquer. « Il faudrait commencer les achats pour les fêtes de fin d'année », me dis-je. Pourquoi pas aujourd'hui même ? « Bonne idée, ma vieille ! Mais pense à solliciter le président de l'université d'Alabama pour le stage des 3 et 4 décembre. C'est le dernier de l'année, tu dois absolument le réussir ! Edgar Nixon en sera ravi ! »

Edgar Nixon travaillait dans la compagnie ferroviaire des wagons-lits Pullman. C'était un syndicaliste noir, infatigable avocat de l'intégration et président de la section locale de l'Association nationale pour l'amélioration de la condition des gens de couleur. Je ne peux songer à cet homme sans avoir les yeux embués de reconnaissance. Il a mobilisé une énergie folle pour notre cause !...

La foule des travailleurs se déversant des bus autour de la fontaine de Court Square courait en tous sens. À cette heure matinale, on voyait surtout les employés et ouvriers noirs. Les Blancs, les patrons et les chefs, arrivaient quand bon leur semblait. Quant aux contremaîtres blancs, ils étaient déjà sur le pied de guerre, attendant les employés, morigénant les uns, houspillant les retardataires, sanctionnant d'un ton chargé de poudre et d'explosifs la moindre incartade. Le Montgomery Fair se trouvait à quelques mètres seulement de la fontaine municipale de Court Square. Le cœur léger, je descendis rapidement dans les sous-sols blafards où se trouvait mon atelier de couture. Je croisai John Thunder, mon rude contremaître. Son air farouche n'altéra nullement ma bonne humeur. Je chantonnai même *Devil Got my Woman*, un air de Skip James, l'un des musiciens de blues qu'affectionnait particulièrement Raymond. Nombre de mes collègues, avec qui je prenais mes repas à la pause de midi, s'y trouvaient ou m'y rejoignirent bientôt : Maria Steawart, Zora Neale, Ellen Grita, Wilna Renhart, Barbara Stuyvens, Ida Wells et d'autres femmes. La plupart portaient curieusement des noms d'héroïnes de la cause noire. Ida, dotée d'un solide embonpoint, avait presque celui de Wells-Barnett, cette journaliste qui, en 1884, dans le Tennessee, s'était vu ordonner par un contrôleur de la compagnie ferroviaire Chesapeake de quitter le compartiment pour Blancs et de filer fissa dans le wagon bondé réservé aux Noirs. Elle envoya paître le contrôleur. Il s'emporta, la fit brutalement déménager. Elle porta l'affaire devant les tribunaux, car cette grande dame avait aussi du tempérament. Notre Zora Neale, la couturière, qui n'écrivait pas de livre, contrairement à son homonyme, nous annonça tout de go, ce matin-là, qu'elle allait être mère pour la première fois ! Des cris de joie retentirent aussitôt dans l'atelier. Et, je ne sais pourquoi, se tournant peu après vers moi, Barbara, les bras ouverts avec bienveillance, me saisit les épaules et me dit :

« Tu es resplendissante, Rosa. Tes cheveux sont magnifiques !

— Tu trouves ? Ma foi...

— Oh oui ! coupa-t-elle. Tiens, laisse-moi arranger cette mèche sur ton visage. N'aurais-tu pas aussi une bonne nouvelle à nous annoncer, Rosa, hein ? »

Le rouge me monta aux joues. Je n'attendais pas un heureux événement, moi ! J'en étais encore à méditer et à penser à ma réplique quand le contremaître braila. Barbara se précipita devant ce tonnerre sur pattes et nota en tremblant les ordres de l'irascible chefaillon. Après avoir échangé quelques mots sur la santé de ma mère, Maria Steawart, ma meilleure amie, me laissa devant ma machine et je me mis à ourler, à repriser, à coudre.

Au moment de la pause-café, j'appelai le président de l'université d'État de l'Alabama. Il autorisa la tenue dans son établissement du séminaire de notre Association pour l'amélioration de la condition des gens de couleur. Raymond allait être content de la nouvelle. Je me frottai les mains de satisfaction et courus rejoindre mes camarades.

Le fameux jour, je déjeunai à midi comme prévu avec le juriste Fred Gray. J'ignorais d'ailleurs que nous serions appelés à ne plus nous quitter pendant plusieurs mois, au cours des trois cent quatre-vingt-un jours qui marquèrent notre boycott et notre combat juridique contre la ségrégation dans les compagnies de transport

53

du Sud. Nous parlâmes des astuces à inventer pour déjouer les humiliations et les entourloupes de Jim Crow. Je lui confiai mon souhait de l'avoir comme intervenant quand il faudrait parler des méthodes utilisées par nos adversaires pour décourager les Noirs de s'inscrire sur les listes électorales. Gray me fit part de son enthousiasme à participer à la session. « Je viendrai avec des cartes et des graphiques et démontrerai comment la loi électorale est faussée par des découpages taillés sur mesure pour les Blancs les plus conservateurs. » Il me refit la longue liste des obstacles accumulés pour nous éjecter du vote, nous éreinter les flancs et restreindre nos droits. Les Noirs exclus étaient généralement des illettrés, des gens aux revenus inférieurs à trois cents dollars de biens soumis à l'impôt, des électeurs qui n'avaient pas acquitté la taxe sur le vote, ceux qui n'avaient pas un domicile fixe ou n'avaient pas servi dans l'armée, voire ceux dont on avait décrété qu'ils avaient un caractère de cochon. Ah ! oui, il fallait être doux comme un agneau pour participer aux consultations publiques ! Étaient également rayés des listes ceux dont les parents ne pouvaient voter avant 1887, en vertu de la fameuse clause du « grand-père », ceux qui ne comprenaient pas un article de la Constitution ou ne pouvaient l'expliquer quand on le leur débitait à la va-vite. Même les lettrés étaient éliminés à cet examen sordide. Il fallait donc, observa-t-il, pour surmonter toutes les embûches et sortir vainqueur des épreuves, avoir l'ouïe fine et être issu de Yale, Harvard ou Princeton. Je le savais très bien, moi qui avais fait des études supérieures mais avais essuyé les pires difficultés pour voter, moi qui, par trois fois, avais été recalée !

Nous devions aussi, Gray et moi, ébaucher le planning des différents stages d'alphabétisation que nous projetions de proposer à nos adhérents au cours du premier semestre de l'année nouvelle ; nous étions convenus de l'examiner en présence de Nixon. Il nous fallait former de nouveaux membres à la lutte pour les droits civiques. Nous devions donc visiter plus de comtés que nous ne l'avions fait au cours de l'année qui se terminait. Nous énumérâmes quelques villes. Gray les connaissait toutes. À la fin de ce plaisant et fort instructif déjeuner, je rejoignis mes camarades avec le sentiment que le monde tournait au ralenti, mais que certains moments, comme celui que je venais de passer avec notre avocat, permettaient d'échapper à la monotonie et au pessimisme.

Le travail de l'après-midi aurait pu être routinier et me laisser à ma bonne humeur, mais le contremaître Thunder fit encore irruption dans l'atelier. Il nous jeta à la figure le nouvel ordre : « Reprendre la confection des vêtements pour nourrissons abandonnée la semaine précédente ! Laissez tomber la confection des imperméables ! » Mon Dieu ! quelle pouvait être la raison de ce brusque changement de programme ? Une hausse du nombre des grossesses en ville ? dans le comté? dans notre État? Une commande extérieure et urgente à satisfaire? L'intuition du chef des produits?... Je me le demandai et faillis soumettre mes interrogations aux collègues. Je cessai les supputations. Après tout, la programmation du travail n'était pas notre affaire. Il fallut donc se lever et nous hâter vers les armoires où étaient stockées les découpes des bavoirs, bonnets, brassières, chaussons et autres vêtements en laine ou en coton. S'y trouvaient aussi des grenouillères, ces nouvelles combinaisons qui remplaçaient les langes de l'époque et que notre magasin proposait comme produits d'avant-garde. Je me mis debout, heureuse de me dégourdir les jambes!...

Très vite, ces maudits bavoirs et socquettes me crispèrent. Un souffle chaud montait de mes jambes et se répandait dans mon corps, me provoquant des crispations dans l'abdomen tandis que des sensations de chair de poule se déversaient le long de mes bras et de mon échine. Mon poil se hérissait. Dès que je touchais un bavoir, on aurait dit que se déclenchait une décharge électrique. Lentement, essayant de dominer ce que je pensais être une émotion, je soulevai délicatement les cotonnades et commençai à les assembler. Mon trouble ne s'atténua pas pour autant. La délicatesse ne réglait pas le problème. Je ressentais toujours un coup de chaleur au moment de les plier et de les poser dans le bac situé sur ma droite, où je rangeais ma production. Le contremaître venait régulièrement en inspecter le contenu. S'il était jugé peu abondant ou défaillant, l'homme hurlait et on voyait les veines de son gosier de héron se gonfler. Coudre la layette et tout ce qui se rapportait aux vêtements pour nourrissons m'avait toujours émue. Si loin que je me souvienne, je n'en cousais jamais sans que cela ne déclenchât en moi un certain trouble. Moi qui n'avais toujours pas eu d'enfant, il m'était douloureux à l'époque de réaliser ces pièces où de petits êtres de chair et de sang se glisseraient, innocents et fragiles, grassouillets ou chétifs, roses ou marrons mais tous vagissants et frétillants tels de minuscules ou grassouillets poissons. Des paroles prononcées par Raymond près d'un quart de siècle plus tôt, le jour de notre mariage à Pine Level, en 1932, me trottaient souvent dans la tête tandis que je cousais. « *You'll certainly be a sweet mother*, avait dit Raymond.

— *What did you say ?* » demandai-je, car je voulais l'entendre me le redire. Comme je le fixais, éperdue de bonheur, confiante dans ma capacité à satisfaire ses désirs, il confirma :

« Oh! oui, tu feras certainement une extraordinaire maman! » Il gelait à pierre fendre ce jour-là, mais mon cœur fut inondé de soleil et de joie pure. Nous fîmes la fête avec quelques amis, et grand-mère, je crois, à nous voir si heureux, cette magique grand-mère que j'adorais tant, gagna des années de vie supplémentaires malgré la maladie qui la rongeait.

Là, à quarante-deux ans, la prédiction de

Raymond avait-elle encore la moindre chance de se réaliser au milieu des bouffées de chaleur qui m'asphyxiaient?

Le dernier bavoir fut pénible à coudre. Je faillis m'enfoncer la grosse aiguille de la machine dans le doigt et le retirai juste à temps. Pour ne rien arranger, les sensations de chaud et de froid qui m'envahissaient firent perler des gouttes de sueur sur mon visage. Ce phénomène se produisait depuis quelques mois et la disparition de mes règles, qui m'avait laissée penser à une heureuse nouvelle, se changea en préoccupation quand il fut certain que je n'attendais pas un enfant. Le pronostic de mon médecin fut d'abord évasif : « Si cet état venait à persister, cela annoncerait probablement, mais ce n'est qu'une probabilité, la ménopause! » me dit-il. Ses précautions de langage alambiquées m'effrayèrent. Les vives douleurs qui me créaient des crispations aux pieds, me raidissant les orteils comme s'ils étaient envahis de crampes, se déclenchant en général en fin de journée, se réveillèrent elles aussi. Soudain, elles arrivèrent sous la forme d'une suite de pincements plus lancinants les uns que les autres, me transperçant les chairs. Ils partaient du bas-ventre pour monter à grande vitesse vers ma poitrine. Pliée en deux, comme si j'avais reçu un coup de poing au plexus, je suffoquai. Ma voisine et confidente, cette bonne grosse Maria Steawart qui m'accompagnait aux réunions de la NAACP, se pencha vers moi :

« Tu as mal, Rosa? Tu as mal?

— Très... » fis-je d'une voix rauque.

La fin de la journée de travail sonna dans l'atelier, interrompant la pétarade régulière que faisaient entendre nos machines. On se précipita pour ranger ses affaires, nettoyer chacune son environnement de travail, balayer le sol sous l'œil noir des contremaîtres. Ils parcouraient la vaste salle de long en large, suivant toujours d'une moue soupçonneuse la volière des couturières prêtes à s'égayer en piaillant loin de Montgomery Fair vers leurs foyers. Nous devinions aisément les soupçons qui s'entrechoquaient dans les têtes de nos surveillants, allongeant encore leurs mines patibulaires. Ils nous fixaient et nous lisions dans leurs yeux : « Combien de pièces avez-vous dissimulées dans vos corsages ? » Nous entendions ces pensées-là comme si un mégaphone les hurlait à nos oreilles. Nous feignions l'indifférence alors que grondaient dans leurs pensées accusations et sourdes invectives : « Gare à vous, sales garces ! La première qui cherchera à partir avec un vêtement volé le regrettera ! » John Thunder gesticulait comme un lion en cage. Une sono prit le relais, comme si les menaces muettes de Thunder et de sa troupe n'étaient déjà pas assez cinglantes. Les haut-parleurs lâchèrent : « La direction vous rappelle que vous ne devez jamais oublier les bons commandements de Notre-Seigneur et notamment celui-ci : "Tu ne voleras point !" La direction vous rappelle aussi l'importance qu'elle attache à la ponctualité. » Nous n'écoutions ces propos que par peur de paraître désinvoltes et de susciter des réactions disproportionnées chez ces hommes qui nous épiaient. Nous devions tout laisser en ordre à nos postes de travail et dans nos vestiaires. La propreté devait être parfaite, sous peine de diminution de salaire ou de renvoi immédiat selon l'humeur du contremaître.

Alors que j'enfilais mon manteau, une nouvelle bouffée de chaleur monta en moi. Désagréable. À peine vêtue, j'avais l'impression d'être dans une étuve. Je pris le bras de Maria et me cramponnai à lui comme un rescapé s'agrippant à son sauveteur. Et c'est ainsi que, silencieuses et soucieuses, nous sortîmes du magasin. La tête basse, nous contournâmes la fontaine de Court Square sans un regard pour les personnages sculptés qui s'y trouvaient et qui avaient l'air, eux, de mimer de joyeuses sarabandes autour des jets d'eau.

« Es-tu sûre que ça va, Rosa ? Tu étais si magnifique ce matin… Ton stage te préoccupe-t-il ? Ta mère a-t-elle rechuté ? Raymond va bien ?

— Ce n'est rien, Maria. Tu sais, je souffre parfois de migraines, quand ce ne sont pas les jambes qui me font mal en fin de journée ! La vieillesse me téléphone, vois-tu !

— La vieillesse ? Tu n'y penses quand même pas !

— Ne crois-tu pas que c'est ainsi que se signale la ménopause ? Maux de pied, migraines, vapeurs, irritabilité…

— Où vas-tu chercher tout ça, toi ? Tu en

es encore loin, voyons! Parle à ton médecin, gronda amicalement Maria.

— Mon bon docteur Radcliffe Masson ne me dit rien qui soit vraiment rassurant ces temps-ci.

— Il louvoie, ma chère, comme savent le faire les gens de science. »

Je soupirai et me tournai vers elle à l'angle de la rue où se trouvait le marchand de légumes. « Chère Maria, je ne prendrai pas le bus tout de suite. Je vais marcher un peu, j'en ai besoin. Tu ne m'en veux pas, n'est-ce pas?

— Oh, non! Je te comprends… Tiens, garde ce parapluie!

— Non, merci. Tu es gentille. »

Elle essaya aussi de me retenir :

« Les courses de Noël me tentent. Pas toi? Allons donc vers ce magasin, là-bas!

— Non. À demain, mon amie. J'ai pensé à la même chose que toi ce matin et ça m'aurait plu de courir les boutiques en ta compagnie, mais le cœur n'y est plus! »

Après une accolade, nous nous séparâmes et je pris la direction du State Capitol, situé sur Goat Hill. Je longeai les magasins bondés à cette heure au bas de la Dexter Avenue, l'artère centrale de Montgomery. Autour de la fontaine de Court Square, les modestes immeubles d'habitation, à trois ou quatre niveaux au maximum, abritaient surtout la population noire. Leurs façades colorées, couvertes de dessins, de scènes de la vie quotidienne, et de peintures murales naïves avaient été laissées à la jubilation de paysagistes,

61

portraitistes et artistes noirs. C'était le Dexter Avenue artistique où les peintres s'en donnaient à cœur joie, y compris sur les murs des maisons où graffitis, portraits et trompe-l'œil cohabitaient. Il y avait là aussi des magasins de textile, présentant dans des devantures luxuriantes et criardes, les costumes et vêtements qu'affectionnait particulièrement l'élite noire. Je venais parfois m'y approvisionner, au moins une fois l'an, pour mère et Raymond. Des chapeliers vendaient des couvre-chefs aux formes classiques pour les hommes tandis que celles proposées aux dames ne manquaient pas d'être étonnantes. Elles accouraient donc en masse faire du shopping aux alentours de Dexter Avenue, et surtout dans les magasins qui donnaient sur Coosa Street et sur Monroe Avenue. Chaque dernier vendredi du mois, on y voyait enfler une foule de chalands. Elle était majoritairement féminine, venue découvrir les nouveautés ou, pour certaines de mes amies paroissiennes, acquérir quelques chapeaux à la mode qu'elles coifferaient pour l'office du dimanche ou qu'elles porteraient le jour de la célébration de la messe de la Nativité.

Wonderboy

Je n'ai jamais été très sensible à la mode. Mais je n'en appréciais pas moins les chapeaux, les larges coiffes que nous mettions le dimanche pour nous rendre à l'office ou les jours de mariage. Je les portais même bien et possédais quelques pièces qui réjouissaient toujours Raymond. Je fus donc tentée de tourner vers Monroe Avenue, mais je changeai de décision et d'orientation. « Nous sommes jeudi », me dis-je. M'attardant aux alentours de l'atelier d'un vieux peintre naïf et réaliste, je renonçai à observer les peintures murales ainsi que je le faisais d'ordinaire quand j'y venais avec mère ou mes amies. C'est ainsi que quittant rapidement la partie populaire de Court Square, avançant d'un pas somnambulique, sans voir ni les connaissances qui me hélaient ni les tulipes encore rougeoyantes et les asters aux fleurs blanches qui constituaient de joyeux bouquets le long de la partie huppée de Dexter Avenue, j'accélérai le pas vers le capitole. À mesure qu'on quittait le bas de la rue, où régnait un joyeux et coloré désordre, les maisons et les buildings devenaient imposants et cossus. On entrait dans la partie blanche et institutionnelle de la ville. L'atmosphère qui régnait ici imposait un comportement plus strict, réclamait une attitude et une discipline militaires. J'eus envie de quitter le grouillement de Court Square, ses échoppes et son vacarme !

La blancheur des immeubles du haut de la rue m'attira comme un aimant la limaille. Je dépassai quelques habitations en brique, rares dans cette partie administrative de la ville, et continuai ma marche automatique sans prêter attention aux majestueux pins qui se penchaient sous la bise. Malgré la fine pluie, je n'ouvris pas le parapluie que m'avait remis Maria Steawart ; je laissai derrière moi l'imposante église protestante à l'allure victorienne, uniquement fréquentée par les Blancs, sans me retourner vers elle ainsi que j'en avais l'habitude pour dire au Christ qui y régnait que je croyais en lui, malgré les barrières que les hommes élevaient pour restreindre l'accès à son message d'amour. À hauteur de l'Alabama State Bar Association, ancêtre du parlement de l'État et lieu mythique de la démocratie de notre État, je marquai une halte, hésitant à traverser la rue pour aller prier un instant dans ma petite église baptiste nichée au 454 de Dexter Avenue. Mon cœur avait tressailli, cela me revient, en regardant ce modeste bâtiment où l'élite noire de Montgomery se retrouvait. Y venaient ceux des nôtres qui ne se résignaient pas à la division raciale qui existait de manière outrageusement criante entre le bas et le haut de cet axe central. Nous avions investi ce cœur de la cité pour marquer notre présence, même modeste, là où battait le cœur de notre démocratie et où saignaient aussi nos artères quand les hommes du Klan le décidaient, impunément. Ni la ségrégation raciale, ni la séparation spatiale, ni les lignes de démarcation urbanistiques figées sur Dexter Avenue comme une règle impitoyable et définitive ne nous effrayaient. J'avais vu dévaler les voitures sur la grande rue, aperçu des fidèles ôtant leurs chapeaux en pénétrant dans la chaleureuse petite maison du Seigneur aux briques rouges, aux huisseries, volets et portes bleus, aux escaliers blancs et au clocher en forme de pigeonnier, blanc lui aussi. J'eus envie de courir m'agenouiller sur les bancs du réconfort où, tant de fois, j'avais senti mon cœur s'apaiser quand bien même ma tête, quelques instants auparavant, bouillonnait de mille révoltes. Qu'est-ce qui me retint de m'y élancer ? Ah, je le sais, je ne l'oublierai jamais : je ne voulus pas montrer un visage triste et défait à Martin Luther King, le jeune et charismatique nouveau pasteur, venu d'Atlanta un an plus tôt, qui en assurait le ministère. Sa tenue élégante, sa réputation d'excellent gestionnaire et de brillant orateur avaient fait le tour de la ville et de ses environs. À Millbrook, à Birmingham, à Prattville et jusqu'à Selma, ses prêches au goût de corossol attiraient de plus en plus de monde. Il était la fleur que le Christ avait envoyée pour que nous soyons ses abeilles ! À un bloc seulement du capitole, notre église était très vite devenue le point de ralliement des Noirs et des libéraux blancs.

Il bruinait toujours. Dieu, comme le ciel du Sud sait se montrer contrariant! Depuis quelques années montait une inquiétude : les précipitations de l'automne allaient-elles encore élever le niveau des eaux de l'Alabama à un seuil critique et produire de redoutables inondations? «Il n'en sera rien avec une pluie si fine», me murmurai-je à moi-même. Je poursuivis donc ma route, obliquai sur ma gauche et atteignis la rue McDonough, puis je descendis Madison Street. J'ai souvent refait, quand j'étais encore en Alabama, pour moi-même, ce parcours improvisé, qui ne fut ni inspiré ni commandé par aucune autre volonté que celle du Très-Haut. Sur Madison Street, l'atmosphère était plus calme. Les caresses du vent, s'engouffrant entre de grands immeubles, atténuaient la tension intérieure que me causaient les bouffées de chaleur périodiques et insupportables. Arrivée à l'intersection de Madison et de la North Perry Street, j'avançais toujours d'un pas en apparence résolu et je tombai bientôt sur le monument de Hank Williams, le musicien de country que vénéraient les Montgomériens blancs. Il était mort deux ans plus tôt et des gens se recueillaient à l'endroit où il venait d'être statufié. Des files de fidèles de cette icône blanche s'allongeaient là, face à l'hôtel de ville, en semaine comme pendant les week-ends. Hommes et femmes, les yeux humides, gonflés de peine, serraient un objet qu'ils frottaient sur le bras, la tête ou le cœur de Hank Williams, comme s'il s'agissait d'un saint auquel on confiait des vœux à exaucer. Je leur tournai vite le dos, rêvant de Tuskegee, ma ville natale, celle où ma mère avait suivi la formation d'institutrice dans l'école normale créée par le vénéré Booker Taliaferro Washington. J'avançai, pensant aussi aux musiciens de blues, Lonnie et Tommy Johnson, ou à Blind Blake que j'appréciais plus que les chanteurs de country. Je revins à Court Square. Plusieurs autobus, qui desservaient mon lotissement, s'arrêtèrent bruyamment tout près et repartirent tout aussi vrombissants sans que j'esquisse le moindre geste dans leur direction. Je rêvassais.

Quand je repris mes esprits, un énième autobus patientait. Je m'y précipitai juste avant la fermeture des portes.

Depuis ma première altercation avec Blake, douze années auparavant, j'avais pris l'habitude, avant d'entrer dans un bus, de m'assurer qu'il n'en était pas le conducteur. Je ne le fis pas cette fois, plongée dans mes pensées, rompant le pacte radical et intime qui me liait à la compagnie de bus City Lines. Je payai machinalement ma place et, conformément à la législation sur la ségrégation dans les transports publics, je descendis du bus et courus vers l'arrière du véhicule. Les sièges réservés aux Noirs s'y trouvaient tous déjà occupés. J'avançai au milieu du véhicule, dans la section intermédiaire où les Noirs pouvaient s'asseoir si les sièges étaient vacants, si aucun Blanc ne trônait là. La rangée de quatre places était vide. Je m'installai près de l'allée centrale, laissant donc trois autres fauteuils libres, puis un Noir vint s'asseoir à ma droite, contre la vitre, et bientôt les autres places furent également occupées par des Noirs que ma présence avait probablement enhardis. Je ne fis pas attention à ces nouveaux compagnons. Me saluèrent-ils ? Je n'en sais rien. Je regardais du côté de la vitre, sur laquelle la bruine laissait perler des gouttelettes d'eau et au-delà de laquelle je ne distinguais aucune forme particulière. La phrase qui avait tourné en boucle dans mon esprit le jour durant me revint en tête, comme une ritournelle qu'on peine à effacer de son esprit : « Il faut encore avoir du chaos en soi pour enfanter une étoile qui danse. » Enfanter... Enfanter... Enfanter... Décidément, la question de l'enfantement ne voulait pas me lâcher ! Les bouffées de chaleur m'inondèrent. J'avais le sentiment que le monde entier me voyait dégoulinante. La gorge nouée, je sentis monter en moi des nausées. Puis des images de bavoirs dansèrent dans ma tête...

Pendant que le Cleveland Avenue continuait sa route, je repensai à mon atelier de couture et aux bavoirs. Le rêve de nourrissons gazouillant dans mes bras se perdit dans les vrombissements du moteur de l'autocar. J'entrevis, dans la brume de mélancolie au fond de laquelle j'allais tomber, le doux sourire de Raymond. Des femmes avaient peut-être été saisies des douleurs de l'accouchement dans ce bus. Des enfants étaient peut-être venus au monde dans cet engin pétaradant. J'en étais à ces spéculations lorsqu'une déflagration faillit me percer les tympans :

« *I say Stand up now !* »

Le bus était à l'arrêt. Depuis combien de temps ? Mon voisin de droite passa devant moi et, instinctivement, je me calai contre la vitre. La voix qui aboyait à mes oreilles venait de ce visage que je ne pouvais oublier : James Blake ! L'homme était très agité, blême, rougissant, hors de lui.

« Hein ? Quoi ? » Je balbutiai.

Tous les regards des passagers étaient posés sur moi. On aurait dit les phares d'une Land Rover braqués sur une bête féroce lors d'une battue nocturne. James Blake trépignait dans l'allée centrale. Je compris tout. Un Blanc était monté à l'arrêt du bus, près de la salle de cinéma. Il était grassouillet et tenait un paquet de bonbons à la main. Mes voisins, les trois autres Noirs qui étaient assis sur la même rangée que moi dans cette section intermédiaire de l'autobus, avaient disparu. « Ils ont déguerpi à l'arrière », pensai-je. Ils devaient certainement se trouver, serrés comme des sardines, au fond du véhicule, dans la partie qui nous était assignée. Je ne risquai pas un œil vers l'arrière, mais j'étais sûre qu'ils y étaient ! Le Blanc aux bonbons avait-il besoin de quatre places à lui tout seul ? J'étais lasse, lasse de mes vapeurs, lasse de tous ces yeux hagards qui fixaient la scène sans s'insurger. Les éructations du chauffeur continuèrent à pleuvoir. L'homme aux bonbons, un peu gêné, attendait. L'atmosphère se tendit ainsi dans le bus jaune au liseré vert immobilisé en face de l'Empire Theater, le cinéma qui se trouvait sur Montgomery Street. Les Noirs piétinaient dans la file qui leur était réservée et les Blancs dans les autres.

« *Stand up at last!* » rugit encore James Blake. Il aurait eu un fusil qu'il aurait ouvert le feu sur moi. Mon sang ne fit qu'un tour, traversa la forêt des colères et gicla :

« *Never!* Je ne me lèverai pas !

— À l'arrière, j'ai dit !

— Non, je ne bougerai pas ! »

Il écumait. Je détournai la tête vers la vitre. À quoi bon m'intéresser à sa réaction ! Qu'il me frappe et je répliquerai, me dis-je en me cramponnant à mon sac à main, prête à l'abattre sur mon adversaire. Il contenait une pierre, de la ferme de mes grands-parents, que j'avais gardée comme souvenir de Pine Level et que je promenais partout avec moi tel un fétiche. Elle ne me quittait jamais.

Toujours éructant, Blake repartit comme une balle vers sa cabine, décrocha son téléphone et, d'une voix blanche, lança un appel. Une voiture de police, une Buick, arriva aussitôt, comme si elle n'avait attendu le jour durant qu'un signe de Blake. Elle stoppa devant le bus. Deux hommes en uniforme mirent pied à terre, de lourds colts leur battant les flancs et ils sautèrent dans

70

notre véhicule. Sur un signe du chauffeur, ils se ruèrent dans ma direction. Je demeurai imperturbable et regardai ma montre. Il était exactement six heures et six minutes, au moment où je fus interpellée. La foule qui patientait devant la salle de cinéma du centre-ville s'était massée autour de notre autobus. Les néons de l'Empire Theater illuminaient les affiches avec des clignotements insistants sur le dernier western, *A Man Alone*, un film dans lequel Ray Milland tenait le rôle-titre. L'un des deux policiers me dit d'une voix blessante, une moue lui déformant le visage :

« Levez-vous ! »

J'eus l'impression qu'on me fendait le cœur et je murmurai, la voix sourde et basse :

« Pourquoi tant de mépris ?

— Vous venez de contrevenir à la loi. Vous êtes donc en état d'arrestation. Reconnaissez-vous les faits ? »

Ma vieille timidité s'envola d'un coup. Je crois que c'est à ce moment que je laissai tomber la chape de plomb qui m'engourdissait. De ma gorge sèche, une réponse jaillit :

« Il est des lois qui fatiguent comme il est des hommes qui n'ont aucune idée de ce qu'est vraiment la justice. Vous !

— Je vous arrête. N'aggravez pas votre cas par un propos ou un acte d'insubordination supplémentaire. Vous n'aviez pas le droit, pas le droit, vous me comprenez, de rester où vous aviez collé votre cul... »

Les muscles de mon visage tressautaient. Je

sortis du bus sous des regards haineux, encadrée par les policiers. Je repensai à mon enfance, aux heures où, faisant front à ces adolescents blancs qui nous provoquaient ou nous lançaient des boules puantes, je n'hésitais pas à en venir aux mains. Mère tremblait en découvrant mes vêtements déchirés. Je lui racontais ce qui s'était passé. Elle m'approuvait. Là, je bouillais mais ne pouvais me battre à mains nues. En allant me caler à l'arrière du véhicule de police où me rejoignit un garde, la phrase qui m'avait bouleversée à mon réveil cogna dans ma tête : « Il faut encore avoir du chaos en soi pour enfanter une étoile qui danse… » Le chaos grondait en moi. J'entendis un bruit à ma vitre. Un homme se tenait près de la voiture de police. Il frappa à nouveau à la vitre. C'était le Blanc qui était dans le bus et qui avait, par sa présence, déclenché l'affaire : l'homme aux bonbons. Sa massive silhouette augmenta mon énervement. Ce gros plein de soupe n'avait pas pipé mot pendant les vociférations de James Blake. Que venait-il faire là ? Déposer contre moi ? Ah ! le sale traître ! Non, visiblement, il me faisait un signe amical. « C'est trop tard ! » me dis-je. Je n'avais rien à dire à ce balourd. N'avait-il pas eu assez de temps pour parler au chauffeur au lieu de le laisser éructer et me cracher à la figure ? Il me fit encore un signe de la main, l'air de vouloir m'adresser un message.

« Que voulez-vous, monsieur ? dit le policier chargé de ma surveillance et qui venait vivement de baisser la vitre.

— Rien. Rien », bredouilla l'homme blanc aux bonbons. Et il tourna les talons en rougissant.

La déposition de James Blake faite, le second policier vint s'affaler dans le siège arrière en me brisant les côtes de son coude. Le mufle ne s'excusa pas. La voiture démarra, sirène hurlante, vers le commissariat situé dans une aile attenante à l'actuel hôtel de ville de Montgomery.

Pendant les premières secondes, le visage apaisant et grave de ma mère Leona m'apparut, puis celui d'une autre femme, Elizabeth Freeman, la bien nommée ! Elle avait intenté et gagné son procès en 1781 contre une loi qui affirmait qu'un Noir valait les trois cinquièmes d'un homme libre. Bigre ! Il me fallait vite prévenir Raymond. Comment réagirait-il ? Par un sourire compréhensif, comme celui dont il m'avait gratifié le matin même avant que je ne quitte notre appartement ? Il m'aimait et il n'accepterait jamais de me voir souffrir. J'imaginai sa fébrilité à venir me délivrer, renversant tout sur son passage comme un cyclone. Il monterait haut dans le ciel lugubre de Montgomery pour me libérer. Telle une étoile qui danse au-dessus des volcans, des laves incendiaires et des lois idiotes, il pulvériserait d'un canon divin les monstres de Dixieland. Je me voyais au milieu de flammes géantes. Lui, il était dans un dirigeable qui dégivrait le sommet des montagnes et léchait le ciel de ses ailes immenses. Il venait à moi.

La soif serre parfois la gorge
comme un brigand la bourse

Dès que nous fûmes sur la route de l'hôtel de police, je me mis à penser, en bonne militante des droits civiques, à la suite des opérations. Mon expérience de cas similaires me permettait de penser que le pouvoir blanc allait me causer les pires soucis. Pour l'exemple ! On risquait de m'enfermer à la prison de North Ripley Street pour avoir désobéi à la loi de l'État de l'Alabama sur la discrimination en vigueur dans les transports publics. Je connaissais très bien la procédure pour avoir suivi des cas identiques au mien dans le cadre de mes activités associatives. Mais si étonnant que cela paraisse, je ne pensais ni à l'organisation ni à mon sort. Je fulminais contre les bavoirs !... Mon Dieu, pourquoi m'enfermai-je donc en moi-même ? Après coup, je réalise que j'aurais pu me rappeler plusieurs affaires récentes concernant des femmes noires qui avaient refusé de céder leur siège dans les bus de Montgomery. Nixon, le bouillant président de l'Association pour l'amélioration de la condition des gens de couleur, était chaque fois saisi de ces procès. Soutenue par le cabinet d'avocats de son ami blanc, Clifford Durr, l'organisation antiraciste apportait son assistance aux personnes accusées, dans l'espoir de mettre un terme à une législation honnie. J'aurais pu me souvenir aussi que c'était le même Nixon qui m'avait désignée comme secrétaire de l'association, un jour où l'on en renouvelait le bureau et où j'étais la seule femme présente à la réunion. Il avait une grande confiance en moi et enrageait de ne pouvoir livrer le combat politique, juridique et social auquel il rêvait : mobiliser tous les Noirs pour la défense des personnes arrêtées pour non-obéissance à Jim Crow. Il avait toujours couru derrière ce qu'il nommait « *the case-test* », le cas type, qui ébranlerait le système ségrégationniste. Mais le succès éventuel des procès dépendant aussi de la personnalité des inculpés, il arrivait fréquemment que l'enthousiasme de Nixon soit émoussé. Et son *casetest* devenait obsessionnel et tournait au casse-tête, car les avocats de la partie adverse avaient l'habitude de fouiller dans la vie privée des personnes inculpées. Tout élément qui affaiblissait la défense des contrevenants à la loi était régulièrement brandi contre eux au tribunal.

Ma personnalité timide et effacée ne me prédisposait pas à cette situation. Je n'avais jamais pensé devenir ce casetest. Ce qui me préoccupa, après les bavoirs, ce fut le souci que j'allais créer à mon couple dont les finances n'étaient pas florissantes, et la santé de mère si délicate qu'elle ne supporterait peut-être pas l'annonce de mon arrestation. Puis je m'inquiétai pour Nixon, mon président. Un interrogatoire m'attendait. Suivrait l'incarcération. Il me fallait passer un coup de fil à mère, la rassurer avant qu'elle n'apprenne l'information de manière brutale. Il s'ensuivrait un tel branle-bas ! Raymond trouverait-il l'argent nécessaire au paiement de la caution indispensable à ma libération rapide ? Heureusement, à côté de la prison où l'on me conduisait, se trouvait un établissement qui prêtait de l'argent à un taux acceptable aux justiciables. « Je le dirai à Raymond. Il me faut surtout le lui signaler ! » me dis-je.

Dans les rues, les promeneurs du soir et les ouvriers agricoles revenant des champs de coton des faubourgs de Montgomery ou des vignobles de Perdido, reconnaissables à leurs tenues, se retournaient vers le véhicule de police. Je vis un homme sur un trottoir des friandises à la main, et l'image du passager aux bonbons me revint. Je songeai : « Quel nigaud ! Me proposer des bonbons ! Croyait-il m'adoucir avec ça ? » Les immeubles, au style typique du Sud, un peu victoriens par leur aspect sévère, ou semblables, avec leurs imposantes colonnades, à des temples grecs, étaient dressés, en cette heure ténébreuse, comme des ombres s'écrasant sur la ville. Nous quittâmes Montgomery Street, laissant le bus jaune et l'attroupement des curieux derrière nous. Je renonçai à comprendre ce qui se passait, et me préoccupai du trajet suivi par le véhicule. Celui-ci obliqua sur Washington Street, moins fréquentée, avant de tourner à gauche pour surgir devant le State Capitol dont le dôme blanc éclatait dans un ciel saupoudré de pâles lueurs crépusculaires. Puis le convoi s'élança vers l'est et bifurqua brusquement sur King Street pour revenir sur Peltham Street puis Lloyd Street. Je connaissais bien la topologie de Montgomery et fus intriguée par le parcours de la voiture de police. Qui voulait-on semer? pensai-je, comme si nous étions dans un film policier. Aucune résistance ne s'était manifestée pour entraver mon arrestation. Mais je me dis que, près de Square Court Fountain, il y aurait sûrement eu des attroupements de Noirs, couvant une rage indicible, et que la voiture ne voulait probablement pas passer par ce chemin-là pour se rendre au commissariat, à Perry Street. Celle-ci revint presque au niveau du parlement de l'État d'Alabama sans le moindre incident. Les deux agents de police qui m'encadraient paraissaient las, comme de gros chats ne dormant que d'un œil, et cependant prêts à griffer. Le véhicule filait, faisant crisser ses pneus. Il avait failli emboutir un camion de livraison avant de reprendre sa course folle. Décidément, on aurait dit la scène d'un road-movie dont j'étais l'actrice principale. Je me serais bien passée de ce mauvais film au scénario banal, celui d'une patrouille ordinaire ramenant au pénitencier un délinquant ordinaire, les lois du Sud faisant de nous, les Noirs, des brigands potentiels, qu'un brave shérif du comté se devait de cueillir. Mais il ne s'agissait pas de cinéma...

Sur les trottoirs, les gens pressaient le pas, des paquets à la main ; ils commençaient leurs courses de Noël, comme j'en avais aussi eu la tentation. D'autres avaient la tête enfoncée dans des chapeaux ou des casquettes et ne pensaient sûrement qu'au repas du soir. « À cette heure-là, Leona a déjà préparé le nôtre. » Il ne fallait guère trop y songer, dans les conditions où je me trouvais. À quelle heure mon affaire se terminerait-elle ? J'étais incapable de le dire. On s'aperçoit souvent, lorsqu'on est concerné par une situation imprévue, comme celle que je vivais, que l'incapacité de prévoir, de savoir, rallonge le temps. À l'approche de notre voiture hurlante, les gens levaient les yeux puis ils s'arrêtaient. Défilèrent les redingotes des bureaucrates blancs, attachés-cases noirs à la main et chapeaux de feutre vissés sur la tête, les grandes robes à collerette impeccable des dames blanches, les taxis, les limousines des patrons, les bus aussi. J'aperçus, flottant ou bombés dans leurs vestes élimées, anciennement bleues, quelques ouvriers des manufactures. Ils portaient sur la tête une casquette en équilibre instable sous les effets du vent. Je devinais, plus que je ne l'entendais, le frou-frou des longues robes de plantureuses mères de famille au pas pressé, qui se perdait dans le claquement de leurs talons aiguilles de secrétaires et d'employées de bureau courant attraper un bus dans le quartier administratif. Leur allure énergique faisait résonner leurs pas tels de petits marteaux piqueurs nerveux et résolus. Sur les trottoirs, femmes et hommes slalomaient entre les infatigables cireurs de chaussures, les musiciens de blues au timbre souvent geignard qu'écoutait, l'œil torve, la corporation des ivrognes. On était pressé d'aller retrouver le nid familial. Moi je roulais vers un bien étrange destin sur l'asphalte mouillé.

Je pensai à Nixon, mon président. Il pouvait me tirer d'affaire. Mais il habitait loin de ce centre où nous nous trouvions.

Des bungalows aux murs blancs et aux jardins soignés apparurent. Ils abritaient une classe moyenne et blanche qui vivait à l'écart des quartiers noirs. La blancheur des asters flottant sous la bise du soir tranchait dans la pénombre environnante. Une buée se posa sur les vitres latérales du véhicule, rendant le paysage flou. Les deux policiers semblèrent peu à peu s'animer, me lançant des œillades sans âme, sans aménité, sèches. Ils mâchonnaient bruyamment leur chewing-gum. Celui qui se trouvait à ma gauche interpella son collègue :

« Day, on en aura fini après ?

— Oui, Mixon ! Purée de journée ! »

Day remua comme quelqu'un qui veut se délivrer d'une envie de cogner ou d'engager une dispute. Il me regarda en coin. Il hésitait. Je sentis qu'il se disait : « Allez, voyons ce qu'elle a dans le ventre, cette petite guenon qui veut se la jouer.

Qui ignore ce que coûte d'enfreindre la loi. Une petite animation pourrait mettre un peu d'épices dans cette fin de journée! »

Mixon, placé à ma droite, paraissait, quant à lui, déjà plongé dans la préparation de sa fête de Noël. Il avait consigné mon infraction sur le papier administratif établissant ma désobéissance civile. Il feuilletait à présent un journal où l'on ne voyait que des jouets de Noël. À notre arrivée au commissariat de police, il tendit les papiers à un agent. Celui-ci me désigna d'un geste un fauteuil mal fichu d'où je faillis tomber en m'asseyant. Son bureau vitré donnait sur la rue. Il m'ordonna de décliner mon identité. Son ton me déplut et je débitai :

« Je suis née Rosa Louise, le 4 février 1913 à Tuskegee, Alabama. Mon père répondait au prénom de James. Il nous a abandonnés, mère, ma grand-mère maternelle, moi et mon jeune frère, Sylvester. Rose Percival Edwards, ma grand-mère, une sainte femme, n'est plus! Quant à mon jeune frère, Sylvester, sachez qu'il vit à Detroit, est un bon mari, un bon père de famille nombreuse qui élève dans l'amour du genre humain ses sept enfants. Oui, vous avez bien entendu, sept! Et ce n'est pas fini, monsieur, car Daisy, sa femme, attend un huitième enfant! Mon mari, Raymond, ne sait pas où je suis à l'heure qu'il est! Il doit bouillir de rage et imagine que le Ku Klux Klan m'a tendu l'un de ses abominables pièges…

— Stop, stop! Vous croyez que j'ai besoin de

81

rentrer dans toute votre merde de vie? C'est la loi qui enrage d'être bafouée. Compris? Nom de Dieu, vous avez refusé de céder la place à un honorable citoyen blanc, oui ou non? »

La phrase lâchée, le policier recula, comme un boxeur qui prend son élan, et le souffle chaud de sa respiration m'inonda le visage. Je tournai la tête de droite à gauche. Dans la rue, que j'apercevais par une vitre, la foule allait et venait. Des grappes humaines, par petits attroupements compacts, attendaient sagement un bus. Y aurait-il parmi cette foule silencieuse d'autres personnes qui refuseraient de céder leur place dans les bus? Y aurait-il des Blancs qui inviteraient les Noirs à s'asseoir à côté d'eux? Oh, cela pourrait être renversant! On renouvellerait le coup de sang des Noirs en Louisiane! Et les Blancs de Montgomery montreraient eux aussi qu'ils en avaient assez de ce système. Me revint en mémoire que deux ans plus tôt, en juin 1953, à Baton Rouge, des Noirs, ulcérés par la ségrégation dans Dixieland, avaient décidé de boycotter les bus de la ville. L'un des leaders de ce mouvement, le pasteur Jemison, avait du reste émigré à Montgomery. Je le croisais aux réunions sur l'émancipation des minorités. Je me dis : « Ici, en Alabama, si la masse des Noirs refusait d'obéir à la ségrégation dans les bus, ça ferait un de ces big bang! Les loups racistes hurleraient en chœur : "Les singes se sont donné le mot pour contester notre leadership. Eh bien, il leur en cuira!" » Au-dessus d'une pile de papier, il y avait le journal que Raymond ne manquait jamais : *The Crisis*!... Le policier, s'apercevant que j'en avais lu le titre, le froissa, en fit une boule et la précipita dans une poubelle.

Je veux parler à ma mère

Créé par William Edward Burghardt Du Bois, l'un des fondateurs de la NAACP, *The Crisis* était l'un des magazines de référence de la communauté noire. C'était vraiment la bible de Raymond! « Il n'aura peut-être pas eu le temps de la feuilleter », me dis-je en me souvenant qu'il avait une réunion et à quel point il était excité à l'idée d'assister à la conférence donnée par Oliver Finley! Mère était donc toute seule à la maison.

« Ma mère est isolée à la maison », dis-je les yeux horrifiés.

À ces mots une lueur bizarre scintilla dans l'œil lugubre du policier :

« C'est à moi que vous parlez?

— Oui!... »

Il ne dit rien. Je retournai à mes cogitations : « Raymond tremblerait de tous ses membres, s'il me voyait ici. Il penserait que les Blancs vont me tuer... Lui, si facilement terrorisé par les faits divers relatant chaque jour les mésaventures et les drames du racisme ordinaire dans

le Dixieland ! Moi, sa Rosa, accusée de désobéissance civile ! Le Ku Klux Klan, encagoulé
ou à visage découvert, me brûlerait vive, selon
Raymond ! »

Au même moment me revint la parole que
le jeune révérend de l'église baptiste, Martin
Luther King, répétait lors des réunions de la
NAACP : « Certains d'entre nous devront porter
le lourd fardeau consistant à essayer de sauver
l'âme du peuple américain. » C'était peut-être
le moment. Je me souvins avec émotion de ce
14 août 1954, le jour de ma première rencontre
avec le jeune pasteur à l'Église méthodiste uni-
fiée, à Jefferson Davis Avenue. Son charisme,
la confiance qui l'habitait, la profondeur de sa
pensée, tout cela m'avait frappée. Délaissant les
souvenirs agréables, mes pensées roulèrent de
nouveau vers ma vieille mère et vers Raymond.
« Ils comprendront. Ils m'aideront ! » Il me fallait
téléphoner à ma mère.

« *Please, Mister policeman, I need to give a call to
my mother !...* » fis-je.

Il n'avait pas entendu ou feignait d'être uniquement occupé à rassembler la paperasse et à
préparer mon inculpation.

« Je dois prévenir ma mère », répétai-je. J'étais
anxieuse et à mille lieues de penser qu'une
femme qui me connaissait avait assisté à la scène
de mon arrestation. C'est elle, cette bonne fée
qui ameuta la communauté noire. Au commissariat, le policier qui était allé au fond de son
bureau et qui soufflait comme un phoque revint

vers moi. Son regard était dur. On aurait dit que j'avais détruit à moi seule un régiment entier de parachutistes.

« Pourquoi avez-vous refusé de céder la place à un Blanc?

— J'étais fatiguée. »

J'aurais pu évoquer mes soucis de santé et dire : « J'ai souvent mal aux pieds en fin de journée. Mon travail de couturière a depuis longtemps compliqué la circulation du sang dans mes jambes. Radclife Masson, mon médecin traitant, vous le confirmera. » Je ne pipai mot de tout cela, me contentant de penser tout bas : « Ce n'est pas à mes jambes que j'avais mal aujourd'hui dans le bus, c'est à mon âme et à mon âge! »

« Quelle motivation exacte vous a poussée à demeurer assise à une place réputée provisoire? Articulez!

— Provisoire! Croyez-vous que nous avons cela à l'esprit tout le temps? Quand un Noir est assis, il n'a pas toujours en tête de regarder la couleur de la peau de celui qui se met à côté de lui.

— La loi, c'est la loi. Un Blanc est un Blanc!

— Mais sa peau sonne-t-elle une alarme spéciale que nous devons absolument entendre? Les Blancs sont-ils donc si faibles et fatigués dans ce pays qu'il faille les traiter comme des grabataires? Les Noirs sont ceux qui empruntent le plus les bus, ils payent dix cents comme les autres passagers et, pourtant, ne disposent que de quelques places où poser leurs fesses!

— Vous le direz au tribunal !

— En nous levant en permanence dans les bus nous ne contribuons qu'à asseoir un système crétin, exécrable, indéfendable.

— Quoi ?

— Aujourd'hui, ma fatigue est morale. Comprenez-vous cela ? Morale ! »

M'inclinant sur la fiche que les policiers ayant procédé à mon arrestation avaient laissée à leur collègue du commissariat, je vis qu'ils y avaient déjà couché mon nom et mon adresse. Sur la ligne nationalité, il était marqué « négro ». Je bondis :

« Négro, ce n'est pas une nationalité, monsieur !

— Quoi, que vous arrive-t-il ? Vous contestez nos procédures ?

— Négro, je répète, n'est pas une nationalité. C'est écrit là !

— Mais enfin, à qui allez-vous faire croire que vous n'êtes pas noire ?

— Quand l'ai-je nié ? Je suis américaine ! Telle est ma nationalité !

— Ah, on est bien contente de le dire. J'aime ça ! Mais c'est moi qui dirige cet interrogatoire. Compris ? Ce ne sont pas les malfrats qui commandent. Qu'est-ce qui vous a pris ? »

Une envie de vomir me souleva le cœur. Ce fut malgré tout avec fermeté que je répondis aux autres questions de l'officier de police judiciaire. J'avais soif, celle qui vous serre comme un brigand la bourse. Apercevant une borne-fontaine dans le hall du service, je quémandai :

« Puis-je avoir de cette eau ? »

L'officier accepta d'abord, mais se ravisa, car un écriteau indiquait que l'usage de la borne-fontaine concernée n'était autorisé qu'aux seuls Blancs.

« *Whites only!* dit-il sentencieusement. *It's the law!* »

Damned! J'avalai péniblement ma salive en détachant les yeux de l'écriteau. Longtemps, enfant et même adolescente, j'avais cru que l'eau qui coulait des fontaines réservées aux Blancs était meilleure que celle réservée aux Noirs. Longtemps, je crus que leurs selles exhalaient un parfum sucré, raison pour laquelle leurs toilettes nous étaient interdites. Je demandai à passer un coup de fil à mon mari.

« Non ! » trancha l'officier, tout occupé à rédiger son procès-verbal. Puis il dit : « Votre délit me conduit maintenant à vous placer en détention. »

Je faillis crier, mais me retint. Il me fallait avoir Raymond au téléphone. Une sorte de grande fatigue me gagnait. Ce n'était pas à proprement parler un sentiment d'accablement ni de résignation. L'état des lois et les lois de l'État conduisaient à ce résultat. Après quelques secondes de flottement, durant lesquelles ma vie défila à grande vitesse dans mon cerveau en ébullition, j'entendis une musique. Était-ce mon imagination ou la réalité ? Toujours est-il qu'un gospel éclata à mes oreilles : *When the Saints go Marching in*, chanté sur un mode nasal, ce

mode si caractéristique de Blind Willie Davis...
Dieu ne m'abandonnait pas! *God Almighty*! Oh,
il ne m'abandonnait pas! Ce chant était l'évidente preuve de son soutien. Une allégresse me
submergea. Je n'avais plus à me recroqueviller
sur mon malheur. Je fermai les yeux, puisant en
cet instant de méditation la force de ne céder
à aucun pessimisme. Quoi qu'il advienne, la
Providence saurait contenir, annuler ou abréger
mes souffrances.

L'agent de police m'enferma dans une cellule
de détention provisoire et retourna à sa besogne.
Il revint vers moi au bout d'un temps qui me
parut interminable. J'avais de plus en plus soif.
Je me mis à chanter, pour me donner du courage, *When the Saints go Marching in*... Il me
toisa. Me hurla de me taire :

« Nous ne sommes pas au music-hall. Ici, s'ar-
rêtent les singeries! »

Il me ramena dans son bureau. Après avoir
relevé mes empreintes et lu l'acte de placement
en détention provisoire, il m'invita à nouveau à
le suivre.

« Où? »

Il sembla surpris par ma question.
Généralement, les gens ne discutaient pas, ils
comprenaient, d'instinct, que la force de la loi
avait parlé à travers la bouche de l'officier. Ils
le suivaient, c'est tout. Mais voilà que je l'interrogeais crânement, comme si je me préparais,
en cas de réponse désagréable ou que j'aurais
jugée insatisfaisante, à remettre mon manteau, à

ramasser mon sac d'une main ferme et à tourner rageusement les talons.

« Suivez-moi, j'ai dit! Vous allez à la prison de North Ripley Street, compris? Vous n'en sortirez que contre le paiement d'une caution. »

Un fourgon de police attendait dehors. L'homme m'y poussa et la voiture fila vers la prison. Elle se trouvait à quelques minutes. Un gardien à la mine patibulaire m'y reçut. Il prit machinalement mon sac, réclama mon manteau et mes chaussures, me mit sous le nez des documents et me montra d'un doigt négligent l'endroit où je devais signer. Il fourra les papiers dans un tiroir, posa mes affaires personnelles dans un bac et m'entraîna au deuxième étage de la prison où il m'enferma à double tour. La cellule était humide et puante. L'urine y irritait instantanément les narines et le froid y glaçait le sang. Je protestai, tambourinai à la porte. L'homme revint, me dévisagea comme s'il me découvrait là, comme s'il n'avait à sa disposition aucun mot qui pût exprimer son courroux. Dans ses yeux dansaient des flammes. Il ne voulut rien changer à ma situation et referma brutalement la porte en fer en donnant des tours de clé plus rageurs encore que les précédents. Son pas, lourd d'énervement, s'éloigna bientôt dans le couloir. Une heure plus tard, une gardienne qui venait de relever le mâle insensible, ouvrit la massive porte :

« Ça va? » La question était incongrue. La gardienne paraissait néanmoins disposée à m'écouter.

« Cette pièce est humide et l'odeur y est insupportable. Et puis, je meurs de soif!

— Humm, ça pue, en effet », dit la nouvelle venue en se bouchant le nez. Elle me conduisit dans une autre cellule, plus grande, où l'odeur était plus respirable. Deux autres femmes s'y trouvaient déjà. L'une m'offrit de l'eau dans un gobelet en fer-blanc aux formes rudimentaires. Je me désaltérai enfin, et un soupir de soulagement s'échappa de mes lèvres humides.

« Merci, merci beaucoup! »

L'autre femme, une jeunette, amaigrie et aux vêtements déchirés, me confia qu'elle se trouvait là depuis deux mois.

« Pourquoi? »

Elle avait brandi un hachoir pour se défendre de son compagnon et avait eu le tort de menacer d'abattre l'objet sur lui. Il était violent, une vraie boule de nerfs qui ne savait que la rosser, lui sauter dessus… ou l'envoyer chercher de l'argent dehors. Aucun membre de sa famille n'ayant été informé de son arrestation, elle croupissait dans cette cellule, incapable au surplus de payer la caution dont dépendait sa remise en liberté. Je notai les coordonnées du frère de la pauvresse et promis de l'aider. « Raymond, pensais-je, n'aurait pas attendu une seconde pour voler à mon secours et m'extraire d'un lieu comme celui-ci! »

Au moment où nous nous réconfortions dans la cellule, l'alerte déclenchée par la passagère du bus qui m'avait reconnue parvenait à l'une de mes amies intimes : Bertha Butler. C'est elle

92

qui appela immédiatement Edgar D. Nixon. Il n'était pas chez lui, mais Arlet, sa femme, prit le message. Quand elle le communiqua à son époux, il bondit : « Sacré nom de Dieu ! Si j'interviens, on va m'envoyer sur les roses, sans jeu de mots ! Arlet, passe-moi mon répertoire. Il me faut appeler Wonderboy Martin. »

C'est ainsi que l'on surnommait le jeune pasteur Luther King junior ! Nixon voulait ameuter tous les militants noirs et s'enthousiasma en les citant, refaisant pour l'occasion l'autocritique du mouvement :

« On saisira d'abord Ralph Abernathy ! On passera un coup de fil au docteur Jones. On sonnera aussi le révérend Glasco ! On prendra contact avec le révérend Benjamin Simms ! On n'oubliera pas Manga Bell, l'Africain !... Ah, faudra cette fois qu'il fasse marcher ses gris-gris. Il le faudra, Arlet ! Oui, la bataille appelle le rassemblement de tous les combattants et de toutes les ruses. Nous devons être au moins quarante dès demain à Dexter Avenue, dans l'église baptiste, pour organiser la contre-attaque ! Vaincre ou mourir, voilà le choix ! Nous avons laissé passer trop d'occasions et nos options attentistes doivent maintenant être abandonnées. Seule l'offensive paiera. Rosa est la secrétaire de notre association, c'est une femme respectable. Rosa n'est pas Louise Machin...

— Mary Louise Smith ! lui cria Arlet, en continuant à fouiller la commode à la recherche du calepin de son époux.

— Ouais, c'est cela, tu t'en souviens fort à propos ! Nos velléités d'en découdre avec Jim Crow se sont refroidies quand on a appris que le père de cette fille était un poivrot notoire.

— Poivrot notoire ! S'est-on soucié de ce qui l'a amené à cet état ?

— Non, Arlet, mais là n'est pas la question. Nous ne faisons que constater un fait, un état. C'était un poivrot, et ici tout élément négatif qui peut se retourner contre l'accusateur est brandi sous son nez à l'audience. Notre justice est ainsi faite !

— Tu parles d'une justice ! Une fumisterie de système, oui !

— Dans tout dossier que nous défendons, nous devons être attentifs au moindre élément qui risque de nuire à nos démarches ou de nous porter préjudice. Tiens, prenons le cas de cette autre fille restée elle aussi figée dans un bus à une place réservée aux Blancs !... M'en souviens déjà plus ! Toujours est-il que ce sont les femmes qui manifestent le plus souvent leur ras-le-bol ! Hein, Arlet ?

— Il y a un moment déjà que je te le signale. Mais tu ne m'écoutes pas ! Les mecs, on le sait bien, ne sont bons qu'à se battre pour le pouvoir et à forniquer.

— Ah, en voilà une pique à peine déguisée contre moi. Pour ce qui concerne la première partie, en tout cas. Je me trompe, Arlet, chérie ?

— Edgar, ne perdons pas de temps. Agissons pour Rosa !

— Oui, trois fois oui! Y en a marre de nous déballonner en permanence. Y en a marre de toujours prétendre qu'untel n'est pas le bon client qui ferait entendre raison à la justice de ce pays. Je fais là mon autocritique. Nous devons en finir avec la ségrégation et son cortège d'humiliations! Il y a quelque temps, j'ai plié devant les arguments de ceux qui m'ont empêché d'engager une procédure contre Jim Crow, au motif qu'une femme enceinte, dont j'ai oublié le nom, une gamine, je crois, qui avait également été houspillée dans un bus, ne supporterait pas la pression des juges et l'âpreté d'un combat juridique. Je l'ai admis, Arlet, pitoyablement admis! On a recensé des dizaines de bons citoyens qui ont, avec bravoure, affronté des chauffeurs de bus et des conservateurs enragés.

— Claudette Colvin, tu parles bien de Claudette...

— C'est ça, c'est le nom de la jeune femme enceinte! Le 2 mars de cette année, elle a refusé de quitter sa place et a essuyé à son tour le pilonnage des racistes. Nous avons été à deux doigts de déclencher la grande bagarre juridique que j'attends depuis des lustres. Mais purée de malédiction nègre, Claudette a fait l'idiote! Elle est tombée enceinte!

— Arrête de ressasser!

— Figure-toi, Arlet, que cette orpheline ne sait même pas qui est l'auteur du mouflet qu'elle porte! Fred Gray a eu raison! Comment mettre en avant une jeunette aussi peu fiable? Nous avons ainsi, à contrecœur, dû stopper notre action. C'est rageant de vouloir avancer mais d'être toujours contraint de reculer !

— Je le sais, Edgar ! Là, c'est différent !

— Nous avons beaucoup tergiversé jusqu'ici. Nous avons, à tort, estimé que certaines personnes confrontées à la discrimination ne pouvaient pas apparaître comme emblématiques du combat que nous livrons. Face à la brutalité des racistes, nous avons obéi à des exigences surfaites au lieu de défendre de pauvres victimes. Nous avons trouvé les uns moches ou malingres, d'autres bossus, alcooliques ou je ne sais quoi encore ! Résultat, nous n'avons fait qu'aller de Charybde en Scylla.

— Tu as raison, mon Edgar !...

— *This is D-day*, Arlet ! Ah, j'ai envie de téléphoner au tribunal pour savoir moi-même ce qui se passe avec Rosa.

— Ne t'en mêle pas. As-tu vu l'heure ? Et puis, il est certain qu'elle va être inculpée pour désobéissance à la loi sur la ségrégation.

— Le moment est donc venu de contester cette chose avec une extrême vigueur ! À bas la couardise ! À bas les capons qui nous invitent sans cesse à temporiser !

— Tu m'as l'air bien excité et nerveux, Edgar. Laisse plutôt agir les Blancs favorables à notre cause ! Les Durr seront mieux qualifiés que toi pour les premières approches. Pas d'emballement désordonné, Edgar ! Tu m'entends ?

— Contactons-les, alors ! »

Clifford et Virginia Durr, un couple de Blancs, étaient des militants des droits civiques et membres de la NAACP au sein de laquelle ils suivaient les dossiers juridiques.

« Avec les Durr, rigola Edgar Nixon, on va leur montrer de quel bois on se chauffe ! Rosa, autant que je m'en souviens, a d'ailleurs été femme de ménage chez eux, et Virginia est devenue son amie. Bon, assez parlé ! Passe-moi ce satané combiné, Arlet !... Merci ! Allô, Clifford ?... Ah, c'est toi, Virginia ! Bonsoir ! Il est tard, je sais, mais une affaire importante m'amène. Dis à Clifford que Rosa a été arrêtée... Oui, notre secrétaire, ton amie... Ça urge ! Tu vas chercher Clifford ? O.K., je reste en ligne ! »

Arlet et Virginia m'ont raconté mille fois cette scène. Pendant que les deux juristes dialoguaient, Raymond sortait, à des kilomètres de là, de sa réunion politique. Il pensait me trouver à la maison. Sa soirée avait été instructive et passionnante. Il avait hâte de me la raconter. Finley, un brillant universitaire, de ceux que j'aurais aimé inviter au séminaire que j'organisais à l'université de l'Alabama, leur avait exposé une rétrospective de l'année 1955 dans le monde. En une heure et trente minutes, il était parvenu à les convaincre d'ouvrir leurs esprits sur ce qui se passait ailleurs. Il avait ajouté :

« Nous constatons amèrement ceci : une année supplémentaire va s'achever sans que le Ku Klux Klan ait été empêché de poursuivre ses lynchages, ses intimidations, ses bastonnades, ses crimes impunis sur les Noirs, les Juifs, les associations religieuses et, parmi elles, les catholiques polonais qui sont venus nous prêter main-forte pour desserrer l'étau raciste. Nous ne pouvons envisager un avenir serein alors que les maccarthystes continuent leur chasse aux sorcières. Revendiquons la pleine application du droit fédéral et notamment le droit de vote qui est toujours contrecarré par les États du Sud avec une implacable brutalité. Chaque jour, les prisons de l'Amérique sont remplies de plus de Noirs que le droit ne l'autorise. Chaque jour, le huitième amendement de notre Constitution interdisant les châtiments cruels est allégrement bafoué dès qu'il s'agit d'un Noir. Le crime des crimes dont nous sommes tous par avance convaincus est d'être né Noir et pauvre. Il appartient à ce jour aux hommes clairvoyants de fabriquer l'antidote contre ce fléau national que sont le racisme et la prétendue supériorité blanche… »

Raymond m'avait appelée dès qu'il avait franchi le seuil de l'appartement. Leona avait préparé du gibier dont le fumet l'avait accueilli sur le palier, mais le visage anxieux de maman lui fit s'écrier :

« Un malheur est-il arrivé ?

— Rosa a été arrêtée ! »

À ces mots, les yeux de mon mari s'agrandirent comme des soucoupes. Il saisit le vase fleuri trônant sur un napperon orange de la table du salon. D'un geste, il le précipita au sol, le brisant en mille morceaux. Leona étouffa un cri.

L'aide providentielle
de Thurgood Marshall

Les cent dollars de caution exigés pour ma libération n'avaient pas été faciles à trouver. Raymond ne pouvait réunir une telle somme sans prendre le risque de s'endetter à vie. Il l'aurait fait si Edgar Nixon n'était heureusement intervenu. Les caisses de la NAACP de Montgomery étaient vides. Je le savais. L'organisation connaissait dans la ville une situation financière délicate. Nixon avait ainsi dû solliciter en urgence l'aide de la section nationale. À Washington, il pouvait compter sur le brillant juriste noir Thurgood Marshall qui dirigeait le Fonds pour la défense légale et l'éducation. Marshall était un homme à qui il avait souvent parlé de moi, vantant mon abnégation, ma discrétion et la disponibilité de Raymond. Il en avait certainement rajouté sur mes qualités et mes activités de formation qu'il présentait comme déterminantes pour le mouvement des droits civiques. Aussi, quand Nixon eut exposé les suites qu'il envisageait de donner à l'incarcération de sa collaboratrice, la réaction de Marshall ne se fit pas attendre : « Je n'ai jamais rencontré ta protégée, dit-il, mais je m'engage à t'envoyer la somme requise. »

Durr avança donc la caution en attendant l'arrivée effective des aides débloquées à Washington, puis ils foncèrent à la prison après avoir pris sur leur chemin Raymond et Manga Bell, passagers silencieux mais déterminés à rendre victorieuse leur soudaine équipée nocturne. Quand je fus enfin libérée au cœur de la nuit, je tombai dans les bras des quatre hommes : le bouillant Nixon, le sérieux et rayonnant Clifford Durr, l'attendrissant Manga Bell et mon Raymond ému et aux yeux noyés de larmes. Après une rapide collation dans un drugstore encore ouvert près de la gare routière, je n'eus qu'une hâte : prendre une douche. On m'avait pressée de raconter ma soirée mouvementée, mon incarcération dans une cellule provisoire du commissariat de police de Montgomery, mon transfert à la prison communale, mon changement de cellule et mes conversations avec les deux codétenues. Leona était encore éveillée quand nous retrouvâmes, Raymond et moi, notre domicile où Durr et ses deux autres compagnons nous avaient déposés. Nous étions réunis. Mais nous étions épuisés. Mon mari, rouge et transpirant, n'arrivait pas à parler. Il me confia néanmoins qu'il n'était pas très emballé par l'enthousiasme de Nixon et par l'idée qu'il avait émise d'organiser le boycott de la compagnie de bus City Lines. Nous ne voulions plus nous laisser enchaîner à leurs cordes. Nous avions décidé de ne pas en rester là, d'affronter l'épreuve de force sur un terrain difficile, exigeant, incertain. Raymond, tendu, maugréa : « Les klansmen sauteront sur l'occasion pour nous enfoncer encore plus ! »

Le matin, encore troublée par les séquelles de la fin de ma journée mouvementée de la veille, je repris une douche parfumée. En me savonnant, me revenaient les odeurs d'urine de la prison. Puis je pensai à la jeune femme qui croupissait en cellule depuis deux mois. J'en avais informé Nixon et Durr. Ils avaient été sensibles à cette histoire et indiqué que la famille allait être soutenue. Mon époux se leva. Je l'observai en sortant de la douche. Il avait les sourcils froncés :

« Tu crois que tu pourras aller travailler ?

— Oui, mon homme, répondis-je.

— En bus ?

— Sûrement pas ! »

Il savait cette décision inflexible. Dès que je fus prête, j'appelai un chauffeur de taxi noir que nous connaissions bien : Felix Thomas. Il militait avec nous et c'était un garçon prompt au service. Il appartenait à une compagnie de chauffeurs montée par des Noirs de Montgomery. Il se montra tout de suite ravi de venir me chercher. Je ne lui avais pas parlé de mes motivations et son enthousiasme me surprit. En fait, il avait lu le *Montgomery Advertiser* qui annonçait, en première page du numéro du 2 décembre, qu'une Noire avait été conduite en prison pour non-respect des lois sur la ségrégation dans les bus. Il ne savait pas qu'il s'agissait de moi, aucun nom n'étant indiqué dans l'article. Il me questionna sur cette histoire. Comme à mon habitude, j'eus du mal à parler de moi et à avouer à Felix Thomas que l'affaire me concernait. Après avoir hésité, je finis néanmoins par le lui dire, ajoutant que mon procès public était prévu pour le lundi 5 décembre. Il faillit lâcher le volant :

« Satanés bâtards ! Nous devons sonner la riposte.

— Tu recevras certainement un tract adressé à la population noire et à ceux de nos concitoyens qui veulent le changement. Nous appellerons probablement au boycott des bus dès ce lundi. Mais tout cela doit encore être confirmé. Une importante réunion se tient ce soir, à dix-neuf heures, à l'église baptiste sur Dexter Avenue. Viens, si tu peux !

— Je ne suis pas certain d'être libre ! Je ferai cependant mon possible », me promit le chauffeur de taxi en me déposant devant le magasin Montgomery Fair.

Felix Thomas a lui aussi tenu un grand rôle pendant le boycott, ameutant ses collègues et agissant toujours efficacement dans l'ombre. Il n'aimait jamais apparaître sur le devant de la scène. Il avait mon tempérament, discret mais inflexible. Entre nous, il n'y avait pas besoin de mots pour s'entendre, un coup d'œil nous suffisait pour nous comprendre et agir.

À mon travail, j'essayai de paraître aussi normale que de coutume. Je croisai John Thunder en arrivant et je le saluai sèchement. Nous ne pouvions entretenir de relations que tendues. Il m'appelait « la rouge » en raison de mes activités militantes et de la solidarité dont je faisais preuve dès qu'une des ouvrières ou employées était sur la sellette. Ma paye n'était pas fameuse. Elle était, dans ce grand magasin où je travaillais de sept heures à dix-sept heures, à peine supérieure à celle que je touchais lorsque je travaillais à la base militaire de Maxwell Air Force. Malgré le salaire de Raymond, il fallait encore, pour payer la maison, se nourrir, se vêtir et soigner Leona, que j'effectuasse régulièrement de menus travaux de couture à domicile. Le Conseil politique des femmes de Montgomery constituait l'une de mes plus fidèles clientèles. Je ne réclamais que le juste prix, ce qui me valait souvent des réprimandes sur la tarification dérisoire que je pratiquais, surtout de la part de Jo Ann Robinson. Elle était blanche, professeure à l'université de l'Alabama et dirigeait cette association de femmes qui comptait plus de trois cents membres. L'extraordinaire militante des droits civiques qu'était Jo Ann Robinson lui avait valu le surnom de « Tornade blanche ». Dans la journée du 2 décembre, je lui passai un coup de fil. Durant notre conversation, c'est un volcan d'indignation qui entra en éruption...

Au Montgomery Fair, Maria Steawart, mon amie, fut rassurée de me voir. Nous nous étions quittées la veille de manière bizarre et Maria appréhendait ces retrouvailles. Dès que le contremaître Thunder eut disparu de notre

103

vue et de l'atelier, elle se précipita vers moi et me questionna avidement. Elle ne savait rien de l'histoire du bus. Je lui racontai rapidement ma mésaventure, lui promettant des détails à la pause. Une journée étrange s'écoula pendant laquelle nous ne parlâmes que par bribes de l'incident. Je naviguai toutefois entre le souvenir des différentes cellules de prison que j'avais connues la veille et le climat chaleureux que savait créer Maria Steawart. Il y avait de temps à autre un sentiment d'irréalité qui m'empoignait. Tantôt, j'avais hâte de me retrouver devant le tribunal, tantôt je redoutais l'épreuve, surtout en pensant à Raymond. Quelle sentence clorait cette affaire ? Quelles seraient les réactions toujours démesurées et imprévisibles du Ku Klux Klan ? Nous vivions dans son univers, avec son recours aux méthodes expéditives, illégales mais ordinaires.

À la fin de la journée, je rejoignis mon mari au Roxane Coffee, un bistrot du centre-ville où nous nous étions donné rendez-vous. Raymond n'était pas franchement de bonne humeur et paraissait redouter le mouvement de contestation massive de l'inculpation qui me frappait. Il avait même semblé prêt à rebrousser chemin et à ne pas se rendre à la réunion de Dexter Avenue, dans l'église où officiait Martin Luther King junior. Nous marchâmes, anxieux, mais d'un pas rapide, vers l'église et la réunion.

Sur sa façade, côté rue, deux escaliers de bois, peints en blanc, attiraient l'attention; ils conduisaient au seul étage de l'église baptiste. Là se trouvait la grande chapelle où se tenaient les offices. Au rez-de-chaussée, il y avait les bureaux, les commodités et une salle de réunion servant aussi de hall d'accueil aux visiteurs ou aux fidèles. Le bâtiment faisait presque face au bar de l'association, cet autre lieu mythique, dont les petites colonnades de marbre blanc rehaussaient la solennité; c'est ici que les Montgomériens avaient pris l'habitude de se réunir, au XVIIIe siècle, avant la formation du parlement local. Les Noirs de Montgomery étaient alors nombreux à habiter les immeubles vétustes et miteux en contrebas de la Dexter Avenue. La célèbre artère avait encore son côté populaire et, en son milieu, détonnait ce modeste lieu de culte aux briques rouges, où entrait et d'où sortait l'élite noire sous les regards fermés de sudistes blancs prisonniers de leur morgue et de leur sentiment de supériorité. C'est aussi sur cette avenue qu'avaient, jadis, paradé les troupes sudistes pendant la guerre de Sécession, dont les origines furent d'abord économiques avant de se cristalliser de manière opportuniste autour de l'émancipation des esclaves. C'était l'époque où la ville de Montgomery était capitale de la Confédération des États du Sud hostiles à l'augmentation des droits de douane et au protectionnisme des États du Nord. En ce temps-là retentissaient les discours enflammés et séparatistes de Jefferson Davis, le président de la Confédération.

L'artère résonnait constamment des clameurs

des nostalgiques du vieux Sud esclavagiste et prospère. Quant aux pauvres Noirs et aux petits commerçants blancs des abords de la fontaine publique de Court Square, ils étaient loin de se douter que la petite église, entourée de monumentales constructions au style néoclassique, deviendrait, une quinzaine d'années plus tard, un lieu de pèlerinage de la lutte pour les droits civiques. Les populations noires et misérables de l'époque commençaient tout juste à louer le talent d'orateur du jeune et fringant ministre du culte venu d'Atlanta.

King a tout de suite été adulé par les femmes ! Quant aux hommes, ses rivaux en amour ou en politique, ils allaient eux aussi succomber au charisme du tribun et, malgré les critiques, le respecter. Mais un noyau d'irréductibles contesta sa puissance verbale et sa philosophie humaniste trop empreinte, à leurs yeux, de christianisme et trop naïve. Rien dans leurs critiques ne détournait King de la détermination qu'on lisait en lui et que dégageaient le front haut et les yeux scrutateurs d'horizons neufs de ce garçon hors du commun. Oh ! je l'ai toujours défendu et ai fermé les oreilles aux langues fourchues qui, jamais avares de venin, inventaient une aventure que j'aurais eue avec Wonderboy ! Je n'aimais, mon Dieu, que mon amoureux : Raymond !

Nixon, l'un des opposants à King, m'avait prévenue qu'il n'assisterait pas à cette réunion du 2 décembre, car il devait se rendre à une importante session syndicale à Detroit. Avant, il avait toutefois battu le rappel des notables de Montgomery acquis à notre cause, afin qu'ils me soutiennent et le portent aussi, lui, Nixon, à la tête des troupes combattantes pour le cas où une structure serait créée à cet effet. En fin politique, il m'avait sondé sur l'état d'esprit de Raymond. Je ne pouvais mentir. Je lui fis part des inquiétudes de mon époux. Il les avait bien senties, m'assura-t-il. Mais ce qui lui importait, me fit-il comprendre, était ma résolution. Il se rallierait à nous, pronostiqua-t-il. Il n'avait donc pas cessé de m'encourager, au risque de m'exaspérer, à jeter toutes mes forces dans l'affrontement contre la ségrégation qu'appelait mon arrestation dans le bus. « *It's our casetest, it's our casetest!* » ressassait-il. Le déplacement qu'il devait effectuer à Detroit lui coûtait. Mais il s'y rendit. Quant aux autres leaders, ils étaient tous attendus à l'église baptiste de Dexter Avenue.

Il y avait déjà une vingtaine de personnes devant l'église. Raymond et moi serrâmes les mains qui se tendaient. Plusieurs personnalités représentant les secteurs économique, cultuel et culturel du monde noir arrivaient les unes d'un pas pressé, quelques autres une bouffarde à la bouche. Entourée par ces imposants édifices administratifs et villas cossues en brique ou pierre de taille, l'église semblait vraiment minuscule. De nombreux ministres du culte nous avaient précédés quand nous y entrâmes, Raymond et moi. Je connaissais les lieux, mais peut-on imaginer l'émotion qui m'étreignit ce soir-là ? Passer du statut d'agent de l'ombre à celui de tête d'affiche d'une cause est un moment affreux. Je ne pense pas, aujourd'hui encore, que, si j'y avais été préparée, j'aurais accepté de tenir un tel rôle. Mais l'histoire est une bien capricieuse scénariste. Elle vous désigne et vous n'avez qu'à paraître ! Dans l'église, des applaudissements crépitèrent en effet à mon entrée, me soulevèrent presque de terre. Qu'avais-je donc accompli pour recevoir ces ovations ? Moi qui voulais être mère, je me retrouvais comme vieillie par une histoire inattendue, cependant grosse de mille espoirs que notre réunion avait su féconder. En traversant l'allée centrale de notre église, je crus qu'elle n'en finissait pas de s'allonger, de se rendre interminable, et, à chaque pas, j'avais l'impression que j'allais disparaître en sous-sol. Mais les sourires m'éblouissaient, me chauffaient le corps en entier et je rougissais comme un piment d'Espelette tout ce temps infini qu'il me fallut pour rejoindre Docteur King sur l'avant-scène, à la tribune, près du pupitre. J'avançai, happée par l'histoire dont je ne connaissais pas le son, le souffle, l'ardeur à façonner un temps, à renverser un ordre, comme à produire du désordre nécessaire. Je saluai King. Nous échangeâmes quelques mots. Je les ai oubliés. Il me souvient que les protestants constituaient l'écrasante majorité de l'assemblée, ce jour-là. Je le dis, car ils étaient reconnaissables à leurs costumes trois pièces et à leurs feutres noirs qu'ils tenaient négligemment à la main ou qu'ils faisaient lentement tourner du bout de leurs doigts. Parmi les personnalités auxquelles j'avais serré la main avant de m'avancer vers Martin Luther King, il y eut Coach Lewis, un entrepreneur influent des pompes funèbres dont le franc-parler était redouté et le sens de la décision incontesté à Montgomery. Je saluai aussi le vieux pasteur Jemison, l'un des leaders du boycott des bus qui avait eu lieu deux ans et demi auparavant en Louisiane. De nombreuses adhérentes du Conseil politique des femmes, dont faisait partie Bernice Gray, épouse de l'avocat Fred Gray, qui se tenait lui-même au côté de l'énergique Jo Ann Robinson, étaient également présentes. Charles Langford, l'autre jeune juriste, se trouvait là, de même que des militants de la section jeunesse de la NAACP, mais en nombre réduit ; ils s'étaient timidement regroupés dans un coin de l'église, dont le mobilier en bois de chêne était tapissé de mousse recouverte par un tissu safran pour le confort des fidèles. Des tapis rouges, le long des allées, conféraient aux lieux une atmosphère de solidité et de solennité. Martin Luther King, qui m'accueillit avec chaleur, invita l'assemblée à s'asseoir. Après avoir remercié l'assistance, il me présenta, puis je rejoignis Raymond au premier rang et King rappela l'affaire qui nous réunissait :

« Mesdames, messieurs, nous sommes ici rassemblés pour soutenir Rosa Parks et manifester notre ferme opposition aux discriminations raciales qui ont cours, depuis des temps trop longs, aux États-Unis d'Amérique, si désunis, si distendus entre ce qui se fait au nord et ce qui se défait au sud. Ce combat pour la justice, pour l'égalité, appelle chaque citoyen à donner dès à présent le meilleur de son âme. Une loi ne pourra jamais obliger un homme à m'aimer, mais il est important qu'elle lui interdise de me lyncher. Or, ce que nous subissons, par l'arbitraire ou l'usage, n'est qu'un lynchage généralisé, ininterrompu. Votre présence est un message. Votre action une promesse. Vous avez répondu à l'appel de notre frère Nixon pour élaborer une riposte, pour contrer des agissements inacceptables... »

Interroge souvent ta main

Avions-nous l'étoffe des héros? Face à nos adversaires nous ressemblions plutôt à des gladiateurs en socquettes! King n'eut pas besoin d'insister sur le fait que les lois locales étaient loin de se conformer aux beaux principes et aux textes constitutionnels célébrant l'égalité des citoyens. Fred Gray rappela que l'année précédente, en 1954, une victoire, longue à se dessiner, avait été obtenue pour l'égal accès des Noirs et des Blancs aux mêmes établissements scolaires. Les juges, à travers le célèbre arrêt Brown contre le Bureau de l'éducation, avaient enfin mis un terme à la ségrégation dans le secteur éducatif. Mais la forteresse Jim Crow, l'ensemble des lois racistes régissant la discrimination dans les transports et plusieurs autres aspects de la vie quotidienne des États du Sud, était-elle enfin près de s'effondrer? s'interrogea King.

Manga Bell leva la main et il prit la parole:

«Mon cher King... j'ai vu le soleil, parfois même trop de soleil, inonder la terre d'Afrique d'où je viens. Ici, le malheur, trop de malheurs brisent les vies des Noirs, après avoir volé celles des Indiens. Nos deux races ont été piétinées et jetées dans la même entreprise de liquidation. La nation américaine n'est qu'une fabrique de malheurs ininterrompue. À travers la condition noire, c'est l'Afrique qu'on continue de broyer. »

Un murmure se fit entendre. Quelqu'un, que le propos avait passablement irrité, cria :

« Ce n'est pas de l'Afrique qu'il s'agit ici. Elle nous a assez fait de tort comme cela ! Qu'on la laisse où elle est et qu'elle nous foute la paix ! »

Un autre murmure traversa la salle. Manga Bell, se renfrognant, reprit cependant du poil de la bête :

« Un proverbe baoulé dit : "Si ton ventre n'est pas plein, interroge ta main." Oui, il est normal que nous déplorions le passé de misère qui nous a courbés. En le faisant, nous examinons aussi nos propres faiblesses… »

On ne comprit pas très bien à qui s'adressait cette réflexion sibylline.

« Si j'ai bien entendu, tout vient de ce que nous n'avons pas suffisamment fait pour terrasser Jim Crow », reprit Fred Gray, histoire de relancer les interventions.

Reprenant la parole, Wonderboy s'exprima avec vivacité :

« En effet, Jim Crow est notre Bastille. Ici même, en Alabama, la loi ordonne : "Aucune personne ou société n'exigera de n'importe quelle infirmière blanche de travailler dans les hôpitaux privés ou publics dans lesquels les

Noirs sont placés." Ici même, en Alabama, la loi, dramatiquement blessante, stipule : "Toutes les stations de cet État, quelle que soit la compagnie de transport, doivent avoir des salles d'attente et des guichets séparés pour les Blancs et pour les personnes de couleur. En ce qui concerne les transports ferroviaires, les conducteurs de trains de voyageurs doivent assigner à chaque passager le wagon ou le compartiment qui lui est destiné selon sa couleur." Ici même, en Alabama, il est dit : "Tout restaurant ou tout autre endroit où est servie de la nourriture sera illégal s'il ne prévoit pas des places distinctes pour les personnes blanches et celles de couleur." Ici même, en Alabama, on a pris soin d'ajouter cette clause : "à moins que ces personnes ne soient efficacement séparées par une cloison pleine s'étendant du plancher vers le haut à une distance minimale de sept pieds et à moins qu'une entrée séparée ne soit prévue..." Comment ne pas crier au scandale ? Les sentiments sont bafoués, les mariages mixtes interdits ! Devrais-je le rappeler ? Il est encore écrit : "Tout mariage entre une personne blanche et une personne nègre jusqu'à la quatrième génération est interdit." Ici même, en Alabama, notre Rosa a été inculpée pour violation de la loi sur la ségrégation dans les transports publics. Elle passera en audience le lundi 5 décembre... Nous devons examiner la proposition de boycott suggérée par Jo Ann Robinson, je crois, et lancée par le président de la section locale de la NAACP, Edgar Nixon, qui est actuellement à Detroit et qui n'a pu prendre part à nos travaux. Manga Bell veut-il dire un mot? Je le vois qui trépigne…

— J'approuve l'idée de boycott, car un proverbe kongo nous apprend que quand tu marches, ton pagne dure; quand tu es assis, ton pagne s'use.

— N'usons plus nos pagnes et marchons, si tel est le prix à payer pour notre liberté. Avant de recueillir d'autres sentiments, j'invite Rosa, dont nous connaissons le travail et l'implication militante, à venir s'adresser à vous », dit King en me regardant et en souriant.

Je tremblai de plus belle. Que pouvais-je ajouter à tout ce qui avait été dit? Que nos vies n'étaient qu'angoisses et épouvantes? Jim Crow les broyait.

« Je suis pour le boycott et pour la fin de la ségrégation en Amérique. » On m'écoutait. Je pouvais continuer un moment sans donner l'impression que la charge m'étouffait. « Nous serons fermes sur nos objectifs et inébranlables dans ce que nous désirons. » Je crois bien que je fus simple, directe, sans calcul. On m'applaudit bruyamment. King me glissa un bon mot à l'oreille. Dieu du ciel, l'émotion monta à mes joues en même temps qu'une vive chaleur les empourprait! On aurait pu cuire des œufs en les posant sur moi. Je rejoignis, écarlate, ma place. Raymond faisait-il la moue? J'en ai bien peur. Comment se sent-on à ces moments-là? On lévite. On est sur un chariot élévateur. On a l'impression de quitter sa triste condition, de briser les plafonds de la soumission pour atterrir dans un pays non encore exploré et accueillant. Il fallut néanmoins redescendre sur terre. Nous étions au premier étage de notre église, dans la grande salle de Dexter Avenue. J'entendis King inviter Durr à préciser les enjeux juridiques qui se profilaient à l'horizon.

« Que risque Rosa ? interrogea-t-il.

— Une condamnation à payer une amende de dix à cent dollars, amende assortie d'un supplément de quatre dollars au titre des frais de justice. La somme n'est pas négligeable, mais les humiliations qu'elle recouvre sont, elles, insupportables. »

Il poursuivit à l'intention des participants :

« En accord avec les instances de la NAACP, nous préconisons d'aller jusqu'à la saisine de la Cour suprême des États-Unis si Rosa est reconnue coupable des faits qui lui sont reprochés. C'est l'issue la plus probable ! Nous dénoncerons dans la foulée l'anticonstitutionnalité des textes régissant la discrimination dans les transports publics en Alabama. Le temps nous est compté. Nous savons d'expérience, révérends King, Simms, Abernathy, Edgar French et chers compagnons de la lutte pour l'émancipation, combien le chemin est semé d'embûches. Je suggère... »

Durr nous convainquit d'organiser une souscription en Alabama, et même de l'étendre à tout le sud du pays, afin de réunir les fonds indispensables aux différentes étapes du procès. Il ne pensait pas qu'il lui reviendrait de me défendre lors du premier procès. Il s'en expliqua :

« Je crains que mon intervention ne porte préjudice à un représentant politique que je connais et dont l'aide et le concours pourraient bénéficier à Rosa à un stade plus avancé de la procédure. »

Devant nos airs circonspects, il expliqua à voix basse ce que n'entendirent que ceux qui se trouvaient près de la tribune. Il développa une autre argumentation concernant cette fois le poids économique des usagers des transports publics constitués à soixante-quinze pour cent de Noirs. L'idée du boycott des bus lui paraissait donc capitale. Elle pèserait sur les esprits et sur les finances des ségrégationnistes. Il fallait tirer au bas mot cinquante mille tracts et les diffuser avant le procès prévu pour le lundi suivant. Le boycott devait commencer le matin même du procès, soit le 5 décembre. Il devrait, suppliat-il, être mené sur le modèle de celui qui avait eu lieu à Baton Rouge, au cœur du Dixieland. On se tourna vers le pasteur Jemison, et on l'applaudit bruyamment pour son action passée et, surtout, pour celle à venir.

Durr, l'avocat blanc, insista :

« La démarche juridique à laquelle je vous invite risque d'être longue et coûteuse.

— Nous l'avons compris. Mais, puisque vous ne plaiderez pas, qui le fera dans un premier temps ? gémit Manga Bell.

— Mes jeunes collègues Fred Gray et Charles

Langford sont qualifiés pour cette tâche. Je leur fais confiance. Nous en avons déjà discuté.

— Nous plaiderons gracieusement, promirent les deux juristes.

— Néanmoins, insista Durr, l'ensemble de la procédure, si elle va jusqu'à la Cour suprême, coûtera près de cinquante-cinq mille dollars. C'est la somme que nous devons d'ores et déjà provisionner. »

Le chiffre fut ressenti comme un coup de massue sur nos pauvres têtes. Durr continua :

« Nous devrons déployer des trésors d'imagination pour collecter les fonds. Les procédures judiciaires sont en effet lourdes et onéreuses ; les mémoires qu'il nous faudra préparer et soumettre aux juridictions locales ou fédérales que nous saisirons ou qui voudront nous entendre devront être soigneusement rédigés. Nous n'ignorons ni les fourberies de nos opposants ni combien peuvent être pernicieux les fonctionnaires aux ordres du pouvoir sudiste.

— Ces gratte-papier sont effectivement les plus coriaces conservateurs du système, grogna Coach Rufus Lewis.

— Si la majorité des personnes réunies ici valide nos orientations, attendons-nous à des manœuvres de blocage. Je tiens d'ailleurs à souligner l'apport financier accordé par la NAACP nationale au procès de Rosa. Je salue au passage l'un des pères fondateurs de notre organisation, je veux parler de William Du Bois », dit King évoquant l'un des Afro-Américains les plus brillants et premier diplômé noir de Harvard. Il nous a convaincus de suivre la voie légale et le combat juridique pour sortir des ténèbres de Jim Crow.

« Il m'a paru désabusé ces derniers temps, renchérit Coach Rufus à propos du seul Noir qui avait participé, avec sept Blancs, à la création de la NAACP. William Edward Burghardt Du Bois veut maintenant se rendre en Afrique. Je ne comprends pas son désir de quitter l'Amérique pour aller s'établir au Ghana, donnant ainsi raison à Marcus Garvey qui exaltait le retour des Noirs américains en Afrique. Son attitude me déconcerte.

— Reconnaissons-lui le droit d'aller aussi soutenir le combat des Africains pour leur libération du colonialisme. Ils ont autant besoin des esprits clairvoyants là-bas que nous ici, rebondit Manga Bell.

— Je crains, ajouta Simms, que Jim Crow et les tenants de l'ordre discriminatoire actuel ne tirent argument du départ de Du Bois pour mieux conforter leur système. Selon leurs calculs, un combattant de moins contre la ségrégation est une bonne nouvelle pour la pérennité de leur domination.

— Quelle philosophie inspirera notre boycott et l'ensemble de notre démarche? fit Rufus Lewis.

— La détermination! » dirent Graetz et Jo Ann Robinson d'une seule voix.

Raymond leva la main. Ses doutes étaient lancinants. Ils sortirent comme un torrent gonflé par une pluie diluvienne et impatient de se déverser dans une vallée. Selon lui, toute contestation de mon arrestation provoquerait automatiquement la fureur des klansmen. « Vous les connaissez. Un mot, un geste, et ils nous massacrent. Ils vont tirer argument de ce que vous préconisez pour déclencher de nouvelles "danses macabres". Je ne veux pas pleurer la mort de mon épouse. Je préférerais mille fois qu'elle s'éteigne dans un lit et non sur un quelconque bûcher de nos vanités. Il y aura encore des morts et nous n'avons pas les armes nécessaires pour nous défendre. »

En l'écoutant, je ne sais pourquoi je me souvins de mon grand-père maternel qui, lorsque nous habitions à Pine Level dans sa fermette, avait l'habitude de faire des rondes, un fusil à la main, autour de la maison, prêt à tirer sur les hordes du Ku Klux Klan. Raymond était inquiet et dubitatif quant à l'offensive juridique que l'on comptait mener. Qui pouvait lui assurer que ma sécurité serait, tout le temps de la procédure, garantie ?

Wonderboy toussa. On fit silence. Il déclara :

« Je veux répondre à Raymond. Je salue sa franchise. Il vaut toujours mieux dire ce que l'on a sur le cœur qu'étouffer ses sentiments. Devons-nous trembler devant les menaces du Klan ? Ceux qui pensent qu'il faut combattre le feu par le feu et affronter les ségrégationnistes les armes à la main ont-ils raison ? Ma condition d'homme d'Église autant que mes convictions m'inclinent à vous exhorter de vous conformer à une seule éthique : celle de la non-violence. "Qui tue par l'épée, périra par l'épée!" Nous avons toujours rendu hommage, dans cette église, à ceux qui ont tracé la route de la cohabitation harmonieuse entre tous les enfants d'Amérique. J'ai entendu vos interrogations sur notre aîné William Du Bois. Nous lui devons reconnaissance, car il a justement dit que c'est par le droit, par la justice, que nous plierons le plus efficacement à son tour le bras qui tord le droit. Je pense aussi à Mohandas Karamchand Gandhi. Il fut expulsé d'un train à Pietermaritzburg, en Afrique du Sud. C'était le 11 septembre 1906. Il y a donc presque cinquante ans de cela, au moment où je vous parle, en Afrique du Sud, des policiers arrêtèrent Gandhi dans la première classe d'un train alors qu'il détenait un billet valide. Ils voulurent le rétrograder jusqu'à la troisième classe réservée aux hommes de couleur. Naturellement, Gandhi s'y opposa. Il venait de s'établir en Afrique du Sud et découvrait le racisme envers les Noirs et les étrangers originaires de l'Inde qui se trouvaient nombreux dans le pays. » King nous raconta comment le célèbre Indien fut souvent battu, molesté, emprisonné pour sa désobéissance à l'égard des lois ségrégationnistes. L'avocat de formation qu'il était, le futur Mahatma, "la Grande Âme", adopta la protestation non violente qui doit aussi nous inspirer », dit King.

Quelques hommes d'Église, qui ne parta-

120

geaient pas forcément la même opinion sur la non-violence, chuchotèrent dans leur barbe : « Que veut donc nous imposer ce petit blanc-bec venu d'Atlanta ? Croit-il qu'il va orienter à lui seul le sens du mouvement qui démarre ? » Les partisans de Nixon, le grand absent, ne savaient comment intervenir. Ils se questionnaient du regard, mais ne parvenaient pas à trouver un angle d'attaque. Ils avaient le sentiment que Wonderboy avait marqué des points décisifs pour le leadership du groupe. Les femmes le couvaient de regards énamourés, gloussaient devant ses anaphores, ses allitérations et son sens de la formule. Si la majorité des hommes et des femmes était fascinée, tel n'était pas le cas d'Arlet Nixon qui, parlant probablement au nom de son mari, essaya de le contrer. Elle estima que, face au pouvoir blanc, aucune mollesse ne devait être de mise. Les belles paroles ne le feraient pas plier. « Il ne reculera jamais si ses adversaires avancent à tâtons et agissent gentiment. »

Les hommes, toujours prompts à vouloir contrôler le pouvoir ou à l'exercer, se jaugeaient, se comptaient, se mesuraient, se soupesaient du regard. King lança :

« Je vous invite, mes amis, à faire du 5 décembre prochain une date historique. » Fixant Raymond, les yeux dans les yeux, il eut encore ce mot : « N'ayez pas peur de mourir. Nous marchons vers la terre de la liberté. »

Il observa une légère pause, puis, le regard balayant l'assistance et la voix se faisant grave, il conclut : « L'obscurité ne peut pas chasser l'obscurité ; seule la lumière le peut. La haine ne peut pas chasser la haine ; seul l'amour le peut. *We shall overcome !*

— Oui, nous vaincrons ! » cria l'assemblée en se levant et en chantant à tue-tête *We Shall Overcome*, l'hymne des droits civiques.

Le boycott voté à l'unanimité, nous décidâmes de tenir deux rencontres à l'issue du verdict du tribunal. La première réunirait, le lundi 5 décembre à dix-sept heures, la cinquantaine des participants présents à l'église de Dexter Avenue. On devait procéder à la constitution formelle de la MIA : la Montgomery Improvement Association. Si j'étais condamnée, ainsi que le suggéra Durr, l'Association pour le progrès à Montgomery assurerait la pérennité de ma défense et de la mobilisation sociale. Des frictions opposèrent les soutiens de King aux partisans de Nixon. Créer une association nouvelle, n'était-ce pas une façon d'écarter la vieille garde de la NAACP ? Wonderboy avait hésité au début à s'associer à Nixon. Ce manque d'entrain était dû à sa crainte de se retrouver dans une action classique, sans envergure, sans la coopération active de la jeunesse. Or, la présence de quelques étudiants dans la salle le rassurait. Elle l'avait aussitôt conduit à penser qu'un souffle différent, hors des cercles convenus de la protestation civile et militante, était possible. Depuis qu'il était à Montgomery, il avait, de l'avis de tous, redynamisé et réactivé la Voter's League à laquelle Raymond et moi-même appartenions. La NAACP ronronnait, lui disait-on. Que de fois n'avions-nous entendu certains affirmer : « Elle a fait son temps », tandis que d'autres renchérissaient : « Il faut maintenant changer les acteurs du jeu et donner une nouvelle jeunesse à nos revendications. Nixon s'est bien battu. Le temps est venu de laisser la place à plus malin, plus neuf, moins massif et prévisible. »

Dans l'église, les chuchotements trahissaient les intentions des militants :

« Ce Wonderboy est parfaitement capable de nous conduire à la victoire. Nixon a été un lutteur au cuir dur, mais le toréador a pris trop de coups et ne surprendra plus la bête qui ne demande qu'à l'encorner. »

Que pensais-je de tout cela ? Je travaillais avec Nixon depuis des années et connaissais ses qualités et ses défauts. Il y avait besoin de sang neuf. Mais pas au prix d'une division, car mon rugueux président aurait tout aussi bien pu s'adapter à la situation et démontrer son utilité. Je glissai à ma voisine : « La cause noire n'appartient pas à un clan. Écoutons ce que dit Wonderboy. »

King, justement, était encore à la tribune. Nos oreilles se tendirent vers lui :

« Quel doit être notre objectif ? Faire carillonner la cloche de la liberté et de l'égalité dans chaque village, dans chaque hameau, dans chaque cité, dans chaque comté, dans chaque État d'Amérique... »

L'assemblée approuva la démarche. Il fut aussi

convenu que la population serait invitée à un grand meeting le même jour, à dix-neuf heures, dans l'église baptiste de Holt Street. L'imposante doyenne des églises baptistes de Montgomery pouvait contenir davantage de monde que celle du pasteur King. Plus proche de Cleveland Court, elle fut également choisie pour sa situation géographique centrale par rapport aux quartiers noirs des environs. Jo Ann Robinson me retint par le bras, fit appel à un groupe restreint auquel participa Manga Bell, et nous rédigeâmes un nouveau tract. Nous le donnâmes à King, qui suggéra des modifications mineures. Le tract appelait les Montgomériens au boycott des autobus, le 5 décembre 1955, dès potron-jacquet. Wonderboy se présenta, le papier à la main, devant les participants éclatés en petits groupes, en petites grappes chuchoteuses, sourcilleuses, acquiesçantes ou mijotant encore de tortueuses combinaisons politiques. Puis King toussota et nous avançâmes en silence autour de lui. Il lut notre texte, qu'il avait légèrement amendé, et nous lui donnâmes notre assentiment sans la moindre réserve. Il fallait maintenant penser à tirer des milliers d'exemplaires de cet appel au boycott et à les diffuser dans la ville. Nous étions prêts à nous séparer lorsque l'un des guetteurs appointés par l'association, la langue pendante, époumoné, débula dans la salle.

« Les cagoules, les cagoules avancent ! » fit-il le souffle court. Les rires s'éteignirent. Les visages, qui exprimaient l'instant d'avant la satisfaction du devoir accompli, se figèrent. Les hommes du Klan avaient été aperçus à Washington Avenue, à quelques blocs seulement derrière l'église de Dexter Avenue. Les sinistres cagoulards se préparaient-ils à fondre sur nous ? Qui leur avait indiqué que nous tenions une réunion importante ? Il n'y avait pas une minute à perdre. King mit fin à la rencontre, recommandant d'une voix calme qu'aucune échauffourée ne vienne ternir une si mémorable et pacifique soirée. On s'engouffra précipitamment dans les voitures. À quelques mètres, sous les chênes bordant Washington Avenue, de lugubres capuches blanches pointèrent dangereusement, au-dessus d'une trentaine de têtes, leurs formes coniques. Le long de la bourgeoise artère, des torches menaçantes, brandies par une procession lugubre, illuminaient le ciel noir de Montgomery.

L'homme aux bonbons

« L'heure d'enlacer l'histoire n'attend pas, m'a dit Douglas White.

— Heureuse de vous l'entendre le dire », me moquai-je.

Il habitait dans un lotissement pour Blancs près de Cleveland Court. Il se souvenait bien du temps où il avait quitté l'un des quartiers noirs les plus bruyants de Montgomery, au nord-ouest de la ville, vers Maxwell Air Force où avait un temps travaillé son père. Nous aurions pu nous y croiser. C'était, me le décrivit-il, un mécanicien métis, bosseur mais taciturne. Son père avait rencontré une fille blanche, Sarah, pendant ses études en Pennsylvanie. Elle était aussi originaire de l'Alabama, plus précisément, de la cité balnéaire de Mobile. Il l'avait épousée avant que tous deux ne reviennent s'installer à Montgomery, la ville natale de Douglas White senior.

White junior avait eu une enfance perturbée par la couleur de sa peau jugée par certains « trop blanche pour être honnête ». On glosait et gloussait d'autant plus dans son quartier que ses frères, Brandon, William et Risley, et sa sœur, Irina, avaient la peau café au lait. Lors du départ pour le Nord de leurs parents, exaspérés par la ségrégation, Douglas junior et Irina n'avaient pas voulu les suivre. Il était majeur et sa petite sœur avait un amoureux à Selma, la ville voisine. Le jeune homme avait poussé un lâche soupir de soulagement en venant résider dans un quartier blanc où il pouvait enfin vivre comme il le voulait, sans entendre les railleries de ses frères, les sarcasmes à peine masqués de son père. Ce dernier râlait parfois, pour faire enrager Sarah, son épouse, d'avoir un fils blanc, mou, aux épaules rondes, et qui ressemblait à un mollusque, flegmatique et solitaire. Depuis que Douglas White junior vivait seul, il n'y avait que sa mère, Sarah, qui parfois lui manquait. Il me l'avouerait, il avait toujours été à la recherche de cette mère avec laquelle il n'était pas parvenu à nouer les relations de complicité qu'il avait espérées en secret. « N'étions-nous pas les seuls Blancs perdus au milieu de Noirs ? Je crus que cela créerait une solidarité particulière entre nous. »

C'était pourtant une tendre mère, la Sarah ! Née Callaghan, cette honnête femme aimait son mari et ses enfants. Les mystères de la génétique l'avaient choisie pour donner naissance à des enfants de races différentes. Comme de nombreuses autres femmes muettes, en Amérique, dont les drames familiaux laissent tout le monde indifférent, elle avait enduré sans broncher ni plier les crachats et les quolibets. Elle se montrait cependant un peu distante avec Douglas, tournant autour de son enfant comme une chatte autour d'un épagneul, pour éviter des heurts, des aboiements et des tensions superflues. Elle mit donc un « no *woman's* land » entre elle et Douglas. Il lui permettait d'éviter les médisances susceptibles de monter aux lèvres des membres de la famille ou du voisinage, et qui l'eussent facilement accusée de privilégier son « fils blanc » et de négliger ses négrillons. Aussi sembla-t-elle trop proche, au goût de Douglas, de ce qu'il appelait les assommantes et perpétuelles jérémiades des Noirs. Ce que ce fils un peu abandonné à lui-même voyait comme un zèle inapproprié avait par contrecoup distendu ses liens avec sa mère. Il aurait voulu établir, entre Blancs, une connivence soutenue. Ainsi, prétendit-il, commença, dès son jeune âge, une vie de vieux garçon au milieu de gens aux nerfs à fleur de peau et qui attribuaient parfois trop vite tous leurs problèmes à leur négritude. Sarah, née Callaghan, abominait ces barrières entre ses enfants et ne souffrait aucun favoritisme. Pourtant elle prenait garde à ses relations avec Douglas, atténuant volontairement les marques d'affection pour écarter toute sensiblerie et leurs fâcheuses conséquences. Néanmoins, la surenchère consistant à prendre le parti pleurnichard des Noirs exaspérait Douglas junior. Cela tarissait le flux de sympathie que lui inspiraient son courage réel et ses efforts pour être inflexible devant toutes les menaces qui avaient jadis pesé sur elle, au milieu de Noirs qui ne comprenaient pas très bien pourquoi une Blanche venait vivre parmi eux. Était-on sûr qu'elle n'était pas un sous-marin du FBI?

J'ai longuement écouté Douglas. Je lui fis comprendre qu'on ne pouvait pas dire que Sarah avait été indifférente à son fils, à ce besoin de complicité qu'il recherchait. Elle avait pesé tous les paramètres et considéré qu'elle n'avait pas à le protéger plus que les autres. Mais se rendait-il compte des tracas qu'elle avait essuyés? « Certainement! » admit-il. Sa naissance avait fait couler de la salive dans la famille des White! On avait soupçonné Sarah d'infidélité. C'était faux, car Douglas senior était bien le seul homme qu'elle ait connu.

« Pourrais-je la rencontrer?

— Hélas, non! »

Elle était morte. « D'une tumeur au cerveau », me dit Douglas en écrasant une larme. Voyaient-ils ses grands-parents maternels? Que Douglas fils fût blanc et que la chose ne fût point discutable n'avait pas compté à leurs yeux. Pour eux, l'union de leur fille avec un nègre était inacceptable. Les Callaghan ne voulurent pas devenir la risée des Blancs du Sud! Même si le nez aquilin de Douglas senior et ses cheveux fins trahissaient une ascendance blanche, ils n'avaient pas voulu de White, un nègre sous un masque blanc, chez eux. Sa présence fut interdite chez les Callaghan!

Selon les conversations familiales auxquelles Douglas junior avait parfois tendu une oreille distraite, le visage de son père, ainsi qu'il allait me le confier, ressemblait à celui de son lointain ancêtre teuton, Frantz Walter, propriétaire d'une plantation en Floride dont son aïeule Tabitha avait tracé un portrait. On racontait, et cela ne lui avait pas échappé, que c'était ce Walter qui avait chassé son esclave Tabitha, enceinte de ses œuvres, pour ne pas avoir à assumer son acte et l'opprobre des Blancs.

Douglas connaissait-il toute l'histoire ? En réalité, certains aspects ne l'intéressaient pas. À quoi lui aurait-il servi de savoir que Frantz Walter, si moraliste, raide comme un piquet, lui, le luthérien fervent, avait abusé de sa servante ? Était-on toujours certain qu'il ne s'était agi que de viol dans ces fermes ? Douglas White junior n'aimait pas pratiquer l'introspection, et le sujet n'avait pas particulièrement retenu son attention. S'il avait été davantage à l'écoute des histoires que contait sa grand-mère paternelle, il aurait pu entrer dans les drames que vivaient les femmes esclaves dans les plantations.

Dans la plantation de coton de Walter, lui avait-on dit, vivait une cinquantaine d'esclaves. Par un soir de clair de lune, alors que le maître des lieux allait chercher une ponceuse égarée dans un hangar, il avait croisé la belle petite servante Tabitha. Vive, drôle, elle ressemblait à une gazelle, sautillante, heureuse de rendre

131

service d'un bout à l'autre du domaine. Elle émerveillait son monde par sa disponibilité, sa bonne humeur, son art de la danse et sa voix de rossignol qui chantait et émerveillait le public pendant les soirées de liberté qu'accordait parfois le maître. Devenue jeune fille, on prétend qu'elle avait la croupe offensive, mais n'avait rien perdu, en grandissant, en devenant femme, de cet air guilleret qui permet de repousser les morsures de la mélancolie survenant au cours de l'adolescence. Cette gazelle, au long cou, aux yeux charmeurs et aux talents multiples, frappait les sens, même ceux des dévots les plus radicaux qui marchaient d'un air pénétré et méditatif, la bible serrée contre la poitrine. Walter, comme les autres mâles, la regardait avec envie, conte- nant à grand-peine les battements de son cœur et l'affolement de ses sens. On le surprit, l'ob- servant, la glotte frémissante, à travers la vitre de son salon du premier étage. Il assistait de loin, les jumelles devant les yeux, aux soirées festives des domestiques, les épiant d'un angle prétendument aveugle de son balcon. La tour- billonnante Tabitha recevant les acclamations les plus enthousiastes lui souffla certainement cet air chaud au cœur qui vous secoue, que vous soyez blanc ou noir, maître ou esclave. Un Blanc qui passait par là se présenta comme un imprésario. Il avait le foulard bien mis, les bottes lustrées et assurait avoir pignon sur rue à Philadelphie. Tout sourire carnassier dehors, la courbette prompte, il profita d'une soirée récréative réservée aux esclaves et à laquelle il se rendit pour faire miroiter à Tabitha, qui avait divinement chanté et dansé comme à son habitude, une vie meilleure loin de la plantation. Il faillit du reste enlever la fillette qui hésitait à s'enfuir dans le Nord où, jura-t-il, un emploi de danseuse et de chanteuse de cabaret l'y attendait. La proposition avait été jugée infâme sitôt que l'un des informateurs de Walter, qu'il prenait toujours soin d'entretenir, la lui avait glissée dans l'oreille. Il rentra dans une colère noire et fit arrêter l'imprésario. On le découvrit sans vie au bout d'une corde. Le soir où Frantz Walter se hâtait vers le hangar pour y chercher sa ponceuse, il aperçut la robe à fleurs de Tabitha qui voltigeait, agitée par un petit vent de nord-est, et qui se rabattait sur son innocent et dodu postérieur. Il avait regardé autour de lui avant de s'introduire dans la grange où la beauté noire venait d'entrer. La peau de Tabitha scintillait sous la lumière vacillante de la lune qui s'enfonçait dans la grange comme à la poursuite d'une étoile. Le maître la vit, penchée entre deux ballots de coton. Sa croupe bombée fit craquer et choir tous les nœuds de la morale qui le corsetaient. Il rougit. Ses sens prirent feu. Ses tempes guerroyèrent. Il haleta en dégrafant son pantalon, jeta un œil inquiet vers la porte : tout était silencieux, il semblait à l'abri d'un regard indiscret. Balbutiant quelques morceaux de prières entrecoupés d'un souffle sourd, le fauve qui somnolait en lui émit des grognements. Il voulut parler et se faire plus doux que sa mâchoire serrée ne le montrait à la petite gazelle accroupie. Elle eut un mouvement de recul et de stupeur, semble-t-il, en reconnaissant la main velue et blanche de son maître. La bouche de l'homme laissa entendre des éclats de voyelles : « *Oh! What a nice behind! Open it!* » fut l'unique phrase que son être, réglé pour ordonner, parvint à formuler au milieu des rouleaux de coton. La main collée sur le postérieur désiré, il entraîna Tabitha vers le fond de la grange et la poussa contre un ballot.

« Que faites-vous, Maître ? »

Il lui posa un doigt luthérien et parfaitement sévère sur la bouche, troussa sa robe et avant que la petite, tétanisée, n'eût réagi, Frantz Walter était déjà lové en elle. Fourrant l'une de ses mains dans une botte de coton en même temps qu'il entrait et sortait de Tabitha, il la bâillonna d'une ferme poignée de la production de ses champs afin de briser net tout hurlement. Une autre satisfaction, celle d'être le premier à visiter l'intimité de la gamine, le gonfla bientôt d'une mâle fierté! Il dut lui-même enfouir dans sa bouche la filandreuse matière aux longs poils de cellulose sur laquelle le corps outragé de Tabitha rebondissait. Ah, sans cette cotonnade dans sa bouche, il eût gueulé comme un veau! Sans cela, Dieu tout-puissant, il eût ameuté le domaine entier au moment où sa semence se déversait au plus profond de la petite aux yeux arrondis et injectés de fureur docile. Mais elle ne pouvait se défendre, les maîtres possédant le corps et dirigeant même les sentiments de leurs esclaves! Un piège, plus oppressant encore, l'avait maintenue dans les filets du silence : le fatalisme. Ce chapelet de renoncements à toute révolte que l'obéissance inscrit en creux et en pleins dans les esprits trop longtemps soumis au gouvernement de la peur. Elle pleura doucement et brièvement, tremblant que ses larmes ne déclenchent chez son tortionnaire une horreur imprévisible et aux conséquences irréparables. Elle ravala donc en vitesse ses pleurs salés que buvait le maître. Qu'aurait-on pu attendre d'elle? Les ravages et les blessures que l'esclavage avait causés en chacune de ses trop nombreuses victimes vous hachaient un être! Tabitha connut là ce qu'ont vécu nombre de femmes dans les plantations. Ses rêves s'envolaient et d'autres, emplis du doute qui étreint la gorge d'une femme avant ses prochaines menstrues, allaient occuper ses nuits. Walter avait remis son pantalon, redressé son cou, puis il avait filé sans un mot, en maître repu, dans sa demeure. Il abandonna, étendue sur les rouleaux de coton, un filet de sang ruisselant sur ses cuisses, une jeune fille qui serait bientôt enceinte de ce premier rapport volé, instauré par le droit de cuissage que s'octroyaient les propriétaires de plantations. Mais Walter n'était pas homme à admettre qu'il avait agi comme les autres. C'était sa première incartade sexuelle. Il n'admettrait pas que le moindre doute vînt écorner sa réputation. Lorsque la grossesse de la jeune fille fut évidente, Walter la vendit à un propriétaire de l'Alabama. Un garçon allait naître auquel on donna le nom de White. La lignée des White commença ainsi, en 1856.

Douglas White junior connaissait cette histoire. Il ne se rappelait pas l'avoir jamais dite. Les nombreux mélanges raciaux qui avaient eu lieu dans sa famille et, plus sûrement encore, les mystères de la génétique expliquaient pourquoi Douglas junior était blanc et ses frères et sa sœur noirs.

À vingt-cinq ans, au moment où il m'avait croisée dans le bus, il en paraissait quarante à cause de son embonpoint et de ce fichu collier de barbe qui lui donnait un air d'instituteur lunatique. Il rasa cette barbe et sembla du coup rajeunir de cinq années au moins. Son visage parut aussi moins dur. Il avait décidé de venir me voir et il m'avoua qu'il n'avait pas voulu sonner chez moi en ayant l'air d'un inspecteur du FBI. Il habitait seul depuis que ses parents étaient allés vivre dans le Delaware. Quant à ses trois frères, qui le jalousaient et le méprisaient à la fois, il n'avait plus eu de leurs nouvelles depuis longtemps. Tout juste savait-il que l'un, l'aîné, Brandon, avait été enrôlé dans la Navy et envoyé en Corée. La guerre terminée en 1953, on avait perdu sa trace du côté de Pyongyang au cours d'une tentative d'infiltration des troupes américaines au nord du trente-huitième parallèle. On prétendait qu'il avait suivi une belle Coréenne, tandis que d'autres pensaient qu'il était tombé dans un guet-apens et avait été fusillé. Son autre frère, William, se trouvait quelque part dans l'Arizona et Risley, son puîné, croupissait dans une prison du Colorado pour une sombre histoire de racket qui avait mal tourné entre les membres de son gang. Il avait tué et s'attendait probablement à l'être aussi, sur une chaise électrique. Sa sœur, Irina, avait quant à elle emménagé à Selma, la ville voisine de Montgomery, pour y suivre Kool Shot, son amant alcoolique, vague chanteur de rock au caractère instable et velléitaire. Douglas la voyait une fois par an, à Thanksgiving. Elle préparait la traditionnelle dinde au cumin et aux arômes du Sud, qu'ils mangeaient presque à mains nues. Pour éviter que Kool ne s'enflamme et ne le roue de coups, il avait cédé à ce rite qu'il abhorrait. Chaque fois qu'il arrivait dans le quartier noir où habitait sa sœur, on le dévisageait avec effarement. Le couple vivait dans une baraque aux planches usées par endroits. L'hiver, bien que supportable dans la région, l'était un peu moins dans une maison traversée de courants d'air. Irina, volontaire et optimiste, tenait son intérieur le mieux possible. Elle en effectuait le rangement avec soin, sous l'œil impassible de son fainéant de compagnon. Quand elle présentait Douglas à leurs amis, disant : « Voici mon frère ! », ceux-ci réagissaient toujours par un mouvement d'incrédulité, leurs yeux et leur bouche instantanément agrandis quand ils découvraient Douglas White la première fois. Certains se gaussaient, d'autres ne la croyaient tout simplement pas. Les regards roulaient donc avec surprise de l'une, métisse, à l'autre, aussi blanc qu'un cachet d'aspirine. Douglas, habitué à ces réactions, ouvrait encore plus grand ses yeux bleus pour qu'on sifflât davantage d'admiration ou pour accentuer le doute sur leur fratrie. Le FBI avait jadis cherché noise à ce Blanc fiché pour sa fréquentation jugée suspecte d'un quartier noir. « Non, je ne suis pas un militant déségrégationniste », s'était-il défendu. Il prouva facilement qu'il allait voir sa sœur et, même si les mystères de la génétique avaient du mal à traverser l'esprit des bureaucrates du FBI, on lui ficha provisoirement la paix. Et Irina, quand elle avait un peu bu, s'enhardissait, bombait sa généreuse poitrine et disait :

« Douglas, que vous voyez, est le seul à avoir eu la chance de naître du bon côté. Nous, les trois autres enfants de mon père, avons été punis pour des fautes imaginaires, achevait-elle en riant.

— Tu parles d'une chance », se lamentait Douglas.

Parfois, quand le sujet revenait sur le tapis, et que Douglas reprenait ce propos, Irina se fâchait :

« Oh, non, tu ne vas pas te plaindre, criait-elle. J'aimerais bien changer ma peau contre la tienne.

— Un instant ! coupait une tierce personne en s'adressant à Douglas. Quand vous allez au restaurant, vous laissez votre sœur à la porte? Hein?

— On n'y va jamais ensemble! Tiens, Irina, il faudrait un jour qu'on essaie.

— Dans lequel? Un restaurant pour Blancs ou pour Noirs?

— Euh...

— Dans ceux réservés aux Blancs, on me collera en taule, oui! tranchait Irina.

— Mais vous, Douglas, qu'en pensez-vous? »

Il gardait le silence.

Parfois encore Douglas, devant le regard éberlué des Noirs qui ne croyaient pas qu'il était le frère d'Irina, et pour s'éviter un dialogue de sourds, tentait une sortie.

« La vie est courte. Papa a eu des ancêtres blancs, il a le teint noir, mais il ne s'est pas pour autant suicidé.

— Ça ne vous gêne pas d'être blanc, franchement?

— Non.

— Quand même!

— On peut passer à un autre sujet?

— Ne vous vexez pas, Douglas, on est surpris, voilà tout. Un dernier mot : la nourriture dans vos restaurants pour Blancs est-elle vraiment aussi spéciale qu'on nous le rapporte? On aimerait tellement être fixés sur ce point.

— Je n'en sais franchement rien! Et puis, flûte, elle est généralement faite par des Noirs!... »

Ce genre de conversation lassait Douglas. Il

venait manger la dinde chez sa sœur et n'avait d'impatience que pour le dessert.

Avant de sonner à ma porte pour notre première et longue conversation, Douglas avait d'abord relu les journaux entassés dans un panier. Les derniers parlaient brièvement de l'affaire d'une Noire qui avait humilié un Blanc dans un bus. « Le Blanc, c'est moi, s'écria-t-il. Ah ! si les gens savaient ! Je ne suis pas si blanc que ça ! Et puis, je n'ai pas été humilié le moins du monde. A-t-on idée d'écrire pareilles sottises… » Il avait soupiré. C'était nouveau. Il ne se souvenait pas d'avoir ressenti un tel énervement. D'habitude, il feuilletait les gazettes, puis les rangeait sans émotion. Les nouvelles glissaient sur lui comme l'eau sur les plumes d'un oiseau. Avant de se résoudre à sonner chez moi pour me révéler son histoire et le poids qu'elle lui faisait désormais porter, il tenta de dissoudre son malaise dans la consommation des friandises. Mais elles ne firent qu'augmenter son désarroi. En repensant à mon arrestation, son trouble s'était alourdi d'une charge nouvelle, d'une incommensurable gêne : il culpabilisait de n'avoir pas interrompu cette affaire. « Après tout, j'aurais pu dire au chauffeur de se calmer ! » Et s'il ne l'avait pas écouté ? S'il l'avait accusé d'entrave à la marche de la justice ? Si la police l'avait conduit au poste ? Si l'on avait retenu contre lui l'accusation de complicité d'infraction au code des transports en vigueur dans l'État ? Ah ! là, là !... Il ne savait d'ailleurs que répondre à ces questions qui assaillaient maintenant son cerveau guère coutumier de sujets aussi complexes. Il ignorait donc comment il aurait pu s'y prendre, car son estomac s'en trouvait crispé, son amour des bonbons, diminué, et sa quiétude d'ordinaire imperturbable fichait le camp ! Mon arrestation lui restait en somme sur l'estomac ! Il lui était intolérable de ne pouvoir goûter tranquillement à son plaisir favori. Il se dit, pour refouler ses tourments, qu'il allait parler à la petite dame du bus — moi, en l'occurrence — et lui signifier qu'elle avait bien le droit de s'asseoir à l'endroit qui lui plaisait. « Je ne peux pas en rester là ! » conclut-il. C'est cette ferme idée qui l'avait décidé à me rencontrer. Il lui était par ailleurs nécessaire de renouer le fil avec une existence moins monotone que celle qu'il menait entre ses bonbons et la dinde d'Irina. C'était trop restreint, c'était une vie trop étriquée que d'être inscrit dans de si pauvres séquences. Je lui inspirais confiance. Il voulait me voir et s'excuser. Muni de ces belles pensées, il but une dernière gorgée de son café au lait avant d'enfiler son manteau et de courir vers Cleveland Court. Il appela un taxi et bondit hors de chez lui.

Il y avait longtemps qu'il vivait seul. Bien qu'il ne m'ait vue qu'un bref instant, le 1er décembre, il avait pensé que notre conversation le guérirait de cette non-vie qui l'avait envahi au point de le réduire à un être indifférent aux autres. Il était d'habitude plus réservé et même mutique devant les femmes. Pour une fois, l'envie de confier son malaise à une personne lui fit croire qu'il en tirerait un heureux soulagement. Il n'avait jamais eu l'âme militante. La seule association à laquelle il eût volontiers adhéré, si elle existât jamais, aurait été celle des passionnés de bonbons. Encore n'en eut-il l'idée qu'une fois seulement, dans une espèce de délire après une forte absorption de chamallows; la guimauve qu'il avait fait griller au feu de bois lui avait procuré un tel enchantement qu'il avait même songé à créer une association de consommateurs de chamallows rôtis au barbecue. Douglas White était incollable sur tout ce qui concernait les friandises, surtout françaises. Il connaissait les berlingots de Carpentras, les calissons d'Aix au goût soyeux d'amande; il les trouvait meilleurs que les coussins de Lyon, autres friandises elles aussi aux amandes. Pendant son enfance, la période d'Halloween représentait le bonheur! Grimé et ganté, il pouvait sans risque paraître au seuil des habitations des Noirs sans qu'on fût ému ou surpris par la couleur de sa peau. Un bonnet sur la tête et le tour était joué : sa fine chevelure châtain clair était recouverte. Il pouvait même pousser sa chasse à la confiserie vers les habitations des Blancs où il ôtait son bonnet avec un soupir de soulagement. Et là, la bonne population déversait dans son sac tout ce que l'on voulait y jeter. Parfois, on s'étonnait qu'il fût seul dans le noir. Il mentait, disant que ses copains, un peu exténués, l'attendaient au coin de la rue, du bloc, ou du pâté de maisons. À Thanksgiving, son plus grand plaisir était, après la dinde, le moment de manger les Olives de Provence, ces bonbons au chocolat qui lui coûtaient cher mais qu'il trouvait d'un goût sublimissime. À Noël, il n'y avait pas à sa table les treize desserts provençaux, mais les treize confiseries. Les nougats de Montélimar, les caramels de Paris, les violettes de Toulouse, les bonbons Coquelicot, les bonbons à la menthe ou à l'anis, les fruits confits d'Apt, les brochettes de guimauves, les pâtes de fruits, les barbes à papa, les arachides caramélisées, les bêtises de Cambrai, les dragées au chocolat, les inévitables bergamotes de Nancy. Leurs couleurs tentantes, leurs parfums diffusaient dans l'atmosphère des senteurs appétissantes et occupaient une tablée entière. S'il regrettait que ses grands-parents maternels, les Callaghan, n'aient jamais voulu le recevoir malgré les photos que Sarah, sa maman, leur avait régulièrement adressées, il n'en imaginait que plus puissamment encore les cadeaux et les friandises qu'il aurait reçus de cette branche familiale. Elle était fortunée mais avait coupé les ponts, les vivres et les liens avec leur fille, fautive d'avoir épousé un nègre. Après l'incident du bus, la solitude lui pesait davantage, mais Douglas White n'avait pas envie d'ébruiter son histoire personnelle dans les journaux. Il ne pouvait leur accorder sa confiance, se disant qu'ils l'envahiraient. Et White ne détestait rien tant que d'être arraché à son train-train. Mais celui-ci devenait par trop ronronnant. Le bref moment qu'il avait passé près de moi, dans le bus, avait agi comme un révélateur de tous les aveuglements dont il s'était jusque-là accommodé. Lui était revenue sa dernière conversation avec sa mère, qui était malheureuse de savoir qu'il vivait seul, menant sa petite existence de petit Blanc obèse. Elle lui avait trouvé une fiancée. Une jeune fille noire aux yeux noisette et aux fossettes hautes ! Eh oui, elle savait qu'il avait toujours eu honte des siens, honte d'appartenir à cette race décriée, canton-née elle-même dans le ressentiment. Quand il avait vu ma frêle personne cernée par deux poli-ciers, son cœur s'était serré. C'est la raison pour laquelle il était descendu du bus et était venu rôder près de la voiture de police où j'avais pris place le 1er décembre 1955. Il s'était, bien sûr, étonné de ce qui lui arrivait. L'envie d'agir qui le secouait le tira de ses torpeurs, lui ordonna de parler. Il aurait dû s'y préparer. Se prépare-t-on à ça ? S'attend-on à ressentir des piqûres de honte aussi profondes ? Il avait eu l'impression, à partir de l'histoire du bus, qu'il avait lui-même abusé son monde. Qu'il était inutile. Qu'il mour-rait inutilement. N'était-il pas le fils d'un Noir ? Mais le fils d'un Noir ne pouvait qu'être noir ! C'était la logique même, l'imparable logique du pays. Mais la génétique et ses mystères avaient compliqué les évidences...

Le lendemain de l'affaire, en se rendant à son

travail, il m'avait aperçue montant dans un taxi à Cleveland Court et il avait été pris d'une soudaine et très forte envie d'entrer en contact avec moi. Le soir, au retour de son travail, il était descendu à Cleveland Court. Il s'était présenté comme un militant de la NAACP à la recherche d'une Rosa. On lui avait désigné du doigt un bâtiment en brique et qui ressemblait à tous les autres alentour. Des enfants jouaient dans la cour centrale, entre de grands arbres. Les adultes, que j'apercevais de l'étage de notre appartement, étaient assis sous les vérandas. Il sonna à ma porte.

Quand j'ouvris, je le reconnus instantanément : « l'homme aux bonbons » ! Il me fallut vérifier où était Leona. Que lui aurais-je dit ?

« Une seconde, monsieur ! »

Mummy Leona dormait. Elle s'était assoupie dans sa chambre, un livre à la main. Dormir lui faisait du bien. Je pus ainsi inviter le jeune homme à entrer et lui proposai à boire :

« Voulez-vous du thé ou du café, monsieur...

— Douglas White junior. Mon nom est Douglas White junior...

— Bien, *mister* White. Vous êtes thé ou café ?

— Café, s'il vous plaît, avec du sucre, madame.

— Très bien, monsieur White ! »

Pendant que je m'activais dans la cuisine, le jeune homme sortait des bonbons de ses poches et en enlevait fébrilement le papier plastique qui les protégeait. Le seul fait que je le reçoive lui avait instantanément rendu son goût pour la friandise. Quand je le retrouvai dans le salon, il fixait des yeux le crucifix au-dessus de la commode en tripotant l'un des napperons recouvrant les bras du fauteuil marron dans lequel je l'avais invité à s'asseoir. Puis son regard avait couru le long de la grande table recouverte d'un tissu de dentelle assorti aux rideaux qui voilaient les trois fenêtres et pendait sur la porte vitrée. Aux autres murs étaient accrochés des photographies de mes grands-parents et un portrait d'Abraham Lincoln. Il y avait aussi la photo d'un jeune homme noir mais dont les traits asiatiques semblaient l'intriguer.

« C'est mon frère, Sylvester, lui lançai-je en le servant. Il vit à Detroit où il travaille dans la chaîne de montage de l'usine de Chrysler située à Old Lynch Road. Il y est également un syndicaliste réputé. Il n'en pouvait plus, voyez-vous, du Sud et s'est installé à Motor City en 1946. » Je faillis lui dire qu'il avait beaucoup, beaucoup d'enfants, tandis que moi, je n'en avais aucun ! Mais je lui lançai :

« Et vous ? Parlez-moi de vous !...

— Je suis un homme sans courage, madame. Je vis depuis très longtemps avec mon gros mensonge de petit Blanc dans une âme noire ! » commença-t-il.

Comme je fronçais les sourcils, il précisa sa pensée : « Tout le monde me prend pour un Blanc, or mon père est tout ce qu'il y a de plus noir... »

Une famille américaine

Non, sa mère n'avait pas fauté! Les analyses de sang l'avaient confirmé suite aux investigations que les propos suspicieux de la famille avaient poussé le père de Douglas à réaliser et qui étaient arrivées au même résultat : Douglas White junior était bien son fils biologique — il avait d'ailleurs son léger bec sur la lèvre supérieure. Mon visiteur reprit sa généalogie qui comprenait donc un propriétaire d'esclaves. Mais pourquoi diable avait-on donné le nom de White au petit garçon métis dont avait accouché Tabitha et non celui de Walter? Le hasard voulut que le nouveau propriétaire de Tabitha s'appelât White. Comme les esclaves portaient le nom de leur maître, on attribua le nom de ce dernier à l'enfant de la jeune servante, un garçon braillard et joufflu.

Douglas White junior m'avoua aussi que, dès sa prime enfance, il avait toujours eu les conflits en horreur. À l'école comme à la maison, il s'effaçait dès que le ton montait. Il n'avait jamais été capable d'affronter les épreuves. Les bras de fer, au figuré comme au sens propre du terme, le fatiguaient, depuis le jour où, se laissant convaincre par des camarades, il s'était essayé à ce jeu : dès le premier mouvement, son coude à peine posé sur la table alors que les deux mains s'empoignaient, son adversaire, d'une torsion violente, lui cassa le bras. On prétendait, parce qu'il était flegmatique et nonchalant, qu'il était né épuisé. Il fréquentait l'école des Blancs, parce que l'administration avait obligé ses parents à l'inscrire dans un tel établissement. Mais il s'en accommoda fort bien. Il ne manqua pas de me dire la honte qui lui rosissait les joues quand sa tante Jenny, la sœur de son père, venait le chercher à la sortie de l'école. Il murmurait à ses compagnons que sa nounou noire était arrivée. Jamais, il n'aurait avoué qu'elle était sa tatie. Un jour, son père l'attendait en lieu et place de Jenny. Douglas junior en avait été mortifié. Qu'allait-il dire aux copains ?

« Avance, avance donc ! » grognait la meute derrière lui, le bousculant sans ménagement au-delà de ce portail qui lui semblait s'ouvrir sur un abîme. L'abîme était la peau noire de son père. Il avait prétexté une envie urgente et avait fait un des plus rapides demi-tours de sa vie. Il avait passé un temps infini aux toilettes et n'en était sorti que sous les tambourinements de l'institutrice accourue aux nouvelles. Vivre dans la confrontation de ce qu'il paraissait être et de la réalité sociale et politique qui l'environnait avait contribué à créer en cet homme, au demeurant ordinaire, un sentiment de lassitude. Douglas « The Snake », comme l'appelaient, persifleurs, ses rares compagnons de jeu à l'école primaire, aimait trop les friandises pour s'occuper de toute autre question que de celle d'avoir du plaisir en bouche. Le reste ne comptait vraiment pas. On ne comprendrait donc jamais les gens qui, devant une difficulté, n'ont pour réflexe que de hausser les épaules et de laisser faire. Douglas White souffla à Rosa en baissant la voix : « Jusqu'ici, seuls les friandises et le goût de la solitude, bref, ma tranquillité personnelle, ont compté dans ma vie. »

Ses trois frères, Brandon, William, Risley, et sa sœur, Irina, s'étaient résignés à vivre avec lui, quand ils étaient enfants et adolescents, comme s'il était un étranger. Même à Irina, le seul être auquel il fut vaguement attaché, il se confiait peu. Les gens naissent différents. À bien des égards, il différait de ses frères. On naît avec un goût affirmé, un but, un rêve, une ambition, une tournure d'esprit, un caractère trempé ou une absence de caractère. Douglas White junior était sans caractère. J'ai compris de ce qu'il m'a dit que son physique enrobé aurait dû lui donner davantage d'assurance. Le physique en impose ici, dans notre Amérique gonflée aux sodas et aux protéines. À quinze ans, au collège, il avait déjà le torse velu et ses camarades l'avaient surnommé « La Pelouse », à cause de sa pilosité précoce. Douglas n'avait jamais apprécié l'humour potache et ces blagues-là le confortaient dans son désir de se tenir à l'écart des autres et le ramenaient davantage encore auprès de ses bonbons. Il sombrait souvent dans des langueurs, semblant prendre beaucoup de plaisir à fuir les conversations et à vivre à part. Son horizon était borné par une double espérance : croquer le plus grand nombre de bonbons possible et profiter en silence des facilités que lui offrait sa condition de Blanc. Il n'était pas mauvais élève, il avait même un don certain pour les sciences et les mathématiques. Mais il manquait d'ambition. Qu'importaient les moqueries des voisins, des cousins ou de la famille. Il avait grandi sans porter attention aux difficultés des siens, déplorant les préjugés raciaux qu'ils disaient subir sans discontinuer mais dont l'ampleur semblait à Douglas exagérée comme les pointes supposées les piquer jusque dans leur sommeil. « Et moi, alors ! Vous pensez que les Noirs sont tendres avec moi ? » s'était-il emporté un jour, énervé par les taloches que des garnements du quartier lui assenaient régulièrement « pour, criaient-ils rageusement à ses oreilles, venger nos pères et nos mères », pendant que poussaient aux endroits endoloris de son crâne des bosses aussi grosses que des œufs. Nul ne prenait en compte ses récriminations, de sorte que Douglas s'en allait pleurer dans sa chambre. Il avait fini par se convaincre, le racisme étant partout profondément enraciné, que ce n'était pas lui, avec sa carcasse pataude et ses bonbons, qui abattrait le moindre pan du plus petit mur de la puissante citadelle ségrégationniste. Ah, non! il ne fallait pas lui chauffer les oreilles avec des considérations politiques. Elles étaient tellement éloignées de sa drogue favorite, la confiserie, qui transformait en quelque chose d'acceptable sa morne existence!

Cet homme-enfant me bouleversa. Tout en l'écoutant, je pensais aux drames intérieurs qu'il avait dû affronter. White, me dis-je, représentait aussi la famille américaine, dont le récit semblait enfoui dans les sables de l'indifférence. Personne ne voulait en parler. Comment du reste pouvait-on la raconter? J'avais trop à faire pour embrasser cette cause-là. Un temps viendra où d'autres générations se pencheront sur ce tabou. « Pas maintenant, pas maintenant! me supplia White, comme s'il avait lu dans mes pensées. Promettez-moi que tout ceci restera entre nous! » Je tressaillis, promis et dis : « M'autorisez-vous à rompre cet accord quand j'aurai un âge très avancé? »

— Peut-être!... Oui... sûrement! Vous êtes meilleur juge. Vous êtes admirable. Je ne suis, moi, qu'un pleutre! Un gros Blanc-Noir plein de honte!...

— Arrêtez, vous me faites de la peine en vous rabaissant ainsi. Ce qui compte dans une vie, quand on a le sentiment d'être passé à côté de l'essentiel, c'est de s'amender, de corriger la trajectoire. Prenez saint Paul, son existence n'est-elle pas un exemple à suivre? Elle montre à merveille ce que nous avons à réaliser pour modifier nos comportements et nous détourner des sentiers mal famés. La route de la bonté est ouverte à tous! Voyons! Saül fut xénophobe et cruel. Vous n'en êtes pas là, votre chemin vers une vie meilleure sera autrement plus court que ne fut le sien!...

— Oh! merci! merci! vous avez raison.

— Je vous ressers?

— Volontiers! »

Pendant que je lui reversais du café et lui donnais du sucre, je pris à mon tour la résolution de l'aider. La grande histoire dans laquelle nous étions engagés, le fer que nous avions à croiser avec Jim Crow, n'occuperait pas toutes mes pensées. J'avais fait des études de psychologie sociale. Si je n'avais jamais exercé, la Providence ne mettait-elle pas White sur mon chemin afin que je lui sois utile? Comment m'y prendre? Mon Dieu, comment m'y prendre? Comment être compatissante sans trop le laisser paraître? Quel sens pouvais-je donner à notre entrevue si je ne le sortais pas de sa solitude? Réussirais-je à conserver le secret de notre conversation? La tairais-je à Raymond? À mère? Peut-être s'était-elle réveillée et avait-elle entendu ce que nous disions? Ces questions me trottaient dans la tête. Quel métier exerçait-il? Ah, il me l'avait dit, il était gestionnaire dans une banque. Douglas n'était pas dans le besoin. Aimait-il la musique? Il m'avait répondu : « Voyez-vous, je n'ai jamais aimé la musique. Le jazz m'ennuie et le blues du Sud me stresse... »

J'avais posé ma tasse vide et lui avais demandé ce qu'il appréciait dans la région. Il répondit :

« Assurément, les paysages de l'Alabama, ses sous-bois proprets, notre climat, les sinuosités de notre fleuve, ses courbes… Oui, la majesté de nos paysages éclatant sous la blancheur du coton me plaît…

— Lisez-vous ?

— Pas vraiment, madame.

— Appelez-moi Rosa.

— Merci. Il m'arrive de feuilleter des livres, mais si la première page ne m'accroche pas, je laisse tomber. Au premier coup de langue, un bonbon vous fait chavirer ou pas. Les livres doivent être jugés de la même manière. Mais d'habitude, ils me lassent, car mes yeux se brouillent et pleurent. C'est mécanique ! Les livres ont ceci de déplaisant qu'ils vous tirent d'un côté, alors que vous auriez bien voulu pencher à l'opposé ou prendre une autre voie. Quand certains vous happent, ils ne finissent jamais bien, comme on le voudrait. Quand je croque un bonbon, il fond, me rassure et éparpille en moi des sensations rassurantes, silencieuses. Les livres ne font pas disparaître l'angoisse, ils en rajoutent, vous écrasent, vous crucifient par la complexité des connaissances ou des raisonnements qu'ils renferment. Beaucoup de livres sont des multiplicateurs de petites terreurs. Ils ne m'intéressent donc pas. Pourquoi ne fondent-ils pas dans les têtes comme ces bergamotes venues de Nancy, en France ? Elles me donnent toujours l'envie d'en reprendre. Il n'en est pas ainsi des livres. Ils vous tassent, vous lâchent vite, je vous dis. Oh, j'ai oublié de vous remercier : il était excellent, votre café ! »

Douglas s'étonna lui-même d'avoir ainsi parlé, lui si distant avec les gens, lui si solitaire. Je pensai que si Leona avait entendu sa déclaration, elle l'aurait immédiatement jeté à la porte ! Pour elle, les livres devaient être considérés comme un trésor sacré. « Bon, me dis-je à moi-même, je le réconcilierai peut-être avec eux, qui sait ? Il m'a l'air bien égaré, ce pauvre garçon ! » Puis mon regard erra le long de la bibliothèque pleine à craquer. Douglas White junior ne l'avait pas encore repérée, car il lui tournait le dos.

« Mère m'a donné très tôt le goût de la lecture. Je ne soutiens donc pas votre thèse. Mais votre sincérité vous honore. Les livres viennent remplir nos vides et évacuer nos trop-pleins d'angoisse ou excès de certitudes... »

Je marquai un silence et me levai pour répondre au téléphone. Un journaliste me demandait si j'étais bien la femme noire qui avait mordu un chauffeur de bus au bras droit. Je crus à un canular. De nombreux journalistes téléphonaient chez moi depuis le 1er décembre. Certains me décrivaient de manière outrancière. Je fis signe à White de ne pas bouger et d'attendre que j'aie terminé ma conversation. À l'autre bout du fil, l'homme insistait : « Vous étiez bien dans le bus de Cleveland Avenue, jeudi, sur le coup de dix-huit heures ? » Je répondis par l'affirmative. « Bon, quel goût a la chair d'un Blanc ? Aviez-vous vraiment si faim ce jour-là, comme le soutient la rumeur, pour le mordre ? Depuis combien de jours n'aviez-vous pas mangé pour en arriver à une telle extrémité ? Si vous jouez franc jeu, nous avons prévu quelques dédommagements pour vous. Trois dollars, ça vous dit ? »

Entre l'envie de raccrocher le téléphone et celle de m'écrouler de rire, je bredouillai de vagues paroles. Mais le débit du gazetier paraissait intarissable. Je décidai donc de patienter et de voir où le prétendu journaliste, certainement affilié à un organe de presse à scandale, voulait en venir. Il m'était déjà arrivé de couper court à une conversation particulièrement désagréable avec des reporters dont les propos étaient odieux et insupportables. Je continuai néanmoins à écouter l'interviewer :

« Vous le savez, vous, j'en suis sûr, mais les gens ne se rendent pas compte des extrémités auxquelles la faim peut conduire ; y compris dans notre belle Amérique, n'est-ce pas ?

— Si vous le dites !

— Bon, cette histoire... comment la qualifier ?... N'est-elle pas un coup monté ?

— Quelle histoire ?

— Votre refus de vous lever après votre morsure, pardi ! Vous et la NAACP aviez besoin de vous payer une publicité gratuite !

— Mais non, monsieur, que me racontez-vous là ? Arrêtez ce cirque, voulez-vous ?

— Un instant, me coupa l'homme dont la voix

aigre me sifflait dans l'oreille. Tenez une ques-tion complémentaire : les dents peuvent-elles se substituer aux armes? Sont-elles les nouvelles armes des Noirs? En d'autres termes, madame, faudra-t-il prévoir des muselières dans les bus de Montgomery et ses environs? Compte tenu de la popularité de votre acte de cannibalisme, celui-ci ne donnera-t-il pas des idées à d'autres gens de votre espèce?... »

N'y tenant plus, je mis fin à cette conversation crispante et résumai à mon visiteur ce que j'avais entendu.

« Je n'imaginais pas que les gens pouvaient sombrer dans une telle folie!

— Hélas, *dear mister* White, l'homme n'est souvent qu'un paquet de désolations ambulant. »

Me dirigeant vers la bibliothèque, je pris deux livres et les tendis à White.

« Lisez ces ouvrages de Condorcet et de Zora Neale Hurston. vous m'en direz des nouvelles! »

Dès qu'il vit le titre de l'essai du Français, il fronça les sourcils : *Réflexions sur l'esclavage des nègres*. C'était un tout petit ouvrage, l'un des premiers que Leona m'avait offert. White l'ouvrit et ânonnant l'incipit, il fit : « Réduire un homme à l'esclavage, l'acheter, le vendre, le retenir dans la servitude, ce sont de véritables crimes. »

Il leva la tête, pensif, le visage froissé. Était-ce ce qu'il venait de lire qui rétractait ainsi son visage ou le seul effort accompli en direction de la lecture qui, par avance, lui déplaisait? Il me regarda et baissa les yeux sur l'autre livre de notre compatriote Zora Neale : *Their Eyes Were Watching God*. Ses yeux à lui battirent comme s'il se demandait chez qui il était tombé. Avait-il bien agi en frappant à ma porte ?

Un ange passa. Les ailes déformées par les interrogations et les plumes chargées de doutes ? Douglas serra les livres dans ses grandes mains. « L'histoire de votre famille m'a touchée. Vous êtes, à vous seul, le résumé de nos silences, de nos peines, de nos histoires mêlées d'effroi, nourries de haines, de disputes invraisemblables et de si peu d'humanité. Voyez-vous, Douglas White, le monde joue davantage à s'écrouler qu'à tenter de se redresser... »

L'invitation à la cuisine

Après la réunion de Dexter Avenue, Raymond, souriant, paraissait nettement plus apaisé. Quand il me retrouva le samedi soir, après la distribution des tracts, je me gardai de parler de la visite de White junior mais lui relatai les coups de fil farfelus ou de soutien que j'avais reçus. Leona était déjà au lit. Je le taquinai sur son changement d'attitude.

« Des doutes, qui n'en a jamais ? » fit-il d'un air de défi. Il avait dû prendre une journée de congé dans son salon pour donner un coup de main à l'équipe qui préparait mon procès. Il s'était ensuite impliqué dans la diffusion des tracts, campagne durant laquelle il avait fait équipe avec Manga Bell, l'Africain, et le jeune Scottie Folks qui les avait rejoints, déployant une remarquable efficacité. Ils avaient formé un trio très efficace et parcouru la ville toute la journée de samedi. Raymond me raconta qu'ils s'étaient heurtés à certains Noirs qui, méfiants, ne voulaient même pas prendre les tracts. Ils roulaient des yeux inquiets, comme si le simple fait d'accepter le papier qu'on leur tendait était déjà un signe de compromission. La bouche pincée, ils s'esquivaient en maugréant :

« Moi, je ne veux pas d'histoires ! »

Ou encore :

« Ça ne mènera à rien tout ça. À la baston, comme toujours. Et on connaît qui va morfler ! »

Les plus diserts grognaient :

« Non, merci ! C'est encore un traquenard dans lequel vous allez entraîner de pauvres nègres déjà assez bosselés comme ça. La rouste ? Non, merci ! »

Le ciel s'était adouci au-dessus de Montgomery. L'appartement était calme. L'activité physique semblait avoir donné un meilleur visage à Raymond. Après le repas du soir, lorsqu'il me retrouva dans la chambre, il dit :

« Rosa Louise, *darling !*...

— As-tu encore faim ?

— Non, uniquement des excuses à te présenter. J'ai été désagréable ces temps-ci, *darling !* »

Quand Raymond utilisait le mot « darling », c'était signe qu'il avait recouvré un esprit plus optimiste. Provisoirement peut-être, avant que les tristes nouvelles du *Montgomery Advertiser* ou celles de *The Crisis* ne viennent l'abattre. Je le taquinai encore. Puis lui passai les bras autour du cou. Il rougit. J'aimais lire la détermination dans son regard plutôt que l'inquiétude, voire la résignation à l'échec qui l'avait traversé au moment où nous engagions le boycott. Oh !

160

ce n'était pas bien compliqué avec Raymond. Quand il était inquiet, il buvait beaucoup et son angoisse était décelable à la manière pincée et saccadée avec laquelle il s'exprimait. En ces circonstances-là, son teint déjà assez pâle devenait encore plus livide, les mots se heurtaient dans sa bouche au point de le rendre bègue...

« Après la réunion avec les dignitaires de la NAACP et après avoir vu tous ces gens importants venus te soutenir, je me sens requinqué.

— C'est bien ce que je pensais ! »

Les opérations programmées en quelques heures avaient été rondement menées, sous l'impulsion du bouillant Edgar Nixon, de King et de Jo Ann Robinson. L'universitaire s'était du reste admirablement tirée de la tâche qui lui avait été confiée de dupliquer les tracts appelant au boycott. Flanquée de deux jeunes étudiantes, membres de la section NAACP jeunesse à laquelle Scottie Folks appartenait, Jo Ann, prétextant la préparation de documents utiles à ses examens, s'était fait ouvrir la salle des machines à ronéotyper du campus universitaire. Le temps leur était compté car, après les tirages, il fallait répartir des paquets de tracts par zones géographiques selon une méthode définie par Jo Ann elle-même. Secondée par Manga Bell et avec l'appui de Scottie Folks, elle avait, dans la nuit de vendredi, procédé au dépôt des tracts chez nombre de militants. Ils étaient les têtes de pont par quartier pour l'acheminement et la transmission

161

des appels au boycott contenant aussi l'invitation à la réunion du lundi soir à Holt Street. On avait d'abord pensé les glisser dans les boîtes aux lettres, mais on y renonça, car il fallait d'abord les donner aux Noirs. Leurs quartiers furent vite couverts. La diffusion de l'information à l'ensemble de la population n'était pas une priorité. « C'est la mobilisation des Noirs qu'il s'agit de réaliser en priorité. Si nous gagnons cette partie, nous aurons emporté une première victoire capitale », s'était écrié Durr.

Le samedi, devait avoir lieu, dans les églises, la communication la plus attendue. La masse des tracts avait ainsi atterri, en dehors des lieux de culte, dans les établissements scolaires, les dancings, sans oublier les associations luttant pour les droits civiques. La distribution effectuée dans les rues de la ville avait battu son plein afin que les ouvriers, les employés, les musiciens répercutent le message de mobilisation. Les étudiants noirs devaient informer leurs parents de l'appel au boycott des bus et leur recommander d'aller à l'église la plus proche de leur domicile pour un complément d'information. Une réunion des pasteurs et hommes d'Église, sous la coordination de Wonderboy, avait d'ailleurs été programmée pour le samedi soir. Tous les sermons du week-end alerteraient la communauté des croyants sur l'affaire du bus et ses conséquences sociales. Mes deux avocats noirs, Fred Gray et Charles Langford, avaient arrêté leur stratégie :

« Nous plaiderons non coupable et demande-
rons la relaxe pure et simple de Rosa au tribunal.

— Ne nous faisons néanmoins aucune illusion
sur le verdict, prévint Durr.

— *It's a sure thing !* Oui, l'issue de ce premier
affrontement devant la Cour fédérale est courue
d'avance », commenta King. Il ajouta : « Maîtres,
dans ce cas, anticipons le coup d'après !
Commençons la préparation des mémoires en
appel.

— Nous y avons pensé. Nous le ferons. »

Notre organisation devait aussi, sur une proposition de Nixon, des révérends Abernathy
et French, se réunir autour de la nouvelle
Association pour le progrès à Montgomery.
Edgar Nixon, le grand ordonnateur de la prise
de conscience des Montgomériens libéraux,
espérait être porté à la présidence de cette structure et menait fortement campagne en ce sens.
N'allait-il pas irriter ceux qui estimaient que la
place aurait dû revenir à un visage moins connu
des autorités locales ? Pourquoi ne prenait-il pas
au sérieux les avis qui lui conseillaient de soutenir l'éloquent Martin Luther King junior afin
qu'il n'y ait aucune confusion entre la NAACP et
la mobilisation spécifique qui s'effectuait autour
de moi ? Il fallait aussi réfléchir à l'organisation
même du boycott. Celui-ci nécessitait l'adoption
d'un système parallèle de transport des grévistes
et de soutien aux marcheurs. Aussi, la réflexion
pour la mise en place d'un réseau de transport

alternatif avait échu au pasteur Benjamin Simms et à l'infatigable Jo Ann Robinson. Manga Bell avait suggéré de placer symboliquement la tête de pont de ce réseau alternatif près du cinéma l'Empire Theater, à l'endroit où j'avais été contrainte de descendre du bus sous escorte policière.

Il était tard. Je bâillais. Le téléphone n'avait pas arrêté de sonner, ma rencontre avec Douglas White m'avait nerveusement éprouvée. Un pasteur blanc, l'excellent Robert Graetz, s'était longuement entretenu avec moi. Sa femme, l'admirable Jeannie, me réconforta. Mon frère Sylvester m'avait appelée de Detroit. Sa femme, Daisy, étouffant sous les sanglots, ne parvint à me dire que ces mots : « *We love you, we love you so much!...* » Tous les amis syndicalistes de ce brave Sylvester me soutenaient, m'envoyaient des messages qu'il me lut pendant plus d'une demi-heure. « Le racisme, criaient-ils, est une plaie, une plaie qui pue. » Une parente éloignée m'avait téléphoné, pleurant et riant à la fois. Steawart, ma vieille copine, était restée pendue au bout du fil pendant un temps infini. Plusieurs organisations appelant au boycott s'étaient aussi signalées : les Églises chrétiennes, l'association des femmes investies dans le combat politique et les droits civiques à Montgomery, les organisations de parents d'élèves, le club des barbiers, des chauffeurs de taxi, des cueilleurs de coton, des éboueurs, des bouchers et même celui des cireurs de chaussures. Tous ces réseaux voulaient participer au boycott et présentaient spontanément leurs offres de service. Au fur et à mesure que je racontais ma journée à Raymond, j'en oubliais ma fatigue. Raymond écoutait et parlait aussi de son activité, évoquant l'engagement des mendiants du centre-ville. À la stupéfaction générale, ils avaient pris aussi leur place dans les opérations de diffusion des tracts. Ils s'étaient redressés !

Les nouvelles avaient vite circulé grâce aux trente-cinq mille tracts distribués. Nixon proposa qu'une commission spéciale fût désignée pour adopter et commercialiser tout objet pouvant contribuer à la collecte des fonds indispensables à la suite éventuelle du mouvement. Nous savions que nous devions prévoir les nouveaux financements exigés par les actions judiciaires à venir. Les révérends Ralph David Abernathy, Robert Graetz et R. J. Glasco furent choisis pour rassembler d'autres idées et tout slogan mobilisateur dans les plus brefs délais. Martin Luther King, dont le leadership se confirmait, calmait les réticences des pasteurs, les appelant jusqu'au ressassement à délivrer le message de la non-violence aux futurs boycotteurs des autobus. King rassurait ses pairs qui redoutaient que le maire Gayle, un adversaire de l'intégration, ne les privât, par des manœuvres juridiques compliquées, de leurs attributions ministérielles dans leurs églises respectives. « King, si jeune mais déjà apte à diriger ses troupes, ne portait pas un nom prédestiné en vain », avait noté French, l'un des ministres du culte présents à l'ultime rencontre de concertation des hommes d'Église.

Ce samedi-là, Raymond m'étreignit avec émotion avant de s'abattre dans le lit :

« On va gagner !

— Oh ! Raymond, tu ne peux savoir combien il m'aurait plu d'aller pique-niquer demain, comme nous le faisons souvent en cette saison. Une salade d'endives et de tomates, une pintade farcie et quelques fruits me font envie !

— En voilà des idées ! Nous sommes en décembre, nous n'avons pas un sou d'avance, mais bel et bien un procès sur le dos, et demain, je te signale que c'est dimanche. Manquerais-tu l'office ? Le pasteur King le remarquerait et tu lui as donné ta parole de le rencontrer après la messe.

— Mon Raymond, je t'ai attendu aujourd'hui avec impatience ! Certains jours, tu le sais bien, mon impatience de te voir est...

— Chut, tu vas te couper la langue ! »

Comme je tirais la couverture jusqu'à nos mentons, Raymond me souffla :

« Les émotions de ces jours-ci t'ont secouée. Moi aussi. Maintenant, on ferait mieux de fermer les yeux après avoir remercié le Créateur...

— Une seconde, mon Raymond ! Laisse-moi te dire que tu as été formidable. Si on me demandait de peindre l'espérance, elle aurait exactement les traits rayonnants de ton visage.

— Tu exagères. Je n'ai fait que courir dans

Montgomery et distribuer les tracts. Je n'ai ni l'éloquence de Wonderboy, ton protestateur pacifique adoré, ni la pugnacité de Nixon et encore moins la parole métaphorique de Manga Bell. Où l'as-tu rencontré, ce gars-là ?

— Dans la plus mystérieuse des nuits africaines. J'ai vu un ciel drapé de mauve et l'ange noir a surgi. Il a, d'un geste, secoué et réveillé ma mémoire assoupie. Tu ris, Raymond ? Tu as bien raison ! Je l'ai rencontré à une réunion de la NAACP à laquelle tu n'avais pu assister, je te l'ai déjà dit, Raymond.

— Après avoir passé une journée à courir d'un endroit à un autre avec lui, j'aimerais mieux le connaître. Invitons-le un soir à la maison. Veux-tu ?

— D'accord. Il nous a parlé de la tragédie des siens, en terre africaine, et surtout de son grand-père, Rudolf Duala Manga Bell, qui fut pendu par les Allemands, sur son sol natal, le 8 août 1914... »

J'avais observé un silence, comme si l'évocation de la pendaison de ce grand-père me ramenait douloureusement aux atrocités qui avaient lieu en Alabama. Manga Bell avait en effet perdu dans des circonstances bouleversantes et humiliantes son grand-père, roi des Bell, importante ethnie de la côte centrafricaine. Il s'était opposé à l'expropriation des terrains que la puissance colonisatrice allemande avait décidé de récupérer à son profit. Il s'agissait de lieux sacrés, situés sur le plateau Joss surplombant la baie du

Wouri, dans le golfe de Guinée. Rudolf Duala Manga Bell défendit jusqu'au bout son territoire et l'obligation pour la puissance occupante de respecter un espace consacré au culte des morts. Le prince des Bell ne fut pas entendu et il préféra la mort à la compromission qu'on lui proposait.

Un mot me vint à l'esprit et je l'énonçai :

« Son petit-fils nous a décrit la dignité du supplicié et l'intransigeance avec laquelle on fait valoir son droit.

— L'intransigeance. Est-elle compatible avec la non-violence de King?

— Oui, Raymond, on peut être pacifique et ferme.

— Notre drame ne s'entend pas. Nos cris sont étouffés dans ce vaste pays.

— Manga Bell le reconnaît lui-même, notre souffrance est incomparable, car elle se nourrit à la fois du malheur originel que fut la traite des Noirs et de la relégation sociale qui nous écrase ici. "Ontologiquement considérés comme inférieurs, ainsi que le disait savamment King l'autre soir, nous sommes voués à la bagarre contre le mépris."

— Bell va-t-il un jour retourner en Afrique?

— Je n'en sais rien, Raymond. Le retour hante toujours les exilés. Il le dit parfois de manière sibylline. Je retiendrai toujours ce qu'il nous a sorti un soir que tu t'étais endormi à l'église de Dexter Avenue...

— Rosa, tu vas encore me pousser à culpabiliser...

— Penses-tu! Mais c'est ton droit de ne pas vouloir prendre part à une conversation... Bell estime que la participation des Africains eux-mêmes au commerce des esclaves fut essentielle, tout aussi abominable et, partant, lourdement condamnable. Chercher à la minimiser est une idée aussi absurde que celle qui consiste à désigner les Africains comme des êtres immatures par essence, qu'on ne saurait par conséquent tenir pour responsables de quoi que ce soit! Cette exonération place les populations du continent, selon Manga Bell, dans le camp des irresponsables. Ce qui le navre, c'est l'absence de débat, dans chaque pays d'Afrique, pour sortir des tabous et combler les arrangeants trous de mémoire quant aux responsabilités des Africains dans les malheurs qui les divisent ou les ont éprouvés. Il veut que le déni mémoriel trouve sa solution dans l'analyse lucide et non dans l'anathème facile.

— Pourquoi est-il venu en Amérique?

— Pour lutter avec nous. Il y est venu en homme libre afin de prendre part au combat. Il n'est pas le seul, des Polonais le font et pourquoi pas lui? Il dit déplorer le mutisme des anciens chefs de tribus et grands commerçants africains devant leur faute historique dans le commerce des esclaves. Ce malheur qui accouche de tumeurs inguérissables. »

Bell pensait en effet que des Africains, vendeurs d'esclaves, méritaient un procès symbolique, instruit et administré par les Africains eux-mêmes. Il travaillait à cette idée et noircissait chaque soir des pages de cahiers d'écolier qu'il avait ramenés d'Afrique. La difficulté de se remettre en cause est humaine. Nul ne peut s'avancer devant son propre tribunal sans avoir envie de rebrousser chemin et de s'enfuir quand sa conscience le tenaille! Mais une catharsis est toujours préférable à la politique de l'autruche. On ne jugera de toute façon jamais les descendants de criminels pour les fautes de leurs pères. On ne juge pas les morts, mais on doit assistance aux vivants emmurés dans le glacial effroi de leur mémoire saccagée. Bell pensait, en écrivant jusque tard dans la nuit montgomérienne, aux Noirs encore enchaînés aux atrocités passées, encore constamment lacérés par les fouets du désespoir qui ne cinglaient pas moins leurs reins que des fouets bien réels. Cette douleur sans responsable scelle les descendants d'esclaves au lit d'une souffrance immémoriale. La reconnaissance des torts apurerait les comptes moraux sans effacer la tragédie. On l'oublie, la souffrance est parfois aussi transmissible qu'une maladie héréditaire! «Âmes nègres d'Amérique, avait écrit Manga Bell dans l'un de ses carnets, le traumatisme de l'esclavage ôte à sa victime son alphabet intérieur. Il appartient à l'Afrique de montrer qu'elle est capable de le restituer en jetant des passerelles d'amour avec les enfants orphelins de la souche ancestrale. Certes, ces enfants appartiennent désormais à un autre monde, mais ils sont encore happés par une mémoire de la terreur et de la réclusion. » Bell a aussi écrit : « Les Africains devraient un jour dire aux morts et aux vivants qu'ils ont entendu leurs cris et qu'ils consacreront, dans leurs écoles, un mois du souvenir pour la paix des suppliciés et celle de leurs descendants. Plus encore, il faudra, tournant les regards vers les vivants, leur dire que les morts les supplient de rompre avec la cruauté, de s'arracher à la fabrique du malheur pour libérer leur potentiel créatif. »

L'Africain exilé à Montgomery méditait aussi sur la question des réparations, estimant que nous aurions dû l'établir comme un point capital de nos revendications. J'étais, moi, Rosa, opposée à cette idée. Nous aurions l'air de quoi? Notre but n'était pas financier. Notre volonté était l'égalité. À quel prix la paierait-on? Il est des combats qu'il faut savoir ne pas mener. Mais des oppositions qu'il faut savoir affirmer. Ceux qui avaient dépouillé notre humanité étaient morts et ceux qui continuaient l'œuvre malfaisante nous regardaient de travers. Entre bourreaux et victimes, la ligne de démarcation était claire : pour ou contre Jim Crow! Cela suffisait. On n'avait pas besoin de crier davantage. J'en avais discuté avec Manga Bell. M'avait-il comprise? Je me le demande. Il méditait sur l'organisation d'une conférence internationale qui se tiendrait sur le vaste cimetière des disparus qu'avaient constitué l'Atlantique, la Méditerranée et d'autres mers du globe. Il voulait créer une fondation afin de construire un anneau de lumière symbolisant la prise de conscience qu'un meurtre collectif, d'une ampleur épouvantable, avait eu lieu le long des mers et sur les sentiers oubliés des océans. Il voulait... que l'invention des tropiques se poursuive par la conversation civile sur le dépassement des aigreurs et la sortie des catacombes...

Un jour, j'ai dit à Raymond :

« J'ai souvent l'impression, en écoutant Bell, que même nos plus habiles orateurs n'ont pas sous la langue ce fil invisible qui tente de recoudre les déchirures les plus anciennes.

— Tu exagères, Rosa. Wonderboy ne serait-il plus le magicien extraordinaire que tu vantes sans cesse ?

— Certainement pas, mon Raymond ! D'ailleurs, la manière dont il réduit l'influence de Nixon me stupéfie. Pour revenir à Bell, je me souviendrai toujours de ce moment où il nous a parlé de son pays, perdu là-bas dans le golfe de Guinée. Il m'a redonné goût à la géographie en me décrivant cet endroit unique où le continent américain s'est disjoint de l'Afrique, il y a deux cent cinquante millions d'années. T'en souviens-tu, mon chéri ?

— Vaguement. Je n'ai pas ta mémoire, moi ! Après la dérive des continents, il y a eu le délire esclavagiste. C'est ça, non ?

— À peu près, sale moqueur ! Je le crois quand il dit qu'une part de la vitalité africaine est en Amérique. Je comprends pourquoi Wonderboy aime tant à l'écouter. L'as-tu déjà entendu parler de l'apartheid? des townships? du combat des Noirs en Afrique du Sud? des mouvements de libération de type UPC au Cameroun?

— Oui, il me l'a redit aujourd'hui. Son ambition est louable, mais pourquoi diable ne partons-nous pas de ce Sud maudit?

— Peut-être parce que l'espoir d'une vie meilleure, ici même, est capital et atténue nos douleurs. Dieu nous soutient!

— Il me fatigue, ce Dieu absent! C'est toi qui as été à l'école. Je ne suis qu'un petit barbier de rien du tout qui bout d'impatience de s'en aller de Montgomery City.

— Non, chéri, tu n'es pas qu'un barbier. Quitter le Sud? Tu me fais penser à mon frère, et à mes neveux et nièces. Il y a un moment que je ne les ai vus. Je dois leur acheter des cadeaux de Noël, Raymond! Veux-tu, *darling*, nous mettre de la musique?

— Nous allons réveiller mère!

— Penses-tu! T'auras qu'à baisser le son!»

Raymond sauta du lit et se dirigea vers un appareil de musique qui se trouvait dans le salon. Il le traîna dans la chambre. Il y plaça un disque et quand les premières notes se firent entendre, je criai :

«Ah, mais c'est ce fou de Robert Johnson! Son blues rural plaisait tellement à Percival, ma grand-mère! Dieu, qu'elle adorait les accents vaudous de cet homme qui prétendait avoir passé un pacte avec le diable pour parvenir à jouer si divinement de la guitare.

— En tout cas, il vous aura fait causer, celui-là !

— Merci, Raymond ! Oh, *you're so fantastic*, Raymond ! Tu as deviné le morceau que je voulais entendre : *Come on in my Kitchen* ! »

Les sermons
sur la colline alabamaise

Étonnant, ce dimanche 4 décembre 1955! Notre appel fut très largement entendu. Partout, l'on nota la même effervescence dans les églises méthodistes, adventistes, baptistes, pentecôtistes, catholiques. Elles furent toutes miraculeusement pleines à craquer. D'où venait donc ce peuple à la ferveur contagieuse? Les Noirs, tirés à quatre épingles, la démarche souple ou cassée, élastique ou un peu fanfaronne, affluaient de partout. On se congratulait en arrivant devant les églises avant de pénétrer avec gravité dans la maison de Dieu. Les personnes âgées avaient peigné leurs barbes blanches. Les enfants étaient bien vêtus et les femmes, hissées sur leurs talons, avaient des tresses fermes et portaient de larges chapeaux colorés ou à voilette, et les plus avancées dans l'âge avaient un petit fichu élégamment noué autour du cou. La communication pour la mobilisation des fidèles avait été bien reçue. À Dexter Avenue, dans l'église du révérend Martin Luther King, vers laquelle je m'étais hâtée au bras de Raymond, pensant arriver en avance, une grande animation régnait déjà. C'était vraiment Noël avant l'heure! Des Blancs habillés de manière plus simple, militants progressistes mais minoritaires dans leur camp, étaient également venus se joindre à nous. On apprécia aussi la forte présence de juifs dont les kippas se mélangèrent aux chapeaux et hauts-de-forme visibles dans l'église de Dexter Avenue; elle ne sembla jamais aussi minuscule que ce jour-là. Je suis certaine que ce rassemblement voulut prouver par sa diversité que l'Amérique de nos vœux ne devait pas perdre le nord et encore moins son Sud en l'abandonnant une fois de plus aux hordes racistes.

King accueillait les fidèles sous le porche, entre les deux escaliers blancs que montait le nombreux public de ce jour-là. Après avoir salué les parents et grands-parents, avec une bonhomie toute naturelle, King se penchait vers les enfants, s'abaissait ou s'accroupissait même, pour leur glisser un mot avant de passer un doigt tout patelin sur leurs joues rebondies.

Il avait toujours pensé que toute action d'envergure doit profiter aux générations suivantes. Certes, rien ne pouvait aboutir sans la participation des adultes, mais, en agissant pour le changement, ces adultes ne devaient avoir à l'esprit que le bénéfice qui rejaillirait sur les plus jeunes. Les enfants qui arrivaient sagement à Dexter Avenue comblaient King. Chacun d'entre eux était porteur d'un fluide secret qu'il recevait comme un viatique supérieur, un supplément de force pour les combats qui nous attendaient. Il confia à Manga Bell qu'il avait eu le sentiment, ce jour-là, d'être un bâtisseur qui doit, la pioche à la main, creuser les fondations d'une maison, puis prendre la truelle pour élever les murs, consolider la charpente du toit et le couvrir de telle façon que vivent en sécurité ceux que cette maison projetait d'accueillir.

Je n'étais pas arrivée les bras vides à ce rendez-vous. J'avais en effet apporté la crèche de Noël fabriquée par mes soins. La pièce était lourde et composée de deux éléments. Raymond pliait un peu sous le poids du morceau le plus lourd. J'attendis sagement que les parents aient fini de présenter leurs enfants à King. Quand je fus enfin près du jeune pasteur, il fut surpris de recevoir le présent que je lui remis. Il ignorait la passion que je nourrissais pour les crèches de Noël et ne savait pas combien était forte à Montgomery l'implication des croyants dans les détails les plus infimes de la Nativité. Certes, sa congrégation, comme l'ensemble des protestants, proscrivait la représentation des images saintes, mais la divine étable bénéficiait d'un régime d'exception. Aussi, nombre de croyants de notre communauté construisaient-ils de leurs mains, avec une rare dévotion, et tout au long de l'année, les différents éléments du modeste décor champêtre de Bethléem. Leona et Raymond m'avaient aidée à donner les derniers coups de peinture nécessaires à l'éclat de mon travail. Les santons figurant les visiteurs, le berceau, les animaux, les divers corps de métiers présents autour de la bergerie où était né le Divin Enfant avaient bénéficié d'un soin plus méticuleux que de coutume. Je m'étais attelée à la tâche pendant de longs mois, occupant mes week-ends à la préparation des décorations, fabriquant moi-même les tenues des personnages et les tentures autour de la mémorable étable. Mère m'aidait à modéliser mes décors et, chaque année, j'aimais offrir une réalisation originale à l'une des églises de Montgomery. Je ne le faisais nullement pour me placer sous les bonnes grâces de tel ou tel pasteur. Quant à King, ceux qui le connaissaient, en réalité très peu de gens, prétendaient qu'il était secret, profondément croyant, mais très séducteur. Il était toujours habillé avec soin et on ne lui connaissait qu'une ambition : succéder plus tard à Daddy King, son père, un self-mademan, qui s'était élevé dans la hiérarchie sociale et religieuse par la force du poignet. Il était lui aussi le charismatique pasteur de l'église baptiste d'Ebenezer, située en plein cœur d'Atlanta. Je voulais, par mon geste, lui adresser un signe de sympathie et de bienvenue pour son premier office de Noël en tant que pasteur en Alabama.

Selon les usages de la communauté, une chorale répétait déjà les airs et les chants qui allaient animer la cérémonie. Les envolées du chœur et la chorégraphie des musiciens donnaient généralement au culte protestant une cadence et une atmosphère particulières. Même pendant ce qui n'était encore qu'une simple répétition, l'émotion était palpable. La tenue des musiciens, la coordination de leur ballet, les poses et les expressions du chef d'orchestre, les musiques envoûtantes qui s'élançaient vers les hauts plafonds de la petite église, l'emplissant de solennité, contribuèrent à électriser l'atmosphère.

King, qui contrôlait habituellement ses émotions en public, avait été touché. Il me donna une accolade appuyée et s'essuya le visage où gouttait la sueur. Il nous complimenta, Raymond et moi, pour nos décorations et pour notre présent : « Ils marquent d'un sceau singulier, dit-il, le premier Noël de mon ministère. » King fut vraiment étonné par mon attitude. Il savait que j'étais proche de Nixon, celui qu'il aurait à affronter pour la présidence de la nouvelle association. Recevoir un cadeau de moi, n'était-ce pas un signe de ralliement à sa personne ? J'étais au centre des regards et des attentions, mais ce qui m'importait n'était pas la politique. Je crois qu'il s'en rendit compte et, même s'il fut bientôt repris par l'habitude des mâles à s'arroger le pouvoir, il saisit la foi qui m'habitait. Elle ne me détournait jamais de mon devoir. Je voulais d'ailleurs me fondre dans la foule et non trôner en vedette au-dessus de l'assemblée qui me sollicitait. J'étais la vedette involontaire d'un contexte et d'un incident aux conséquences encore imprévisibles. De nombreux Montgomériens avaient lu mon portrait publié par Jo Azbell dans le *Montgomery Advertiser* et me regardaient ou me montraient du doigt. En un temps record, l'article fort bien rédigé avait touché les lecteurs et convaincu de l'urgence de soutenir « une jeune couturière ». King en avait apprécié le contenu et me félicita d'avoir bien voulu me livrer, dans l'entretien que j'avais accordé au journaliste, à un exercice qui n'était pas des plus commodes et auquel je n'étais pas forcément préparée. Lui-même n'avait rien entrepris pour être cité dans le journal, mais son nom y figurait. Le destin d'une nation était en jeu et nous étions liés par le cours trépidant d'une histoire lancée à un train d'enfer.

King et Nixon avaient en effet invité Jo Azbell, le jeune journaliste blanc et progressiste du *Montgomery Advertiser*, à réaliser un reportage sur moi. Je répugnais à jouer les starlettes. Il m'avait dit :

« Je vous propose une séance de photographies près de la salle de cinéma où a eu lieu votre arrestation, me dit-il de sa douce voix.

— Si cela ne tenait qu'à moi, il n'y aurait pas de photo du tout, monsieur Azbell.

— Je vous comprends. Je vous assure, néanmoins, que je ne ferai rien qui ne soit digne de vous. L'édition du week-end est très lue. Elle est cruciale. Si nous la ratons, nous allons perdre une précieuse occasion de toucher le public.

— Quel type de photos allez-vous prendre ?

— Je pense qu'un cliché familial sera le bienvenu. Une image de vous, votre mari et votre mère marchant le long de l'Alabama River, dans un cadre bucolique, serait souhaitable. Ensuite, je vous photographierai, seule, pensive, près de l'endroit où l'incident du bus s'est déroulé. »

Le journaliste avait encore en mémoire sa conversation avec King et Nixon. Ils voulaient que les Montgomériens découvrent dans leur journal une jeune femme déterminée et moderne, et non le portrait d'une écervelée mordant un chauffeur et bravant la loi par égarement, ainsi que tentait déjà de me dépeindre la presse conservatrice. J'avais donc dû me résoudre à poser. L'article de Jo Azbell, à la fois informatif et précis sur ma personnalité, contribua, j'en suis sûre, à donner de moi l'image sympathique et proche des habitants qu'on a retenue. Le jeune journaliste avait en effet tracé, à gros traits élogieux qui me rendirent toute pourpre, le portrait populaire et irréprochable d'une femme active et équilibrée. Oh, j'avais bien des défauts qu'il avait tus ! L'article ne relatait pas simplement l'histoire de la couturière que vous connaissez et qui, par lassitude physique, avait refusé de céder sa place à un Blanc dans un bus en Alabama. Azbell avait voulu montrer une femme instruite, chrétienne, une Montgomérienne humaniste dont les réponses marquées du sceau de la spontanéité renseignaient sur les souffrances des Noirs. La campagne de dénigrement orchestrée par nos adversaires, les rumeurs qu'ils diffusaient et qui me peignaient en communiste hargneuse, voire en petite écervelée, échoua ou fut contenue grâce à Azbell.

À l'église, King nous réserva une surprise :

« Installez-vous tous les deux au premier rang, dans la petite tribune proche du pupitre. Vous êtes mes invités d'honneur.

— Nous ? » fis-je en ouvrant de grands yeux incrédules et en les tournant vers Raymond.

Notre culte dominical des baptistes le prévoyait. Tous les dimanches, un ou plusieurs invités d'honneur étaient présentés aux fidèles. Je connaissais bien ce rite. Cependant, je ne souhaitais pas être mise en avant. Mon goût pour la discrétion entrait en conflit avec la proposition du pasteur. D'autres personnes méritaient mieux que moi un tel honneur, me risquai-je à remarquer.

« Mike, surenchérit, comme pour me donner raison, l'un des proches du pasteur, il y a peu de places aujourd'hui à la tribune. On vient de m'annoncer qu'un monde fou se trouve dans la rue et que des sommités de Montgomery piétinent à la porte.

— Très bien, dit calmement King. Rosa et Raymond seront à la tribune et assis près de moi, à l'endroit que je viens d'indiquer.

— O.K., Mike », répondit l'assistant.

Le jeune homme se tourna vers moi et me redit sa joie de nous avoir près de lui. Raymond me bourra les côtes à coups de coude. Il me signifiait que je n'avais pas à repousser de manière inconvenante la marque de sympathie du révérend. Wonderboy, que ses amis d'enfance ou ses connaissances d'Atlanta appelaient aussi Mike, dit :

« Rassurez-vous, ce n'est pas votre présent qui vous octroie la place d'invités d'honneur. J'avais déjà communiqué cette disposition à mon équipe bien avant votre arrivée. »

Je ne pouvais plus résister. S'adressant à un ancien de l'église, King ordonna :

« Je vais un instant me concentrer au presbytère. Installez Rosa et Raymond à la place des invités d'honneur et veillez à ce qu'ils ne manquent de rien. »

Je me confondis en remerciements pour sa délicatesse, sous le regard inquiet de Raymond qui se demandait sûrement ce que j'allais peut-être encore inventer pour me soustraire à l'initiative prise par le ministre du culte. Celui-ci s'éclipsa de son pas léger et retourna à son bureau pour mettre une dernière main à son homélie. Quand l'heure du culte sonna, King, vêtu de sa chasuble noire, entra dans une église remplie à ras bord. Les fidèles débordaient jusque dans la rue. King nous présenta, Raymond et moi, selon une tradition bien rodée, comme étant ses deux invités d'honneur. Puis, après le chant de grâce inaugural délivré par la chorale dont les membres étaient vêtus de blanc, il annonça que l'office aurait pour thème l'héroïsme. Il fut encore question de mon geste dans le bus. King en profita pour le lier au parcours exceptionnel d'une grande figure féminine des États-Unis : Helen Keller. L'idée d'associer une Blanche et

une Noire à son homélie lui avait paru judi-
cieuse! Je l'entendis, entre évanouissement et
lévitation, dire :

« On ne doit pas ramer quand une force supérieure vous permet de marcher sur l'eau. La Rose
de Montgomery que des policiers ont arrêtée
jeudi dernier aura besoin de tous vos soutiens.
Pour quel crime, je vous le demande, mes chers
fidèles en Christ, mes chers amis, a-t-elle été
jetée en prison? A-t-elle commis un larcin?

— Non!

— A-t-elle attenté à la pudeur publique?

— Non!

— A-t-elle injurié quelqu'un ou giflé un agent
de police?

— Non!

— Son crime, mes frères et sœurs, son seul
forfait est d'avoir simplement refusé de céder sa
place à un Blanc dans un bus! Montgomériens,
est-ce là un crime?

— Non! Non! NON! »

Le pasteur écouta les voix de l'assistance scan-
der leur opposition et il reprit :

« Montgomériens, l'arrestation de Rosa et
le jugement de son affaire exigent une forte
désapprobation civile. Demain, nous, pasteurs
et fidèles, ouvriers et employeurs, hommes et
femmes, Noirs et Blancs confondus dans l'amour
en Christ et dans la fraternité humaine, avons
décidé de boycotter les bus, demain, partout à
Montgomery! Demain, nous n'entrerons pas

dans les véhicules où règne depuis trop long-temps la discrimination raciale. »

Un murmure d'approbation monta dans l'église en même temps que, sur un signe du pasteur, la chorale libérait ses voix de contralto. Des tambourins prirent le relais, délivrant des sonorités qui nous poussaient à onduler comme des cygnes glissant sur un lac.

Wonderboy convia ceux des fidèles qui le pouvaient à se rendre le lendemain à Perry Street, dans le tribunal qui siégeait alors dans l'enceinte du City Hall. Puis il lança :

« Permettez-moi de faire le parallèle entre Rosa, fille de l'Alabama, et Helen Keller, la native de Tuscumbia, originaire elle aussi de cet État. Rosa a dit non pour que cesse l'oppression. Toute sa vie, Helen Keller s'est également opposée aux injustices. »

Pour lui, Helen Keller devait inspirer quiconque était pour le changement en Amérique. Le rôle éducatif, civique et politique que représentait à l'époque cette Américaine blanche était grand. Les fidèles écoutaient en psalmodiant ou en tapant des mains. Helen Keller était populaire. Le public, composé de Blancs et de Noirs, était heureux de l'évocation d'une Alabamaise dont l'aura était forte dans le pays. Wonderboy n'eut pas besoin de raconter toute la vie d'Helen Keller. Elle était connue. Tout le monde savait qu'elle n'avait pas encore deux ans lorsqu'elle contracta, en février 1882, une fièvre qui faillit l'emporter. La maladie la laissa sourde, aveugle et presque muette. Grâce à l'amour de ses parents et au concours d'une patiente psychologue, Ann Mansfield Sullivan, Helen se battit contre des handicaps quasi insurmontables. Par sa ténacité, elle apprit à lire puis à écrire avant de poursuivre de brillantes études et de devenir une universitaire de réputation internationale.

« Nous respectons cette miraculée de la vie, dit encore Wonderboy, d'autant plus qu'issue d'un milieu fortuné elle sut s'émanciper des réflexes de sa condition sociale pour éradiquer le virus de la ségrégation partout où il ravageait nos États. Chers frères et sœurs, Indiens, Noirs, Blancs, chers Américains, vous l'avez lu dans les tracts diffusés en nombre depuis hier. Ce pays rude et ne voulant voir défiler sur son sol que des taiseux doit clairement manifester son soutien à Rosa. Le souhaitez-vous ?

— *Yes sir!*

— Acceptez-vous de marcher au lieu de monter dans les bus ?

— *Yes sir!*

— Acceptez-vous d'agir ainsi pour l'égalité et pour la non-violence ?

— *Yes sir!*

— Acceptez-vous d'accomplir la marche de la fraternité pour dire non à Jim Crow ?

— *Yes, we do, sir!*

— Alors, que la paix habite vos cœurs et que la résolution de gagner la terre de la justice arrose de félicité vos maisons.

— *Yeah! Yeah! Oh, yeah!...* »

Tous les sermons entendus dans les églises de Montgomery, ce dimanche-là, avaient retenti des mêmes accents. Un même message avait été délivré : la mobilisation autour de mon affaire. Les pasteurs, chacun selon son style et son tempérament, avaient calqué leurs interventions sur le modèle que Wonderboy leur avait proposé. Dans l'église de Dexter Avenue, les fidèles avaient mis du temps à se séparer. Les tracts appelant au boycott étaient passés de main en main longtemps après la fin de l'office religieux. Ceux qui ne les avaient pas eus en prenaient aussi pour les voisins ; on se congratulait, on pleurait et riait en même temps, on transpirait, on avait chanté à s'érailler la voix comme jamais, on se donnait rendez-vous au tribunal. On loua aussi Wonderboy. On le fit, les yeux baignés de larmes, lui réclamant un mot, une imposition de mains, un avis sur tout. Il serra les paumes ouvertes et frémissantes qu'on lui tendait. La parole des uns et des autres, tremblante, émue ou larmoyante, transpirait la gratitude des fidèles. Quelques-uns, secoués d'émotion, prétendaient qu'une douleur ancienne, aux pieds ou dans l'aine, avait disparu. Une arthrose, une migraine, une agacerie, que d'aucuns croyaient incurable, avait été pulvérisée pendant ce miraculeux office. « *Wonderful boy, what a Wonderful minister !* » s'exclamaient et s'extasiaient les gens. Devant un orateur si persuasif, on fit assaut de toutes les bienveillantes remarques. Le regard profond et rassurant du jeune pasteur King comblait la foule qui s'agitait autour de lui. D'où venait donc ce petit homme au volume d'amour pour les autres si grand et si communicable? À ceux qui l'interrogèrent, il raconta brièvement ses origines à Atlanta et mentionna qu'il aurait pu aller dans les Appalaches, dans l'État de New York ou dans le Massachusetts, mais il avait choisi de rester dans le Sud. Il dit à une vieille dame :

« La population noire ne vit-elle pas à quatre-vingt-dix pour cent dans le Sud? Nous sommes serrés dans le Dixieland les uns aux autres comme si aucune autre terre de ce vaste pays n'était en mesure de nous accueillir dignement! Sommes-nous à ce point mêlés au coton pour être devenus cotonneux? Nous avons tant travaillé dans les plantations de canne que nous sommes devenus des roseaux qui plient et cassent. Nous avons tellement été liés à l'élevage des chevaux et des taureaux du Texas ou de l'Arkansas que nous avons été confondus aux animaux que nous soignons. Nous sommes enlacés aux sonorités plaintives de l'Amérique comme un long blues s'échappant des rives du Mississippi jusqu'aux confins de la côte Ouest. Nous ne nous sommes pas encore donné un rendez-vous, celui des rires et non des larmes, celui de la danse et non de la transe. Partez en paix! Soyez non violents! Soyez au rendez-vous de l'humain! »

Quand la foule se dispersa enfin, Raymond et moi suivîmes le pasteur dans une salle où se trouvaient deux jeunes étudiantes, ainsi que Manga Bell et Jo Ann Robinson.

« Nous avons encore, en prévision de l'audience de demain, quantité de détails à discuter et à régler, fit-il.

— *God bless King! God bless!...*

— *No, not me! Say, God Bless America!*

— Amen! »

Les étudiantes proposèrent que, chaque dimanche soir, une marche à pied soit organisée dans la ville. Elle réunirait et mobiliserait mes supporters jusqu'à la victoire finale. Les jeunes filles présentèrent l'itinéraire de la marche dominicale. Les participants partiraient de l'église de Dexter Avenue, puis prendraient McDonough Street et, au premier croisement, ils sauteraient sur Washington Avenue, avant de bifurquer sur leur gauche pour tomber sur Bainbridge Street. Ils contourneraient l'imposant édifice de l'Alabama State Capitol surplombant la colline de Goat Hill avant de revenir à Dexter Avenue.

« Il faudra de l'entraînement pour tenir le coup ! Hein ?

— C'est pas bien long comme circuit, révérend King ! Cette marche servira à maintenir la pression et à nous rendre visibles au centre de la ville.

— Je le comprends fort bien. Une question : pourquoi n'organiseriez-vous pas ce rassemblement à Blount Cultural Park ou à Eastwood Memorial Gardens ? Les gens y respireraient un air plus pur !

— Révérend, on y a songé, mais le dimanche les rues sont désertes ici et on ne gênera personne. En outre, notre cause doit être pacifique, comme vous le souhaitez. Beaucoup d'entre nous, dit une des étudiantes, ont été impressionnés par le roman *Invisible Man*, de Ralph Ellison. Il nous faut un lieu visible et très symbolique où nous serions nous-mêmes moins transparents.

— C'est une bonne idée. Je l'adopte. Espérons que la mairie nous accordera l'autorisation de manifester, car il s'agit du domaine public. Mais nous attendrons le verdict de l'affaire Rosa et ne mettrons en œuvre cette proposition que dans le cas où toute mobilisation de longue haleine s'imposerait.

— Chouette, révérend! s'enflamma l'autre étudiante. On commencera donc la semaine prochaine, s'il le faut. Nous allons ameuter nos copains!

— Ça sera une manière symbolique de cerner le capitole et de montrer que Blancs et Noirs sont capables d'accomplir une même foulée fraternelle pour sauter de l'âge des ténèbres à celui de la modernité, renchérit la belle et inoxydable Jo Ann Robinson.

— À quelle heure nous retrouverions-nous, chères étudiantes, pour marcher autour du capitole?

— À cinq heures, révérend! »

Parfois, l'été vient en hiver

Le lundi matin, Coretta Scott, la jeune épouse de Martin Luther King, était la plus anxieuse. Elle n'avait presque pas fermé l'œil et dès l'aube, berçant Yolanda, leur premier enfant, née une quinzaine de jours plus tôt, elle se posta à la fenêtre de leur maison, à South Jackson Street, pour regarder passer les premiers bus. Elle se mit à chantonner *Amazing Grace*, un gospel popularisé par son amie la chanteuse Mahalia Jackson, qu'elle avait rencontrée puis fréquentée à Boston durant ses années d'étude au conservatoire de musique de la ville. Il était près de six heures. Les bus étaient vides. Elle cria de joie en appelant King, réveillant en sursaut, dans son exultation, le nourrisson qu'elle allaitait et qui s'était assoupi dans ses bras. Le bus allant vers Cleveland Avenue était vide. Son chauffeur, un homme à la casquette vissée sur la tête, n'était pas James Blake. Appelé à comparaître comme témoin à charge dans mon procès, et plus tard dans celui concernant Browder contre Gayle, il n'était pas au volant d'un bus ce matin-là. Tous ceux qui en conduisaient un ne savaient pas ou n'avaient pas été informés par la direction de la City Lines qu'un mouvement de boycott avait été lancé, créant une situation inhabituelle à Montgomery.

« Pourquoi n'y a-t-il pas de Noirs ou presque dans les bus ? » demandaient les passagers blancs.

Les chauffeurs haussaient les épaules, ne voulant pas affoler leur maigre clientèle. Parmi celle-ci se trouvait une poignée de Noirs, costumés à la manière des parvenus, sagement assis au fond des bus. Ils avaient reçu les tracts, mais ils ne voulaient pas suivre le mot d'ordre de boycott. L'écrasante majorité des nôtres marchait. De l'est à l'ouest de la ville, du nord au sud, la ronde des bus déserts se poursuivit. Leur clientèle n'était-elle pas habituellement composée à soixante-quinze pour cent de Noirs ? Ces derniers, en groupes ou à la queue leu leu, marchaient pour se rendre à l'école ou au travail. D'autres étaient dans des taxis ou dans les corbillards repeints et conduits par des Noirs ou des militants antiracistes blancs.

Ce matin-là, penchée à la fenêtre de ma cuisine, j'exultais de voir les Noirs remplir les trottoirs, s'interpeller et aller gaiement à l'école ou à leur travail à pied. Une foule joyeuse, colorée, dévalait les rues pentues de Cleveland Court. Des mères de famille tentaient de discipliner les enfants qui prenaient plaisir à marcher aux côtés de leurs compagnons d'école. Les sermons du week-end avaient porté ! Le message du boycott avait été reçu et cela se vérifiait à l'œil nu. Enthousiaste, j'avais réveillé Leona et Raymond.

Tous trois, derrière la fenêtre de la cuisine, nous avions partagé la même euphorie. L'hiver perçait mais c'est une chaleur digne d'un été torride qui fit perler la sueur sur nos corps en fête ! J'en oubliai que, l'après-midi, une difficile épreuve m'attendait face à mes juges. Je tenais à savourer cet instant rare où la peur disparaît et est remplacée par un sentiment de soulagement auquel on a tant songé et qui, lorsqu'il survient, vous épanouit, vous dépose un goût délicieux dans une gorge naguère serrée, nouée par l'angoisse ou l'appréhension.

Quant à Douglas White junior, il aurait bien marché, mais il ne voulait pas donner à ses voisins le sentiment qu'il sympathisait avec nous. Il était donc monté dans un bus, ce qui lui permit de me rapporter les conversations des Blancs :

« Que se passe-t-il, chauffeur ? s'était inquiété, à peine installé dans le bus pour Court Square, un vieux monsieur, un Blanc à la moustache et aux tempes grisonnantes. Savez-vous si c'est jour férié, aujourd'hui ? Je n'y comprends plus rien. Ai-je donc la berlue ?

— Non, oh, que non, vous ne l'avez pas du tout ! avait répondu le chauffeur, les dents serrées.

— Comment se fait-il que les autobus soient vides ? Où sont passés nos nègres ?

— À mon avis, y z'ont pas dû entendre sonner le réveil, voilà où elle est, vot'explication.

— Non, tenez, j'en vois qui marchent à pied.

Regardez, là sur le bord de la chaussée ! Vous les voyez comme moi...

— Bof ! Je parie cent dollars qu'y z'ont bu leur paye tout le week-end. Que voulez-vous, avec ces gens-là, rien n'est surprenant !

— Tout de même ! Nous ne sommes que le 5 du mois.

— Y z'ont des gorges d'hippopotame, je vous l'dis. Y sont capables de boire tout leur argent d'un seul coup ! Y s'trouve qu'y sont ainsi faits !

— Ah, je vois un nègre qui attend à l'arrêt. Il a l'air dessoûlé, celui-là. En voici donc un de fréquentable, dites donc, chauffeur ! Il n'a pas participé à la beuverie du week-end, hein ?! »

Le chauffeur s'était arrêté, mais le Noir, indifférent, n'était pas monté dans le bus. Le chauffeur avait redémarré d'un coup, secouant le véhicule comme un cabri. Le passager, hoquetant, reprit alors la parole :

« Que... que faites-vous, chauffeur ? Vous partez sans le nègre ?

— Vous l'avez vu, j'ai fait un signe clair de monter. Il avait pas l'air pressé de venir. Manquerait plus que je m'agenouille à ses pattes ! Ah, nom d'une pipe, z'aurons tout vu ! Ça me fout des palpitations ! Ces gens, y préparent quèque chose, je vous l'dis.

— Préoccupez-vous davantage de votre recette qui risque de fondre sans eux comme beurre au soleil.

— Notre Sud, notre bonne terre... Y veulent

sa perte. Eh ben, y seront brûlées, ces courges, comme une herbe sèche, j'vous l'dis!... »

Raymond, lui, s'était occupé de ma coiffure. Il était certes tenaillé par le doute, mais il avait fini par épouser, du moins provisoirement, ma détermination. Coiffée et parfumée pour le procès, je m'arrêtai devant mon armoire, hésitant entre plusieurs vêtements rangés sur des cintres. Raymond me désigna une chemise zébrée et un chandail gris.

« Non, je préfère cette robe noire à manches longues, à col et poignets blancs.

— Pourquoi pas? »

Ainsi vêtue, je paraissais très élégante. Je me saisis alors d'un chapeau de velours noir orné de fausses perles sur le pourtour, puis je jetai par-dessus mes épaules un manteau droit, gris foncé.

« On dirait une vraie star, siffla Raymond quand il me vit ainsi parée! Ton heure de gloire a sonné!

— Jaloux!

— Hollywood te proposera bientôt, qui sait, un pont d'or.

— Tu parles d'une gloire! Jim Crow m'attend pour me décapiter, glissai-je avant de prendre la route du City Hall où allaient se tenir les auditions du procès.

— Ne parle pas de malheur, Rosa. Jim Crow devra me passer sur le corps avant de t'atteindre! Je lui aurai troué la peau avant de périr!

— Raymond, as-tu déjà oublié le serment fait

195

à Wonderboy? Pas de violence, ni en paroles ni en actions!

— Oh zut! t'as raison, ma star préférée!»

Nous avions ri avant de rejoindre Felix Thomas, le chauffeur de taxi, et le groupe d'amis qui nous attendaient pour former l'escorte qui allait nous conduire au tribunal. Un attroupement inhabituel à Cleveland Court m'accueillit avec force applaudissements. De nombreuses voitures se mirent bientôt en branle.

Une effervescence régnait aux abords et à l'intérieur de l'hôtel de ville où s'étaient massés cinq cents Afro-Américains et de nombreux Blancs qui nous étaient favorables. Ils m'ovationnèrent à mon arrivée à Perry Street. Raymond me rapporta que, sur Madison Avenue, les portes battantes en acajou du palais de justice, semblables à celles des saloons dans les westerns, avaient été malmenées par mes supporters; ils étaient tendus, agités et prêts à en découdre. J'avais dû pénétrer dans l'enceinte du tribunal par une porte dérobée.

Les juges furent expéditifs. L'acte d'accusation fut rapidement lu. Respectant la consigne adoptée, je n'avais pas plaidé coupable et, selon une procédure adaptée, je laissai le soin à mes avocats de répondre aux questions des juges. Leurs plaidoiries, surtout celle de Fred Gray, pourtant tonique et brillante, n'avaient tiré que des bâillements à peine polis aux hommes de loi.

«Coupable! Vous êtes déclarée coupable!»

La cour me condamnait, après un procès supersonique qui avait à peine duré cinq minutes, à payer une amende de dix dollars pour délit de trouble à l'ordre public et violation des lois locales sur la ségrégation dans les transports publics. Je n'avais pas cillé à l'énoncé du verdict. Nous l'attendions. Je devais en outre débourser quatre dollars supplémentaires au titre des frais de justice. La somme était importante, mais, outre l'aide octroyée par Thurgood Mar-shall, Nixon, Jo Ann Robinson et les Durr comptaient m'apporter un soutien financier et lever les fonds en procédant à un large appel aux militants et aux donateurs.

Les juges blancs, engoncés dans leurs robes, s'étaient retirés, l'air grave et toujours menaçant. J'étais restée droite dans ma robe noire. Mes gestes ne trahissaient aucune émotion. J'avais ajusté mon chapeau sur ma tête, souri à Raymond, un peu transi sur son banc. Condamnée, j'avais ramassé mes gants blancs, pris mon sac à main noir puis mon manteau gris que j'avais gardés près de moi. À quelques sièges de mon banc, je devinai la joie de Nixon. J'allais apparaître comme la martyre d'une cause qu'il défendait depuis si longtemps et pour laquelle il s'était tant époumoné !

Le public avait émis un grognement sourd à l'énoncé du verdict et mes sympathisants attendirent que j'emboîte le pas à mes avocats pour hurler de façon plus véhémente leur mécontentement en dehors de la maison communale. Les flashes des photographes présents crépitaient sans interruption. Les journalistes, essentiellement locaux, me bombardèrent de questions. C'était encore une petite troupe, comparée à la déferlante médiatique nationale et internationale à venir. Dès le mois de février, la presse mondiale allait en effet se manifester de manière massive. Au tribunal, j'avançai, d'abord indifférente, puis je fus un peu perturbée par la cohue qui ralentissait mes déplacements vers la sortie. J'avais repéré Jo Azbell et aurais bien voulu lui parler. Mais il était lui aussi bousculé et peinait à me suivre. Les journalistes, agissant en désordre, ne renonçaient pas à obtenir des réponses à leurs questions. Fallait-il parler? J'hésitais. J'interrogeai Raymond. Il répondit, d'un haussement d'épaules, qu'il ignorait la bonne attitude à adopter. Langford, l'un de mes avocats, murmura quelques mots à mon oreille :

« Parle à la presse. Je crois le moment opportun. »

Je jetai un autre regard interrogatif à Nixon et celui-ci me répondit :

« Je te fais confiance. Vas-y! appuya-t-il.

— Que vais-je leur dire?

— Ce qui te paraît essentiel. Fais-le comme tu le sens », conseilla-t-il.

Les questions fusaient toujours et les lumières des flashes commençaient à me faire mal aux yeux :

« Madame, que vous inspire votre condamnation?

— De la compassion pour ceux qui ont prononcé une sanction qui défie le bon sens et bafoue la véritable justice.

— Considérez-vous donc ce procès comme une parodie de justice?

— *To this day, I believe we are here on the planet Earth to live, grow up and do our best to make this world a better place for all people to enjoy.* »

Un autre reporter me posa la même question et je répétai :

« Jusqu'à présent, en effet, je croyais que nous étions sur cette planète Terre pour vivre, nous épanouir et tenter de rendre ce monde meilleur. »

Dans les minutes qui suivirent, je retrouvai le groupe informel qui s'était réuni dans l'église où officiait King, à Dexter Avenue. Les uns et les autres, bien que mon rôle ait été très peu actif durant le procès, me congratulèrent, Nixon en premier. Chacun loua ma prestance durant le procès et mon expression percutante face aux journalistes. Wonderboy me félicita rapidement puis resta silencieux. À quoi pensait-il? Était-il frustré d'être resté dans l'ombre? Songeait-il déjà au meilleur moyen de ne pas ralentir l'effervescence qui montait? Je me souviendrai long-temps de la nuée de micros tendus vers moi tandis que Wonderboy, à quelques mètres de là, était resté esseulé. Qu'est-ce qui faisait donc qu'un individu attire les projecteurs comme la ruche les abeilles? La tendance allait s'inverser, et j'avais d'ailleurs eu le sentiment d'être l'objet d'un excès de curiosité. King à l'écart et moi au centre de la cohue, une sensation curieuse, que je tentais de combattre, m'envahissait. Au milieu du tohu-bohu, j'éprouvai le sentiment enivrant que l'univers était à mes pieds. J'en ressentis un bref trop-plein d'excitation, le temps, presque aussitôt, de me ressaisir. Allons, je n'allais pas me prendre pour une autre! me blâmai-je. Je n'étais pas le centre du monde. On ne me le ferait jamais croire. Et je jouai des coudes pour retrouver mon souffle. Sortir de la nasse. De cette prison de la gloire aux tentacules vénéneux. Où était donc Raymond? Nixon? Wonderboy? Gray? Durr? Jo Ann? Non, ce n'était pas possible! Je n'étais qu'une petite couturière, moi. Rien de plus! Hé, gazetiers et reporters, je n'étais qu'une petite femme noire de l'Alabama!

Les hommes de presse m'avaient pourchassée, me criant :

« À quoi avez-vous pensé, madame, quand on vous a arrêtée dans le bus? »

Je m'étais figée, puisque je ne pouvais fuir, et répondis enfin :

« *It was the very last time that I would ever ride in humiliation of this kind.* J'ai pensé que c'était la dernière fois que je voyagerai en subissant une telle humiliation…

— Pourvu que ce soit la dernière fois! supplia King en levant les yeux au ciel. Dans l'intervalle, si telle est la volonté du Seigneur, nous aurons tout mis en œuvre pour que cette volonté s'accomplisse! »

Nos partisans marchaient, continuant à refuser de monter dans les bus jaunes de la compagnie City Lines. La vue des autocars sans passagers noirs en centre-ville avait réconforté la troupe qui sortait du tribunal.

« Allons à Union Street », avait lancé Graetz. On fit donc route vers le lieu indiqué, où l'on comptait installer l'Association pour le progrès à Montgomery destinée à lutter à mes côtés.

« On interjettera appel, glissait Durr aux uns et aux autres, conformément aux prévisions des juristes.

— Comment se passe le boycott dans l'ensemble de la ville ? » reprit Graetz, le sourcil en accent circonflexe.

King était aussi impatient de le savoir. Nixon courut dans une cabine téléphonique pour appeler les observateurs du boycott que nous avions postés à plusieurs endroits de la ville. Il revint jubilant :

« Formidable, ça marche ! Euh, le boycott est une réussite. Les gens vont à pied et les bus rament et tournent pratiquement à vide ! »

On se dirigea donc en riant et en chantant *Take the « A » Train*, un groove de Duke Elligton que quelqu'un lança au moment où nous partions vers Union Street. Chemin faisant, Nixon, intarissable, alignait calembour sur calembour. Pour tout le monde et pour les organisateurs du boycott, cette première journée d'affrontement avait été semblable à une partie d'échecs au cours de laquelle les deux adversaires s'étaient neutralisés. Elle se soldait par un match nul, déclara rapidement Durr. Jim Crow avait gagné une manche en me condamnant, mais nous, nous avions remporté l'épreuve du boycott.

Des musiciens se trouvaient déjà à Union Street et jouaient des airs populaires quand apparurent les notables de la lutte antiraciste. Leurs bottlenecks aux doigts, les guitaristes donnaient aux sonorités traînantes de leurs instruments une note de mélancolie supplémentaire. Ils reprenaient des airs connus de Tampa Red, Charley Patton ou encore de Skip James. Fallait-il laisser les musiciens continuer à jouer ou les prier de partir? On palabra un peu, mais décision fut prise de laisser la musique s'exprimer. King entonna une chanson de Big Bill Broonzy, *I Feel Good*, et nombre de notables reprirent en chœur le refrain : « *I feel so good, yes, I feel so good and I hope I always will!...* » Ce vœu formulé, King donna rendez-vous à tout le monde à l'église de Holt Street où avait lieu le grand meeting de la soirée. Toujours accompagnés des notables, de Raymond et de mes avocats, nous nous repliâmes à Dexter Avenue pour y arrêter, au calme, la stratégie de la soirée, l'organisation de la MIA, la teneur des messages et quels intervenants devaient se succéder à la tribune de Holt Street. Je suivis, avec un autre volontaire, l'avocat Gray qui devait tenir une permanence dans son cabinet. Nous l'aidâmes à répondre aux nombreux visiteurs et à l'avalanche de coups de téléphone des gens qui voulaient obtenir des précisions ou une confirmation du lieu choisi pour le meeting du premier jour du boycott. Je fus toutefois informée de ce qui se passait parmi les notables noirs déterminés à mettre fin à la discrimination raciale.

À Dexter Avenue, King résuma la situation en ces termes :

« Nous sommes d'accord pour interjeter appel de la condamnation de Rosa. C'est un premier point. Quant au boycott, il est une éclatante réussite, chacun en convient. Doit-il se poursuivre ? Telle est désormais la question que nous devons trancher.

— C'est un départ formidable, bien au-delà de nos espérances. Il serait fâcheux d'interrompre une telle dynamique, observa Durr.

— L'arrêter serait comme enfoncer un clou à moitié dans une planche ; ça serait un travail bâclé ! » renchérit Rufus.

Abernathy et d'autres voix firent remarquer que cette première journée avait aussi fatigué les organismes. Beaucoup de gens avaient marché et l'exercice semblait difficile à rééditer chaque jour avec le même succès et dans les mêmes conditions. Il fallait imaginer qu'il y aurait la pluie, le vent, le gel, le froid qui contrarieraient les meilleures intentions de boycott. King intervint :

« C'est bien pourquoi nous avons demandé au révérend Simms et à Jo Ann de réfléchir à l'organisation d'un système de transport alternatif. Il s'agit de savoir si nous avons sur ce secteur clé une proposition prête ou si elle nécessite encore des arbitrages. »

On continuait à parler dans un parfait désordre et King dit :

« Je réclame l'attention de tous, y compris celle du révérend Powell... »

Celui-ci était lancé dans une conversation animée avec Nixon. King n'avait pas cité son rival, de peur de le rabrouer inutilement, car il fallait bien constituer la nouvelle association qui allait diriger le boycott. Mais personne ne savait comment mettre le sujet sur la table.

« Pardon, Wonderboy, fit Powell, penaud.

— Je crois, argua Nixon, que nous ne pourrons avoir une claire vision sur la question du transport qu'en... marchant. Adoptons d'abord la prolongation du boycott, puis examinons les moyens appropriés pour encadrer la grève des bus.

— Les moyens, nous les avons », intervint Coach Rufus, l'homme d'affaires et entrepreneur des pompes funèbres. Sa puissance financière imposait le respect, son gabarit aussi. « Je suis prêt à mettre mes voitures dans le mouvement. »

Nixon faillit pouffer de rire. Quoi, Rufus allait transporter les grévistes dans ses corbillards ?

« Franchement, sans vouloir vous vexer, Coach Rufus, il y a mieux que... des corbillards...

— Bon, ils seraient de mauvais goût, je vous l'accorde. S'il le faut, corrigea Rufus, je vais les repeindre !

— Ce soir, nous enregistrerons les volontaires pour le convoyage des boycotteurs, dit Jo Ann.

204

Diffusons ensuite, par tout moyen en notre possession, la convocation d'une réunion spécifique sur ce sujet relatif au transport.

— Oui, il faut battre le fer quand il est chaud, ajouta King. La question des transports requiert une maîtrise absolue. Les gens ne nous pardonneraient aucune improvisation. Je retiens l'idée de Jo Ann Robinson. Les sympathisants de notre cause, les boycotteurs et tous ceux qui soutiennent Rosa, nous diront après la rencontre à Holt Street s'ils veulent participer à la mise en œuvre de notre propre plan de transport. La proposition de Coach Rufus est déterminante. »

Nixon ajouta que ce serait l'occasion pour la nouvelle association d'exposer publiquement sa ligne de conduite. Il dit :

« J'observe d'ailleurs qu'à ce stade nous n'avons toujours pas constitué l'organigramme de cette association... »

Coach Rufus sauta immédiatement sur l'occasion et lança :

« Je propose King au poste de président de la Montgomery Improvement Association. Qui est contre ? »

Aucune main ne se leva dans la salle.

« Qui s'abstient ? »

Aucune autre main ne se leva et l'entrepreneur conclut :

« Martin Luther King junior est donc élu, à l'unanimité, président de notre association. Naturellement, il ne la dirigera pas tout seul, malgré son talent qui est grand, n'est-ce pas ?

Qui est contre l'élection de Powell au poste de secrétaire ? Personne ! »

On élut en grognant le révérend Bennett à la vice-présidence.

« Désignons maintenant le trésorier... »

On accorda le poste à Edgar Nixon, comme un lot de consolation. Les discussions reprirent et, comme l'heure avançait, on devait courir à Holt Street où affluait déjà la foule. On adopta rapidement la poursuite du boycott et la liste des premiers intervenants. Voyant que King était toujours un peu réservé sur sa prise de parole, Nixon crut déceler un signe de mollesse chez son jeune challenger. Un président qui ne s'exprime pas à un moment aussi déterminant, pensa-t-il, fragilise sa position de leader. Nixon n'avait pas, en son for intérieur, admis sa défaite au poste de président ni les procédés, à la hussarde, de Rufus Lewis. Si les événements s'accéléraient, si le public sentait que les dirigeants paraissaient indécis, l'attitude flottante de King révélerait son inexpérience, ce qui finirait probablement par le déstabiliser. Il était jeune, certes talentueux, mais encore trop tendre pour les batailles frontales qui s'annonçaient, songea Nixon. Il pressa King de prononcer un discours pendant le meeting. Le président de la MIA ne voulait pas montrer sa satisfaction. Il était plutôt déterminé à avoir la victoire modeste. Il déclara qu'il n'avait pas envie de parler, car il voulait aussi que les Montgomériens s'expriment et soient entendus pendant le meeting. Nixon revint à la charge :

« Je crois, King, que nous ne devons pas, ce soir, laisser les gens nous assommer avec ce qu'ils pensent. C'est à nous de leur montrer la voie et de tenir le cap. Une forme de cacophonie risque de s'installer et de lasser les bonnes volontés qui ont déjà eu fort à faire dans la journée. N'oubliez pas, King, d'où vient notre peuple, glissa-t-il, il est habitué à obéir. Si on les appelle à la démocratie, peu accoutumés à cet exercice, les gens feront n'importe quoi !

— Vous croyez ?

— Les Montgomériens viendront nous voir pour obtenir des informations et conforter notre mobilisation. La presse aussi, du reste. Tout cafouillage nous sera cruellement reproché.

— L'appel pour une nouvelle délibération doit être interjeté, c'est entendu, reprit Wonderboy. Nos avocats, Durr, Langford et Gray s'en chargeront. Rosa parlera de son expérience mieux que personne. Vous-même, cher Nixon, en qualité de trésorier de notre nouvelle association, direz aux Montgomériens la nécessité, pour la MIA, de réunir des fonds afin de soutenir les recours juridiques de Rosa. Jo Ann, notre "Mahatma", je veux dire notre "grande âme", a une parfaite connaissance des efforts de mixité sociale réalisés à Montgomery. L'éducation et la contribution de la jeunesse seront un formidable atout pour réduire les myopies sociales et politiques qui aveuglent les gens d'ici. Coach Rufus possède une expérience incroyable de l'entreprenariat. Des compagnies de taxis dirigées par les Noirs, il en faut! Le moment est venu de les multiplier. Manga Bell a vu où nous en sommes de l'affranchissement de nos chaînes. Il a certainement de fortes paroles à exposer et je lui fais entièrement confiance. Ma voix sera-t-elle indispensable? Laissez-moi réfléchir. »

Un silence se fit. Durr le rompit :

« Rien à ajouter aux propos de Wonderboy. Sur le terrain social, l'impératif est de maintenir une pression populaire et visible sur la municipalité de Montgomery et les dirigeants de la société de bus. Gayle, le maire, et son équipe ne nous feront pas de cadeau.

— Le rendez-vous à l'église baptiste de Holt Street est donc capital! Le public est-il informé? s'inquiéta Rufus Lewis.

— Bien sûr! Les tracts de notre meeting de ce soir ont bien circulé. Manga Bell, Raymond, Scottie Folks junior et Mme Robinson ont abattu un travail exceptionnel pour diffuser cette information le plus largement possible. On a pu le vérifier avec la présence massive des gens au procès de Rosa. Je crois, dit encore Simms, qu'on battra encore ce soir à Holt Street des records d'affluence! »

Ils étaient donc tombés d'accord sur plusieurs points :

1° déclarer la prolongation du boycott;

2° annoncer la création de l'association et son organisation;

3° procéder au recrutement des chauffeurs de taxi antiségrégation;

4° commencer la collecte des fonds indispensables au suivi des échéances juridiques qui allaient suivre.

Nixon s'éclipsa, ravi de la tournure des événements. Le bras sur les épaules de Durr, le Noir et le Blanc marchèrent vers leurs véhicules. Rufus Lewis sortit de la réunion bras dessus, bras dessous avec mon amie Virginia Durr. Dans notre centre-ville aux mentalités fermées, il était interdit à des gens de différentes couleurs de s'exhiber de la sorte, même la nuit. La patrouille de police qui passait s'immobilisa, un coup de sifflet désapprobateur retentit et monta dans le ciel qui roulait pourtant déjà, mais de manière encore imperceptible, les lourds nuages du changement. Le duo ignora superbement ce coup de semonce.

Pendant ce temps, le téléphone du chef de la police, Goodwyn Fallen, n'avait pas arrêté de sonner. Ses « fidèles reptiles », ainsi qu'il désignait les indicateurs noirs travaillant pour son compte en échange de quelques bouteilles de bourbon et d'une impunité pour de menus larcins, lui avaient remis les tracts appelant au boycott. Sa hantise était que le FBI entre en scène et dépêche dans son fief des gens auxquels il devrait rendre des comptes. John Edgar Hoover, le patron du Federal Bureau of Investigation, dont le goût du pouvoir était grand, menait une lutte schizophrénique contre le communisme. Il n'avait confiance en personne. Il devait bien posséder, à l'abri, dans un coffre-fort dont il détenait seul le secret, des photos compromettantes ou fabriquées, une écoute téléphonique, un enregistrement indélicat ou des preuves capables de nuire à la réputation de Goodwyn Fallen. Le policier tenait donc à maîtriser cette affaire de bus sans que Washington ne vienne mettre son long nez dans son jardin. Il se demandait qui tirait les ficelles de cette histoire de boycott. Contrairement à ses pronostics, celui-ci avait été un succès. Les agents de la police, quadrillant la ville, l'avaient tenu informé, heure par heure, de l'évolution du trafic et du taux de remplissage des bus. « Diable, maugréa Fallen, si on m'avait dit que je souhaiterais qu'il y eût plus de nègres dans les bus, je ne l'aurais pas cru ! »

Le jugement me condamnant lui avait été pratiquement communiqué en temps réel, ainsi que les effets du boycott sur les passagers blancs qui se demandaient ce qui allait bien par la suite leur tomber sur la tête. Il avait donc été demandé aux agents de police de se tenir près de Montgomery Fair, le magasin où je travaillais, et de surveiller mes faits et gestes. La police influença-t-elle la conduite de John Thunder, lui demandant de m'user psychologiquement autant qu'il le pouvait et de me priver de mon emploi ? Le chef de la police réfléchissait encore quand l'un de ses informateurs, l'un de ses fidèles reptiles, frappa à sa porte :

« Patron, un meeting est programmé ce mardi soir à Holt Street, patron », lui dit Slim, le longiligne. Il avait la barbe hirsute et le regard de fouine. Des amis de Cleveland Court l'avaient vu entrer dans le bureau du chef de la police. Ce dernier le recevait souvent sans rendez-vous. Il méprisait ce dégingandé tout en ayant pour lui la fausse sympathie qu'on voue aux traîtres, la reconnaissance qu'on réserve aux personnes chargées d'exécuter des basses besognes. L'indicateur vivait d'ailleurs non loin de Cleveland Court et Fallen fut heureux de n'avoir pas eu besoin de le convoquer pour le voir apparaître.

« Va à l'église de Holt Street ce soir. Il y a du travail pour toi là-bas. Rapporte-moi tout ce qui s'y dira. Compris ?

— Entendu, patron !

— As-tu de quoi sniffer ?

— Euh, pas vraiment.

— Je t'arrange ça, mais attention ! Je veux un rapport impeccable !

— Entendu, patron ! »

Le meeting intéressait le chef de la police. Après le départ de Slim, il avait réuni ses principaux collaborateurs. Leur discussion fut houleuse.

« On interdit la réunion de Holt Street, chef ? Nos chiens méchants sont prêts à y foncer. Les camions de gaz lacrymogène sont alignés et n'attendent que vos ordres, avança d'entrée l'un des officiers, expert dans l'usage des méthodes expéditives.

— Impossible, messieurs ! Le premier amendement de la Constitution proclame et garantit la liberté de réunion.

— Oui, mais nous avons toujours su contourner ces amendements quand nos intérêts bien compris étaient menacés !

— Il est trop tôt pour le dire et pour agir selon votre proposition, dit calmement le chef de la police. L'important, à ce stade, est de savoir qui mène la danse. Si nous interdisons le meeting, nous poussons les leaders dans la clandestinité. Pour le moment, personne ne bouge. D'accord ? Sauf, naturellement, mes fidèles reptiles ! Et je veux qu'ils ne manquent de rien ! Rompez !

— Entendu, chef ! »

G. J. Fallen réclama la discrétion la plus grande des fonctionnaires de police blancs. À part lui, le patron de la sécurité publique pensa : « Nous devons nous garder de nos nègres remuants, des Blancs écervelés, certes, mais également de ceux de Washington. » Il pensait surtout se prémunir des colères et des manœuvres presque inévitables de Hoover !

Dès que ses hommes eurent quitté son bureau, il se prit la tête dans les mains, transpirant de peur et de doute. Il semble qu'il se rua hors de la pièce en murmurant : « Hoover... Hoover... Ce Machiavel nous enterrera tous, moi comme ces nègres inutilement remuants à Holt Street ! »

Yolanda

Jo Ann Robinson, la professeure d'anglais de l'université d'Alabama, Raymond, Manga Bell et le jeune Scottie Folks étaient venus prêter main-forte aux équipes déjà sur place à Holt Street. Tout ce monde, dans l'église, semblait débordé ; nos amis, les uns et les autres s'étaient à nouveau démenés comme de beaux diables pour monter en toute hâte un podium, placer une sono à l'extérieur, ainsi que des chaises supplémentaires sur le gazon afin que l'affluence attendue puisse suivre les interventions des orateurs. Ils avaient aussi pensé à installer des bancs pour les handicapés et les personnes âgées. Déployant toujours son énergie coutumière, Jo Ann, à qui l'on n'aurait pas donné ses quarante-huit printemps, s'activait d'un lieu à un autre sans trahir le moindre signe de fatigue. Elle suivait le montage du podium, puis courait organiser un service d'ordre improvisé afin de diriger le public, de désengorger l'entrée du parc et de fluidifier autant que possible l'accès au parking, car un nombre plus important que prévu de voitures arrivait sur les lieux. La foule, disciplinée, anxieuse aussi, majoritairement noire, suivait les indications. C'est un public familial qui se pressait à notre rendez-vous. Les enfants, habituellement indisciplinés, donnaient sagement la main aux parents. Ils pressentaient que l'événement qu'ils vivaient était particulier. La nuit, qui tombait plus tôt en hiver, amplifiait peut-être le sentiment de solidarité au sein de cette masse digne et vêtue comme si elle se rendait à l'office dominical. Parmi ces personnes, nombreux étaient les adultes qui avaient été mobilisés la veille par Wonderboy et les sermons des autres ministres du culte. La plupart d'entre eux avaient suivi mon procès dans l'après-midi. On percevait, malgré leurs airs bravaches, combien ces adultes étaient tendus mais déterminés à briser les fers de l'oppression raciale. Derrière les accolades brèves ou appuyées, on devinait la timide apparition d'une résolution nouvelle. Les poignées de main un peu moites se faisaient progressivement plus fermes, insistantes ; les paroles, entrecoupées de « nous vaincrons », succédaient aux clins d'œil complices que s'échangeaient les Montgomériens. Les lèvres, un peu pincées au départ, se desserraient pour laisser échapper des encouragements entre Blancs et Noirs. Une impatience était commune : celle d'en découdre avec un adversaire aux aguets, mais invisible.

Chez les dirigeants noirs, une certaine tension régnait.

Nixon, en grande conversation avec ses proches, rodait les derniers éléments du discours qu'il avait écrit. Il semblait persuadé que Wonderboy ne parlerait pas et, quand bien même il le ferait, trouverait-il les mots justes ? Nixon le croyait lointain, débordé par la foule, incapable de se hisser à la hauteur de l'événement. Il avait déjà eu cette sensation avant la première réunion à Dexter Avenue, quand il avait eu King au téléphone et que celui-ci avait paru peu enthousiaste à l'idée de lancer le boycott des bus. Le charismatique pasteur s'était avéré habile et capable de retourner la situation à son avantage. « Prudence donc, se dit-il, prudence, Nixon ! On ne vend la peau de l'ours que quand on l'a abattu ! » Il en voulait à Coach Rufus Lewis, l'entrepreneur des pompes funèbres et grand donateur de fonds à la NAACP, d'avoir soutenu et imposé King à la présidence de la MIA. Oh, il ne fallait pas trop se frotter à Coach ! Il était taillé comme une armoire à glace. Et Nixon n'était pas loin de penser que cet homme-là avait probablement pactisé avec le diable pour parvenir à tétaniser ses interlocuteurs. Même les Blancs à cervelle de moineau qui composaient le Klan redoutaient les grandes narines et la tignasse abondante et noire de Rufus. Devant son public de Montgomery, Nixon, qui n'avait pas assisté au culte de la veille à Dexter Avenue, ignorait la forte impression que Wonderboy avait produite sur ses auditeurs. En retard d'un épisode, il saluait ses congénères avec sa componction habituelle et son envie, encore intacte, de diriger la bataille décisive qu'il sentait poindre. La NAACP devait contrôler la MIA et non l'inverse. Telle était sa conviction profonde. N'avait-il pas, trop occupé par les tâches gestionnaires et administratives, délaissé le contact avec les gens? On l'avait prévenu. « Moi, Nixon, jura-t-il entre ses dents, je ne vais pas me faire damer le pion par un mouflet. » La campagne de séduction du public noir se poursuivait, croyait-il, alors même que la compétition pour le leadership de la contestation de Jim Crow avait déjà désigné son vainqueur : Luther King !

Pendant que Nixon serrait les mains, son tombeur dialoguait avec Jo Ann Robinson, Rufus Lewis et Durr. Ils abordaient enfin les questions de sécurité.

« La police a-t-elle été prévenue? C'est curieux, on ne voit pas autour de nous les escadrons du chef de la police, Goodwyn Fallen, s'étonna Durr.

— Ils ont certainement décidé de ne pas se montrer, hasarda Wonderboy. Nous leur avons pourtant bel et bien envoyé, selon les formes et les usages les plus policés, notre mot d'ordre de meeting. Nous devons éviter de les snober et nous garder des provocations des klansmen. Nous avons à coopérer avec la police de l'État. Elle ne nous facilitera jamais la tâche. À nous de savoir trouver un "gentleman's agreement" avec elle.

— Nous méfier d'elle me semblera toujours la

meilleure attitude à adopter, intervint Nixon qui était revenu marquer King à la culotte et surveiller Rufus Lewis. Entre la police et les extrémistes du Klan, il n'y a pas de frontière.

— Tu as raison, Nixon. Je crois néanmoins que le dispositif policier mis en place aujourd'hui est souple. Virginia et moi avons croisé, en venant, des patrouilles positionnées à trois blocs d'ici », affirma Clifford Durr.

À la question de Wonderboy, concernant l'organisation des transports alternatifs, il ajouta :

« Le révérend Simms a préparé des fiches qui nous serviront à inscrire autant de monde qu'il faudra. »

Le révérend décrivit rapidement le dispositif de trente-deux ou trente-trois pick-up points. C'étaient les points de ramassage des boycotteurs.

Très vite, on comptabilisa vingt-trois véhicules privés, quatorze breaks mobilisés par les églises, et ils furent pilotés par des chauffeurs volontaires. L'insubmersible Jo Ann Robinson s'enrôla dans cette mission et devint l'une des plus intrépides conductrices, défiant les balles, les bombes et autres attaques du Klan. Quand l'administration de la commune de Montgomery crut briser notre mobilisation en manipulant les assureurs et en les convainquant de ne plus assurer les automobiles liées à notre réseau parallèle de transport, Wonderboy nous sauva la mise ! Martin Luther King consulta en effet l'un de ses amis qui nous mit en contact avec la Lloyd's à

217

Londres. Et ce fut ainsi que nos voitures eurent la couverture assurantielle sans laquelle nos ailes combattantes eussent été rognées et coupées. Nous transportâmes ainsi près de trois mille voyageurs par jour en moyenne. Notre réseau fonctionnait de cinq heures trente à minuit et demi. Chaque passager acquittait la somme de dix cents par voyage.

On évalua aussi le nombre de véhicules qu'il faudrait affecter à chacune de ces lignes. Les partenaires du boycott allaient figurer sur une liste ainsi que l'attribution de leurs secteurs de référence répartis aux quatre coins de la ville. Le pasteur Simms précisa la manière dont la répartition des stations avait été conçue et son mode opératoire aux heures de pointe : « Nous installerons ces stations de notre réseau de transport parallèle en fonction des grands blocs, c'est-à-dire des quartiers et des zones d'activité. Ils correspondront aux itinéraires précis que les véhicules emprunteront. Nos registres regrouperont aussi les chauffeurs volontaires, les types de véhicule qu'ils utiliseront et leur disponibilité. Naturellement, les gens qui voudront ou pourront marcher seront encouragés dans cette voie. »

Il indiqua que le schéma d'organisation des pools de transport avait été calqué sur celui de la distribution des tracts assurée en particulier par Manga Bell, Raymond et les jeunes qu'avait rameutés Scottie Folks. « À la fin du meeting, on demandera aux volontaires possédant un véhicule de laisser leurs coordonnées et de s'inscrire dans la desserte d'un bloc ou d'un itinéraire précis pour le ramassage des boycotteurs et des scolaires. Nous devrons couvrir des lignes allant des domiciles aux lieux de travail et inversement. Les établissements scolaires risquent de poser quelques problèmes...

— En centre-ville, y aura-t-il un point de départ des taxis antiségrégation ?

— Bien sûr, Wonderboy ! L'un des "pick-up points", le plus important, se situera à côté de l'Empire Theater et un autre près de Dean's Drugstore, à Monroe Street. »

Luther King demanda aussi combien de voyageurs noirs on escomptait transporter.

« Il y a cinquante mille Noirs à Montgomery et quatre-vingt mille Blancs. Il me semble que nous devons nous attendre à quelques défections dans le camp des Noirs. Beaucoup seront la cible des intimidations de leurs patrons. Mais le premier jour du boycott a montré que près de quatre-vingt-dix pour cent des Noirs ont suivi notre mot d'ordre et n'ont pris aucun bus. Les défections à venir pèseront d'un faible poids si la communauté noire adhère massivement au mouvement. Dans le camp des Blancs, les progressistes suivront, nous n'avons aucun doute sur ce point. Espérons que quarante à cinquante mille personnes seront chaque jour convoyées grâce à notre système.

— Très bien, cher Benjamin Simms ! Il nous

faudra aussi être attentifs à la mobilisation des Blancs. N'est-ce pas votre avis ? »

Wonderboy tenait à rencontrer les Blancs appelant au boycott. À Atlanta, son père, Martin Luther King senior, avait su s'entourer de l'« Amérique majoritaire » et particulièrement de ces Caucasiens lucides dont la vie quotidienne n'avait jamais été facile. Convaincus de l'égalité entre les hommes, ils étaient minoritaires dans leur camp, en Géorgie comme ailleurs, et ils avaient constamment dû endurer la menace et les actes violents du Klan. Wonderboy avait pu apprécier combien son père avait bénéficié de l'ardeur de ces progressistes qui s'étaient investis dans la scolarisation des Noirs. « L'éducation est la clé de tout », assurait-il. C'est par elle également que la grande majorité des minorités, ayant toujours vécu en territoire dominé, arriverait à s'émanciper. Le jeune pasteur avait donc tout de suite été impressionné, à son arrivée à Montgomery, par l'activisme de Jo Ann Robinson qui recevait journellement crachats, quolibets, injures, intimidations et propos les plus dégradants qu'on puisse entendre. On colportait à son sujet les pires ragots : elle avait couché avec des singes, « des vrais », lors d'un voyage sous les tropiques ; elle faisait la honte de sa famille ; ses diplômes avaient été achetés par son père ; elle avait avorté, crime insupportable dans le Sud puritain. On affirmait qu'elle n'avait pas pu trouver un seul Blanc désireux de l'épouser et que, par aigreur et dépit, elle avait ainsi versé tête baissée dans la défense des nègres. On avait tout entendu sur cette femme qu'admirait King et qui s'apprêtait à lui présenter les Blancs qui combattaient énergiquement Jim Crow.

Jo Ann Robinson, entourée de ses collègues, enseignantes ou membres de différentes organisations progressistes, indiqua que le cercle des sympathisants grandissait malgré les attaques des klansmen, les gens du Ku Klux Klan. Luther King salua donc Irene West, Mary Fair Burks et Virginia Durr, qu'il connaissait déjà, ainsi que d'autres membres du Conseil politique des femmes.

Il faisait doux à Holt Street. Mais le chef de la police était quant à lui bouillant et transpirant. De son bureau, Fallen avait reçu des messages de ses hommes postés effectivement à quelques blocs de la manifestation. Ses fidèles reptiles étaient aussi entrés en action et le longiligne Slim, grillant nerveusement quelques cigarettes, était arrivé en boitillant, une canne à la main, sur les lieux du meeting. Il simulait un handicap et Manga Bell l'autorisa ainsi à s'asseoir devant le podium, au troisième rang réservé aux personnes dépendantes. Il lui dit : « Vous serez mieux ici. » À son accent, Slim compris que l'homme était un Africain. Il le détesta mais fit mine de le remercier en s'asseyant et en mimant les airs accablés d'un véritable boiteux. De sa position, il verrait à quoi ressemblait ce jeune King qui intéressait son patron. Il venait de Géorgie et l'on sut ultérieurement, d'après une confidence livrée à ses amis, que Slim n'aimait pas les gens de cet État. On les soupçonnait de se prendre pour plus importants qu'ils n'étaient, Noirs ou Blancs. « Que n'est-il resté en Géorgie, au lieu de venir foutre la merde en Alabama? » songea le faux handicapé. Fallen lui avait expressément indiqué qu'il voulait en savoir davantage sur ce petit pasteur aux vestons bien coupés et à la langue plus que fourchue. Plusieurs personnes avaient dit à Slim le magnétisme que Wonderboy exerçait sur le public. Son patron, de son côté, s'était gardé de lui signaler qu'il avait écouté des enregistrements de sermons de King effectués par ses services sur ordre de Washington. Avant de les expédier, il les avait écoutés, un soir, alors qu'il était resté seul dans les bureaux. La voix du jeune ministre du culte, sa séduction, lui avait tiré des larmes. « Fichtre! Il cause drôlement bien ce connard! Je dois l'avoir à l'œil! »

En arrivant au meeting, j'étais molle, perplexe. Je fus surprise d'y croiser Douglas White junior! Il me salua et je remarquai qu'il avait une sucette à la bouche. Il avait retrouvé le goût des berga-motes! Sa grande carcasse se perdit bientôt dans la foule. Par un mystère que je ne pus expliquer, la vue de cet homme blanc qui s'en allait de son pas pataud au milieu des Noirs, foulant la même pelouse de Holt Street qu'eux, me fit oublier l'appréhension qui me nouait la gorge. J'étais inquiète de ce qui se dirait, de la réaction du public, de la suite du mouvement et de l'attitude de Nixon, mon président. Réussirait-il à digérer sa défaite contre King? Il avait tellement rêvé de diriger la révolte des Noirs et des Blancs acquis à l'idée d'égalité raciale! Je rejoignis bientôt le groupe des dirigeants de la MIA en retournant continûment les mêmes interrogations dans mon esprit. Aussi, quand quelqu'un suggéra de désigner un porte-parole blanc, chargé de la communication sur le boycott, je fus à deux doigts de donner le nom de Douglas White. Je n'en fis rien au dernier moment. Il ne voulait pas que je parle de lui! Un motif de satisfaction me réconforta cependant ce soir-là : des personnes, certaines connues, d'autres que je ne me souvenais plus avoir croisées, se bousculaient pour venir me saluer : des compagnons de travail de Raymond, des amis d'école, des condisciples de l'école de formation de Memphis où j'avais suivi un enseignement universitaire de psychologue — grâce à Jo Ann Robinson —, de vieilles amies d'enfance de Pine Level, des camarades de Montgomery Fair. Mais nombre de mes anciens collègues, Blancs et Noirs, hommes et femmes, avec lesquels j'avais travaillé du temps où j'occupais les fonctions de secrétaire à Maxwell Air Force, étaient aussi présents. Je me laissai fiévreusement tomber dans leurs bras. Je regrettai un peu d'avoir quitté la base militaire, mais ne laissai pas ce sentiment m'envahir : j'avais abandonné ce travail pour mieux m'occuper de ma mère! Ces retrouvailles pourtant me remirent en mémoire mes joyeuses années à Maxwell Air Force où les discriminations n'existaient pas, où les soldats et l'ensemble des personnels civils pouvaient fréquenter les mêmes parcs, restaurants, toilettes, salles de jeu et salons de coiffure, dans une ambiance si différente du reste de la société sudiste! Même dans les cimetières de Montgomery, on pratiquait la ségrégation, comme si la mort pouvait être différente d'un Blanc à un Noir! Quand on mourait à Montgomery, on n'en avait donc pas fini avec les tracas! Au ciel, lors du rendez-vous devant saint Pierre, y aurait-il un paradis pour Noirs et un autre pour Blancs? Les adeptes de Jim Crow ne répondaient jamais à cette question. Si! Ils la trouvaient incongrue. Le paradis n'existait que pour les Blancs, les Noirs portant déjà un enfer justifié sur eux.

Le meeting de Holt Street démarra par l'invitation faite à l'assistance à prier pour le succès de notre cause. Puis les orateurs prévus, dont les noms furent applaudis, défilèrent à la tribune. A. W. Wilson, le pasteur de l'église de Holt Street, un homme discret, militant actif des droits civiques et qui a dirigé ce lieu de culte pendant cinquante ans, fit annoncer par le speaker un nombre élevé de participants : plus de quatre mille! Celui-ci dépassait les estimations les plus hautes. Les Montgomériens montraient par leur forte mobilisation leur détermination à soigner l'Amérique de la plaie raciste. Dans les vestiaires où Raymond et moi étions encore, se trouvaient King et sa petite famille. Avant de se diriger vers la tribune, Wonderboy prit Yolanda dans ses bras. Il souriait. Il m'avoua qu'il avait été tiraillé par la question de savoir s'il devait sacrifier sa vie familiale à notre épineux combat. King, j'en suis persuadée, vit en Yoki l'agnelle envoyée par Dieu pour le tester. Aux premières heures de l'affaire du bus de Cleveland Avenue, quand Nixon, exalté, l'avait joint au téléphone, appelant à la mobilisation des Noirs avec des accents guerriers dans la voix, Wonderboy avait en effet hésité. Il me semble qu'il ne put expliquer à Nixon qu'il venait d'être père, pour la première fois, et que les joies de la paternité vous exilent peu ou prou de vos obligations extérieures ou de vos charges publiques. Je lui fis savoir que, même si je n'avais jamais été mère, je comprenais parfaitement ce qu'il ressentait. Il parut soulagé et, revenant à sa fille qui gigotait, il la posa avec douceur dans son landau. Il adorait cette douce enfant. Elle lui décocha instantanément l'un de ses sourires enjôleurs. Puis elle referma les yeux, le visage se froissant comme si la lumière lui piquait les paupières. Une mimique de nourrisson lui plissa le nez et lui tordit la bouche. King lui caressa la joue, vint frotter son nez sur le sien et murmura à Coretta :

« Je vais parler ce soir pour l'avenir de Yoki et des enfants de notre pays ! Reprends-la ! Retournez chez nous, à Jackson Street.

— Elle est tellement sage qu'elle se tiendra

tranquille. Je veux suivre avec elle toutes vos interventions.

— Parfait. Nixon sera le premier orateur de la soirée. Mais avant, il faudra que Rosa dise quelques mots. Couvre bien la petite. Il ne faut surtout pas qu'elle prenne froid !

— King, dit une voix, on vous attend !

— Un instant », supplia-t-il.

Pour lui, un enfant était un don du ciel. Ne se devait-il pas de montrer à Yoki combien il désirait qu'elle connût une vie plus épanouissante ? Il parlerait donc au nom de ce ciel qui lui avait envoyé Yolanda et au nom de son Bienveillant Maître ! Il n'avait rien préparé et cela aurait pu l'effrayer. Yolanda représentait l'avenir. Il embrassa encore sa fille et murmura à l'oreille du nourrisson : « Yolanda, merci de m'avoir apporté la lumière ! » Il fit un geste affectueux à Coretta et nous suivit d'un pas serein.

En rendant Yolanda à sa mère, Coretta, il se dit qu'il n'avait pas à s'inquiéter de ce qu'il communiquerait au public. Dieu parlerait à travers lui. Il n'aurait qu'à ouvrir la bouche, qu'à bouger les lèvres et ce qui devait être dit le serait. Il avait déjà fixé, avec Nixon, Durr, Abernathy, Graetz, Coach Rufus et Jo Ann, l'ordre de passage des orateurs.

Il tapota l'épaule d'Abernathy, qui était à côté de moi, et lui dit :

« Souvenons-nous aussi, mes amis, en ce soir mémorable, d'Elizabeth Jennings Graham, cette jeune fille noire âgée de vingt-quatre ans, qui refusa, le dimanche 16 juillet 1854, de descendre d'un tramway hippomobile à New York sous les brutales injonctions du conducteur et d'un agent de police. Les lois ségrégationnistes lui interdisaient l'accès de ce moyen de transport, mais le vent de l'égalité la poussa dans le train de l'histoire. Souvenons-nous qu'elle fut défendue avec succès par l'avocat Chester A. Arthur, qui devint d'ailleurs en 1881 le vingt-et-unième président des États-Unis d'Amérique. Mais la discrimination honnie, pourfendue, brisée devant les tribunaux, redressait la tête, plus monstrueuse encore telle une Hydre. C'est à nous de maintenir la flamme du combat. Je suis sûr que vous donnerez les renseignements utiles aux nombreux Montgomériens qui sont ici ce soir. Soyons précis sur l'organisation du boycott et appelons-les à rejoindre la MIA et à soutenir Rosa. Sans eux et sans leur mobilisation, tout retombera comme un soufflé. Je parlerai, puis tu conclueras le meeting. Je te dois tant de choses, brother... » Son ami protesta : King devait parler en dernier. Les deux complices se serrèrent vigoureusement la main.

Coach Rufus, qui ne se trouvait pas loin, fut soulagé de savoir que son poulain était prêt pour le grand saut. Il ne s'exprimerait pas devant son public habituel de Dexter Avenue et ressemblait ce soir-là aux athlètes qui jouent un match déterminant à l'extérieur. Ils doivent remporter la partie chez l'adversaire. Rufus serra la main de King, puis il lui donna, ce qui était rare, une accolade. Wonderboy échangea ensuite quelques mots avec les avocats, Durr, Gray et Langford. Il réussit à convaincre Manga Bell de prendre la parole et de porter la voix de l'Afrique au cœur de notre conservateur et terrible Alabama...

Quand je me montrai, le révérend E. N. French me présenta au public et un tonnerre d'acclamations m'accueillit. Je souhaitai la bienvenue à tous et résumai en quelques mots ce qui m'était arrivé au soir du 1er décembre. Depuis que j'avais pris la parole lors d'un meeting organisé à Mobile par la NAACP, je ne nourrissais plus la peur irrationnelle qui m'oppressait quand je m'exprimais en public. Je racontai ma contribution à la lutte pour l'inscription des Noirs sur les listes électorales, le rôle et le soutien de mon mari, évoquai la confiance que m'avait toujours accordée Edgar Nixon, l'éducation donnée par Leona et le compagnonnage inestimable de mon amie Ella Baker. Cette courageuse femme était ma camarade de classe. Elle n'était pas présente à Holt Street, mais je saluai en elle la militante infatigable qui cherchait à mettre un terme aux dictées farfelues et aux lectures abracadabrantes que l'on imposait aux Noirs pour les écarter du vote ou pour les rayer des listes électorales. Je lançai :

« Nous avons un avenir, parce que nous ne sommes pas prisonniers, pour l'éternité, de la face misérable de notre passé. » King fut heureux d'entendre cette chute. Ralph Abernathy, vice-président de la MIA depuis le retrait du dogmatique et exaspérant révérend Bennett, monta à la tribune. Il y fit un exposé sobre, déclarant qu'après ce que je venais de dire, il ne voyait vraiment pas ce qu'il pouvait ajouter. Durr, l'avocat blanc, indiqua combien était grande sa joie de voir tant de monde. « Nous sommes parfois fatigués de combattre. Mais énorme a été aujourd'hui notre plaisir de voir des Montgomériens marcher tandis que roulaient à vide les bus de la discrimination. Cette leçon rentrera, j'en suis certain, même dans les oreilles des sourds. »

Des gens qui avaient marché durant la journée étaient encore présents à Holt Street. Ils lancèrent des youyous à l'avocat Durr. Nixon vint. De nombreux papiers encombraient ses mains. Le début de son discours sembla emprunté, passablement ennuyeux, car il refit son itinéraire d'opposant à Jim Crow, depuis qu'il avait découvert à New York, alors qu'il s'y trouvait de passage, qu'il pouvait dîner dans le même restaurant que les Blancs, sans que cela ne trouble personne, là-bas. Il habitait à cette époque dans le Sud, et il pensait que la ségrégation était en vigueur partout sur toute l'étendue des États-Unis.

« Non, elle ne sévissait que dans le Sud ! assena-t-il d'une voix blanche.

— Quittons donc ce Sud pourri tonna une voix dans l'assistance.

— Tu parles ! lui répondit une autre. Nous

serions comme hors de nous-mêmes, comme des troncs d'arbres déracinés...

— Ne le sommes-nous pas ici ? » avait surenchéri l'interpellateur.

Il y eut un flottement. Nixon aurait voulu répondre de manière véhémente, toutes griffes dehors. Il se ravisa. Il ne servirait à rien de se mettre le public à dos.

« Certes, nous sommes, nous les Noirs, des déracinés partout en Amérique. Cependant... »

On ne lui laissa pas le temps de développer sa pensée. Une autre voix cria :

« Le boycott continue ou il s'arrête ? »

Si on lui avait laissé le temps de placer un mot, rugit Nixon, il aurait éclairé le questionneur.

« Le boycott va continuer ! » lâcha-t-il. Un tonnerre d'applaudissements s'éleva de la foule. « Comment va-t-il fonctionner ? Le révérend Benjamin Simms va vous l'expliquer ! »

Nixon, jeta un dernier regard sur ses fiches et comprit qu'il ne devait pas insister. Il rendit le micro après avoir pris la précaution de citer mon nom : « Comme le dit souvent notre Rosa, quand on regarde le ciel, il est bon qu'il vous montre les étoiles. J'espère donc que celui de Montgomery, grâce à votre mobilisation, sera lumineux pour les bergers et les rois mages de l'égalité que vous êtes ! »

Il s'en tirait bien, Nixon. Le visage couvert de sueur, il quitta la tribune sous les acclamations. Les orateurs suivants, le révérend Simms, Coach

Rufus Lewis et mes avocats, s'exprimèrent sur l'organisation pratique du boycott et sur les suites juridiques de mon procès. Ils furent tous poliment écoutés. Jo Ann Robinson intervint, et me peignit avec élégance et amitié comme une amie et une femme courageuse qui n'avait pas hésité à aller vivre quelque temps à Memphis pour une formation universitaire. Elle évoqua aussi « la couturière, qui ne facturait jamais au juste prix les travaux de couture qu'elle effectuait chez elle après une dure journée de labeur à Montgomery Fair ! ». La professeure d'université lança aussi l'appel pour l'enregistrement des chauffeurs volontaires dès la fin du meeting. Elle remercia le public et appela Manga Bell à la tribune. Main dans la main, ils furent ovationnés, montrant par cette attitude l'union sacrée entre Blancs et Noirs qu'ils appelaient de leurs vœux. Le public applaudit encore à tout rompre et Manga Bell dit : « Quand on applaudit un danseur, prévient un proverbe bamiléké, il se trompe de pas. » Il continua : « Mais je ne voudrais pas restreindre la joie que vous manifestez. Mes aïeux m'ont aussi appris que, lorsqu'on porte un enfant, il ne sait pas que la route est longue. Si le combat que vous menez pour abattre la discrimination a été long, je souhaite que vous portiez encore le bébé de l'égalité sur vos épaules, non comme un fardeau, mais comme un gai devoir. » Il annonça enfin la prise de parole de Wonderboy, le président de la MIA, l'Association pour le progrès à Montgomery. Le public retint son souffle et se leva aussitôt que King s'avança sur la scène. Il n'avait aucun papier dans les mains. Slim, instantanément, se leva aussi et acclama même le jeune orateur dont le visage aux rondeurs poupines illumina la scène. Les gens se rassirent et un silence de cathédrale plana sur Holt Street.

Le prêcheur au verbe incantatoire s'élança : « *In the name of God,* je salue chacun d'entre vous, fils et filles de l'Alabama venus en nombre ce soir pour chasser la haine et l'apartheid de nos États, de notre ville. *In the name of God,* je remercie Rosa de s'être dressée contre les injonctions d'un chauffeur. *In the name of God,* nous devons nous unir pour terrasser Jim Crow et ne plus être spectateurs de ses ravages mais acteurs de notre devenir. *In the name of God,* nous utiliserons le boycott non pas en adversaires de nos frères blancs, mais en peuple marcheur et porteur de cette vérité unique : toute puissance sombre dans la médiocrité quand elle cause et perpétue le malheur. En marchant et en boycottant les bus, nous agirons comme si nous nous dirigions, enfin, vers la terre promise de la liberté et de l'égalité. Dans la ferveur communicative et dans la non-violence, *we shall overcome*! »

À chaque phrase du pasteur, la foule scandait : *Yes, sir!* Elle amplifiait ainsi ses propos. Quand Wonderboy eut terminé, une explosion d'enthousiasme éclata dans le parc jouxtant l'église de Holt Street. Une bousculade eut lieu car les gens se précipitaient vers King. Les chauffeurs volontaires pour le transport des boycotteurs venaient s'inscrire sans discontinuer. Manga Bell murmura à un grand Blanc qui lui tendait des bonbons et qui continuait à dire « *Yes, sir!* » :

« Eh bien, c'est ainsi que le chœur des approbateurs, là-bas, dans notre lointaine Afrique, accompagne les paroles des conteurs et ponctue la narration des maîtres de la parole.

— Je comprends, dit à côté de moi Jo Ann pensive. Je comprends.

— Pour transmettre les connaissances, nos conteurs et orateurs, continua Manga Bell, ont toujours besoin de savoir si leur auditoire les soutient ou les a abandonnés. Je suis étonné, monsieur, dit-il en se tournant vers Douglas White, par la couleur si belle qui flotte sur la ville aujourd'hui et le bon air qu'on y respire.

— *Yes sir, this is very strange!* Voulez-vous encore des bonbons? Vous venez vraiment de la vieille Afrique?

— *Yes, I do, sir!* »

Ils éclatèrent de rire, manquant même s'étouffer en avalant quelques-unes des friandises qui sortaient des poches de Douglas White.

« Ce sont des bêtises de Cambrai, *I like these sweets*! Et vous? » conclut le distributeur automatique de friandises qu'était White en se faufilant vers la sortie.

Fille du vent et de la tempête

Mes difficultés au Montgomery Fair s'aggravèrent le lendemain de la première journée du boycott. Une surprise m'attendait à mon travail. John Thunder, le virulent contremaître, était hors de lui. Il avait pris connaissance des articles de journaux et me le fit savoir. Colin Gommel, le patron de l'entreprise, avait lui aussi lu les gazettes. Il se garda néanmoins de toute remarque désobligeante quand il me croisa à l'entrée de son établissement. Il me salua même avec chaleur. Les chroniques relatant ma condamnation ne l'avaient ni troublé ni choqué. En revanche, John Thunder ne décolérait pas. Il répandait à tous les étages du magasin tout le mal qu'il pensait des influences supposément négatives que j'avais auprès des autres salariés et qui risquaient de s'accroître si des mesures énergiques n'étaient prises contre moi. Il rappela au souvenir du chef d'établissement les tensions qui avaient régné trois ans plus tôt dans l'entreprise. Pour lui, mon investissement constant auprès du personnel dans les conflits sociaux avait dépassé la mesure du tolérable. Colin Gommel lui fit remarquer que l'employée qui l'irritait et qu'il mettait en cause avait toujours eu un langage correct et une attitude en tous points respectable. Il admirait même, semble-t-il, mon courage dans la défense parfois trop rigide des conventions sociales.

« Sa fermeté sur les principes peut agacer. Je l'admets », fut sa seule concession aux attaques dont m'accablait le bilieux et bileux Thunder. Celui-ci revint à la charge :

« Non, patron ! Pas seulement sa fermeté ! Voyons ! Sa personne, vous dis-je, et les principes de merde sur lesquels elle s'appuie passent les bornes ! Vous ne pouvez ignorer combien elle a été odieuse dans l'affaire des voleuses, hein ! »

Il faisait allusion au dernier conflit dans lequel je m'étais illustrée et qui concernait des ouvrières noires accusées d'avoir dérobé des chemisiers et de la lingerie fine. C'était une faute grave. Son auteur encourait logiquement un licenciement immédiat. Sur ce dossier, le patron savait, pour avoir mené une rigoureuse enquête interne, que l'accusation était infondée et relevait du caprice de la responsable des achats ; elle avait fait une erreur de calcul et, pour la dissimuler, elle avait tenté de l'imputer à la comptable, une femme noire ! Puis, la manœuvre ayant échoué, la gestionnaire bornée s'était rabattue sur de pauvres ouvrières, Oleta Grave, Dulcy Hardheart et Angie Galloway, qui avaient pour unique défaut d'être belles, noires et mieux coiffées que leur accusatrice. Cette dernière se vengea donc en leur attribuant un larcin imaginaire. Thunder était au courant de la manipulation.

Colin Gommel avait du reste déploré cette histoire. Un dilemme s'était posé à lui : désavouer sa gestionnaire ou me donner raison, moi qui soutenais avec hargne les infortunées accusées ? Non, il ne pouvait prendre le risque de sanctionner une Blanche. Trois femmes noires désignées comme voleuses, même sans preuve avérée, devaient-elles lui causer des insomnies ? John Thunder, encore lui, avait été de ceux qui, au mépris des faits, avaient défendu bec et ongles la gestionnaire contre le personnel subalterne. Quand ce sudiste radical vint annoncer à Gommel que ces voleuses noires devaient être chassées, malgré sa conviction sur cette affaire, le patron signa les formulaires de licenciement des trois femmes dont on lui réclamait la tête. Il soulagea sa conscience en se réfugiant derrière l'idée qu'elles trouveraient un autre travail. Il avait même songé à les aider en sous-main, avant d'y renoncer. Il ne tenait pas à se mettre à dos les klansmen et autres extrémistes sudistes qu'une telle démarche irriterait. L'incident n'avait finalement que très peu ébranlé sa bonhomie. Celle-ci était réelle, mais à géométrie variable.

Il avait beau être patron d'un grand magasin, il souffrait cependant de ne pas être totalement accepté par la communauté des Blancs qui se prenaient pour les autochtones de Montgomery. Ceux-ci ne voyaient en lui qu'un de ces nordistes honnis dont la famille avait prospéré grâce à la guerre de Sécession. Pour ébranler Colin Gommel, il suffisait de le traiter de « carpet-bagger », terme qui pouvait signifier arriviste et dont on affublait les Blancs venus du Nord. Ses origines, controversées, divisaient les employés. Étaient-elles juives? catholiques? On se perdait en conjectures pour établir la vérité dans un domaine que l'intéressé prenait un soin jaloux à dissimuler. Il est des êtres qui passent leur existence à nier ou à se renier, à moins qu'ils ne prennent un malin plaisir à s'entourer de mystère. Colin Gommel était de cette trempe. Juste après le déclenchement du boycott des bus, sa poignée de main avait paru empreinte de chaleur, celle qu'il consentait à montrer, selon les indiscrétions de l'un de ses employés blancs, les matins où il souhaitait vérifier par lui-même la ponctualité de son personnel. L'informateur ajouta perfidement que le patron se manifestait ainsi surtout les jours maudits où sa compagne avait ses migraines et ne supportait pas de l'avoir à ses côtés. Gommel se dépêchait donc, en ces circonstances, de filer à son magasin et y donnait l'impression d'être prévenant et sympathique.

Après m'avoir serré la main, il était retourné dans son bureau. Avec ses principaux collaborateurs, il avait soupesé les répercussions du boycott. Serait-il étendu à son magasin? Une telle action en période de fête aurait-elle une incidence sur son chiffre d'affaires? Peut-être n'était-ce là qu'un feu de paille allumé par une ouvrière qui n'avait tout de même pas, malgré son tempérament volontaire, l'étoffe des révolutionnaires. Il ne voyait donc pas matière à nourrir de grandes inquiétudes pour l'avenir. « Le sujet ne passera pas les fêtes ! Gardons confiance ! » scanda-t-il, tandis qu'il se recoiffait, comme il le faisait toujours à la fin des réunions de service, en se plaçant devant le petit miroir mural de son grand bureau. Il en était à ces considérations quand on frappa à la porte :

« Entrez !

— Je viens vous prévenir que Thunder est en colère, avertit sa secrétaire.

— Quelle mouche l'a encore piqué ?

— Rosa ! »

Le contremaître semblait monté sur des ressorts ce matin-là. Il voulait rencontrer le patron sans délai. Dès qu'il m'avait aperçue, il m'avait presque jeté à la figure les journaux qui parlaient de moi. Il abhorrait le *Montgomery Advertiser* dont il venait de feuilleter plusieurs pages. Il bouillonnait d'une colère qui lui empourprait le visage sur lequel couraient de grosses veines inondées de sueur. L'article relatait ma mésaventure dans le bus et le procès qui venait de se tenir. J'étais présentée comme une employée modèle, ce qui exaspéra John Thunder. Il ne parvenait visiblement pas à admettre que ce qualificatif puisse s'appliquer à celle qu'il ne cessait de pourfendre. Devant Colin Gommel, il éructa :

« Modèle ? Patron, avez-vous vu ce qui est écrit sur cette negrita ? Elle, une employée modèle ?

— Je l'ai lu, monsieur Thunder, j'ai déjà lu tout ça.

— C'est n'importe quoi ! Ce type de canard de merde ne devrait pas exister, cria-t-il, un doigt accusateur transperçant les pages du journal. Désormais, nous ne pouvons pas la tolérer dans nos murs sans apparaître comme des complices. C'est une bombe à retardement, patron !

— Une bombe ? Mme Parks ?

— Parfaitement ! Une communiste ! Si nous ne réagissons pas, la rébellion qu'elle prépare va s'étendre partout comme un feu dans une forêt de pins secs !

— Thunder, que feriez-vous à ma place ? »

Le contremaître n'hésita pas :

« Je la mettrai à la porte ! C'est tout ce qu'elle mérite. Ces gens-là ne comprennent que les coups de bâton et rien d'autre. À propos de bâton, tenez, à Baton Rouge, si les Blancs de Louisiane avaient fait preuve de mollesse quand les nègres ont mis en route leur boycott des bus, tous les nègres nous chieraient aujourd'hui dessus.

— Vous exagérez, Thunder. »

Il avait bien conscience qu'il s'adressait à l'un de ces intransigeants sudistes qui s'enflammaient facilement et qui n'étaient prêts à aucune concession. Thunder ne tenait pas en place et avait le plus grand mal à maîtriser son langage :

« Vous êtes trop bon ou trop...

— Vous avez les yeux qui rougissent, cher Thunder! Vous risquez une attaque à vous mettre dans de tels états.

— Ça me fout en rogne tout ça! Une negrita qui nous ridiculise, ça me fout hors de moi!

— Bon, finissons-en! Qu'on la fasse venir! dit Colin Gommel. Non, vous vous chargerez de cette histoire, Thunder! Préparez en douceur une lettre d'avertissement. Sachez néanmoins que nous traversons une période délicate, très délicate...

— Délicate? Dans quel sens? Vous avez sûrement des informations que je ne possède pas, *mister* Gommel.

— Noël approche et nous ne pouvons licencier cette jeune femme maintenant. Elle travaille bien. Le public est satisfait de son travail. Non, cela créerait des problèmes. Je ne veux pas d'un boycott de notre magasin. Vous le comprenez, j'espère! Il faut trouver une solution qui ne nous soit pas préjudiciable ou difficile à gérer sur le plan syndical. En plus, cette personne est membre de la NAACP.

— Justement, elle nous a assez cassé les pieds comme cela durant l'affaire des trois voleuses. Elle a des accointances avec de nombreuses ouvrières...

— C'est une bonne employée, Thunder!

— Pfft! Une chieuse, oui, derrière ses airs de nonne, elle camoufle bien ses griffes de panthère!

— Vous oubliez qu'elle est chez nous depuis un moment.

— Nous dirons à la presse qu'elle n'était qu'une arpète dont le travail ne donnait plus satisfaction !

— N'exagérons pas, Thunder ! Après tant d'années dans nos services, il sera difficile de soutenir une telle idée. En tout cas, réfléchissez à une solution sans vagues !

— Je lui aurais tout de suite collé dans les mains une lettre de licenciement pour solde de tout compte, moi ! bougonna Thunder. Bien, bien, je vais m'occuper de son sort », grinça-t-il en sortant du bureau comme il y était entré : en coup de vent.

Il descendit quatre à quatre les étages et fonça vers les bureaux de la direction du personnel où il s'enferma avec ses collègues du secteur. Il fit préparer une lettre d'avertissement qui, en fait, devint une lettre de licenciement pour début janvier. Quelques minutes plus tard, il se plantait face à moi, les jambes bien écartées, à la manière d'un cow-boy prêt à dégainer son colt. Il me dit, les dents serrées :

« Ainsi, on joue les vedettes et les putains de révolutionnaires dans les bus ? On te fera regretter cette incartade. » Je ne répondis pas à la provocation et continuai à travailler sous l'œil courroucé de Maria Steawart qui aurait bondi sur le contremaître si je ne lui avais pas recommandé, d'un signe éloquent, de ne pas bouger et de faire la sourde oreille. « Pour une fois, et par pitié, ne dis rien! » répétai-je quand le contre-maître eut tourné le dos. Nous le regardâmes s'éloigner en reprenant tranquillement notre besogne. « Es-tu allée au meeting à Holt Street, hier soir? » lui demandai-je à la pause. Elle ouvrit de grands yeux. Ils disaient qu'elle n'aurait pu manquer pareil événement!

« Tu plaisantes, Rosy. *I was there!* Wonderboy m'a estomaquée! » Elle récitait les paroles du nouveau leader et s'extasiait devant le message qu'il avait délivré aux Montgomériens à Holt Street.

À midi, nous nous étions empressées de rejoindre nos collègues. Ensemble, devisant encore à propos du boycott, nous sortîmes de nos sacs les barquettes contenant nos repas. Nous le prenions dans une salle de l'atelier amé-nagée en réfectoire. Les commentaires roulèrent aussi sur le meeting de Holt Street. Certaines ouvrières, qui ne militaient pas mais qui s'étaient rendues à cette manifestation avec leurs enfants, avaient été très surprises de voir que Blancs et Noirs pouvaient partager les mêmes micros et la même tribune sans être arrêtés par la police. Les enfants avaient dit qu'ils marcheraient aussi longtemps que possible et ne monteraient plus dans les bus où on humiliait leurs parents. Ils avaient dit qu'une maman enceinte, qu'elle soit noire ou blanche, avait le même poids dans le ventre et le même besoin de s'asseoir aussi longtemps que durait son voyage. Ces enfants avaient dit : « On est bien malheureux de ne pou-

voir jouer avec les enfants blancs de notre âge. »
Ils avaient ajouté qu'ils auraient bien voulu leur
demander si leurs rêves n'étaient que merveilleux et drôles ou s'ils étaient eux aussi le plus
souvent pourchassés, comme les enfants noirs,
par des méchants qui menaçaient de les attraper
pour leur trancher la gorge. Après ce meeting,
les femmes se félicitaient d'avoir entendu des
gosses raconter leurs angoisses et leurs rêves.
L'un d'entre eux avait dit : « Maman, est-ce que
c'est parce qu'on est noirs qu'on fait des cauche-
mars et qu'on est poursuivis par des fantômes ? »
Un autre avait crié : « Maman, maman, quand
on devient adulte, on est plus intelligent, n'est-
ce pas ? » Un troisième avait lancé : « Maman,
maman chérie, Dieu est blanc, n'est-ce pas ?
Mais alors, hey maman, est-ce qu'il a des boys
noirs ? Qui c'est qui cire les chaussures au paradis ? » Le charisme de Wonderboy avait aussi
déclenché des interrogations : « Maman, dans
quelle école on apprend à parler comme monsieur Wonderboy ?... » Abandonnant la réaction
des enfants, on me complimenta chaudement à
propos des articles de journaux qui donnaient de
l'urticaire à Thunder et, pour mes copines, une
image juste de la manière sereine dont je vivais
les événements.

Quand la sonnerie de reprise du travail eut
retenti, le groupe de femmes, une bonne vingtaine, se sépara, les joues brûlantes d'avoir ri, le
cœur gonflé par la certitude que les temps chan-
geaient et que le bouillant contremaître allait

peut-être avoir une crise nerveuse qui finirait par le terrasser. Les paroles des enfants m'avaient émue. En reprenant mon poste de travail, je murmurai une complainte : « Oh! Seigneur, comment peux-tu laisser les interrogations de ces petits enfants sans réponses? »

Les cartons et les pancartes
de Scottie Folks junior

Une autre vie commençait. Une scène inhabituelle eut lieu à Cleveland Court. Ma mère, qui avait souffert de crampes toute la journée, avait enfin eu un répit à l'heure où les marcheurs rentraient du travail. Leona, sans l'aide de mon amie Bertha Butler, qui l'accompagnait régulièrement lors de ses petites promenades autour de notre quartier, sortit de notre appartement. Elle fut surprise d'être interpellée par des personnes qu'elle croisait souvent, qui ne la saluaient presque jamais ou qui lui adressaient peu la parole. Autour d'elle, les gens tenaient à la main nos tracts ou un journal dans lequel on parlait de moi. Ils brandissaient les photographies réalisées au tribunal par Jo Azbell et on fit cercle autour d'elle, l'entourant d'une sollicitude aussi soudaine qu'exubérante. Il y avait un peu de vent. La santé de ma vieille maman ne l'autorisait pas à rester dehors sous la moindre brise, mais le groupe, toujours plus nombreux autour d'elle, la mit en confiance. On parlait de sa fille ! On la congratulait. Elle s'en trouva ragaillardie.

Tous les propos chaleureux qu'elle entendait lui chauffaient le cœur et elle resta donc à bavarder avec ce voisinage qu'elle n'avait jamais connu aussi disposé à manifester des sentiments directs et affectueux. Malgré la tombée de la nuit, les habitants, qui s'empressaient d'ordinaire de quitter les vérandas ou les arbres sous lesquels ils étaient assis, restèrent dans la cour où ils furent progressivement rejoints par des curieux. Ce qui n'avait été au départ qu'un attroupement devint une foule.

Quelqu'un proposa de frapper à toutes les portes du lotissement pour accroître la diffusion des tracts appelant à renforcer le boycott ou à participer à la collecte des fonds. Le jeune Scottie Folks ramena donc de nombreux tracts que différents groupes, vite constitués, se mirent à diffuser. À la fin de la distribution, on revint sous les immenses chênes qui entouraient nos immeubles. Y convergèrent, attirés par le bouche-à-oreille, des hommes et des femmes qui voulaient en savoir plus sur mon procès. Ils espéraient même me voir dans la cour et scandèrent bientôt mon nom à gorges déployées sous mes fenêtres. Mère les informa que j'étais en réunion avec Wonderboy et les juristes chez les Durr. Leona me confia comment elle avait dû se substituer à moi pour répondre aux questions de la foule. Les habitants, sortant de leur réserve, voulaient manifester leur sympathie à notre mouvement. Sans tarder, la parole se libéra. Leona vit des gens, les yeux embués, dire ce qu'ils avaient sur le cœur. Ils exprimaient leur malaise et leurs tourments dans ce vieux Sud qui les étouffait. Des vieillards, lâchant leurs inséparables chaises pliantes, s'étaient dressés avec vivacité et, d'une voix forte, dénoncèrent l'ordre exténuant qui les avait emmurés dans une langueur sans lendemain, là près des grands marécages autour desquels ils vivaient.

Scottie Folks était mort, mais son fils, à quatorze ans, était un adolescent actif et inventif. Serviable et paraissant plus âgé qu'il ne l'était, l'adolescent avait rejoint notre mouvement, et il recruta dans cette foule improvisée les volontaires qui l'aideraient à fabriquer des pancartes indiquant la trentaine de destinations de notre réseau de transport parallèle. Depuis plusieurs jours, il courait sans relâche d'un endroit à un autre, les bras chargés de panneaux destinés à remplacer ceux qui étaient arrachés par nos adversaires. Il ne se lassait pas non plus de distribuer les tracts afin de secouer l'engourdissement partout où on le disait menaçant. Il vint rejoindre la foule et écouta d'abord les conversations sans prendre la parole. Il faisait un temps doux. L'été était passé, ses chaleurs épuisantes, sa lente et étouffante moiteur qui engourdissaient les organismes. Était-ce donc ce climat qui ruinait nos velléités de départ vers d'autres cieux? Pourquoi en effet ne parvenions-nous pas à rompre nos invisibles chaînes et à partir dans le Nord ou en Afrique? « Avons-nous examiné les causes profondes de notre incarcération dans cet abominable Sud ? » cria-t-on à Leona. Les avis, nombreux, voletèrent comme un essaim d'hirondelles :

« Pourquoi nous restons ? C'est la faute à l'habitude qui anéantit toute audace.

— C'est la couardise !

— Ce sont nos propres renoncements qui nous ficellent avec une efficacité supérieure à celle des plus incassables lianes.

— Oh, en voilà une parole de bon sens. Avez-vous entendu ça, mamie Leona ? Partagez-vous l'idée que ce sont nos propres lianes qui nous ficellent le plus ?

— Je veux bien l'admettre, mon bon monsieur. Toujours est-il qu'un animal, même le plus stupide, quand il tombe dans un trou, il cherche naturellement à en sortir.

— Ne serions-nous pas alors les animaux les plus stupides que la terre ait jamais portés en restant dans ce trou à rats qu'est le Sud ?

— Je n'ai pas exactement dit cela. Moi, j'ai appris à Rosa à militer, à s'insurger, à s'instruire...

— Cela ne suffit pas ! Une poignée d'instruits ne fait pas une force décisive ! C'est le développement de la conscience qui conditionne le reste !

— Je ne vous le fais pas dire !

— Nous cultivons un vieux mensonge. Une atroce défaillance collective. Les Juifs furent ligotés par l'esclavage chez Pharaon, mais Moïse les en a détachés.

— Foutre oui, vous avez tapé juste! Hélas, nous, nous n'avons pas de Moïse, hé!

— Viendrait-il que nous lui couperions nous-mêmes et les jarrets et les bijoux de famille! risqua un petit homme bossu.

— Chacun vit d'abord pour soi ici en Amérique. Pas vrai, mamie Leona?

— Chacun vit en effet trop pour soi. Cependant, qui parmi vous a vu un Blanc habiter durablement dans un quartier nègre, à part la poignée de partisans de la déségrégation? Dans ce pays, nous savons bien que chacun est aussi renvoyé à sa communauté ethnique, culturelle, raciale. »

Leona voulait aller se coucher, mais elle était restée dehors à discuter. Nombre de ses interlocuteurs fumaient, tirant nerveusement sur leurs cigarettes ou sur des herbes euphorisantes qu'elle n'appréciait pas. Les uns et les autres continuèrent à déplorer l'apathie des Noirs, criant qu'ils se sentaient en exil dans leur propre pays. Réduits à piaffer d'impatience, ils critiquaient une vie sans perspectives tant leur existence quotidienne était insipide.

Un musicien intervint :

« Oh, s'il faisait moins chaud, nous nous bougerions le cul! La moiteur écrase toute volonté de changement. Gershwin ne l'a-t-il pas exprimé dans son merveilleux *Summertime*?

— Gershwin, Gershwin, et si tous nos malheurs venaient de la malédiction nègre?

— Qui en est l'auteur? Dites-le-moi, désignezle-moi et je m'en vais le pendre! fit quelqu'un qui ne fumait pas seulement la pipe.

— Dieu, pardi! Si nous avons été maudits, ça ne peut être que par Lui! »

Leona me raconta qu'elle avait failli se trouver mal en entendant pareil propos. Le rassemblement dérapait. Elle était croyante et ne pouvait tolérer la moindre critique à l'égard du Créateur.

« L'idée de malédiction ne masque rien d'autre que nos propres faiblesses! rugit-elle. C'est Jim Crow qu'il faut abattre!

— Oui, c'est cela, approuva Scottie Folks junior en sortant de la foule et criant : "Abattons Jim Crow." Il s'éloigna en faisant signe à mère qu'il allait revenir. Une femme forte et laide s'avança et dit qu'elle avait perdu ses deux enfants à la guerre mondiale. Ce sacrifice avait-il servi à quelque chose? Hein, dites-le-moi!

— À rien! Absolument rien pour nous! » fit la foule qui avait encore grossi.

En réalité, les uns et les autres ne voulaient que parler de leurs souffrances. Ils en parlèrent donc. Se voyaient sur les visages un masque de douleur, un rictus d'amertume, un effroi, un vieux chagrin, une sidération. Les gens en avaient contre les Blancs qui les traitaient comme des bêtes de somme. Contre ceux qui les avaient menés là, contre les responsables d'une politique à partir de laquelle avaient été bâtis des privilèges et un régime de sujétion. Les gens se racontaient leurs péripéties et d'autres malheurs sans âge. Ils étaient comme ivres de leur

252

audace soudaine. Parler équivalait à se libérer, à expulser douloureusement les épreuves tues, endurées, enfouies. Leona vit avec stupéfaction des gens enlacer de leurs bras les troncs massifs des immenses chênes centenaires et tenter de les secouer comme pour faire dégringoler de leur cime les sortilèges qui auraient pu s'y trouver et comme si, de cette chute, dépendaient notre soulagement, notre liberté et notre bonheur. Puis l'on se donna l'accolade, puis l'on se frotta aux franges de mousse tombant des branches des chênes espagnols comme de lourdes barbes d'ancêtres immortels et graves. Dans le lotissement de Cleveland Court, une chorale aussi soudaine qu'inattendue s'éleva. Les gens du quartier, reproduisant un rituel pentecôtiste, se mirent bientôt à « parler en langues », échangeant des mots inventés, des locutions inconnues, des adverbes absents des dictionnaires, des conjugaisons osées, des expressions inusitées, des constructions baroques, des phrases lyriques, des onomatopées carnavalesques, des vocables soustraits des encycliques papales, des mots codés, tombés en désuétude, mités, poussiéreux, mais revivant, sauvés de l'oubli ou qui sonnaient comme des réminiscences de langues anciennes, vaincues, mortes, pulvérisées. Ces Montgomériens en transe avaient aussi parlé des demeures luxueuses de leurs maîtres ; ils avaient mimé leurs attitudes sous de magnifiques vérandas ornées de colonnades. Ils avaient singé les nantis sirotant du thé glacé sous les ventilateurs quand la chaleur et l'humidité de l'été rendaient tout mouvement impossible. Tout? Non! Continuait à tourbillonner, comme un contrepoint à l'immobilité générale, le ballet des serviteurs empressés autour de leurs seigneurs, perpétuant ainsi une docilité ancienne, tenue. La plupart de ces hommes et de ces femmes n'avaient connu que la relégation sociale et l'état de serviteur. Ils aspiraient eux aussi à la pleine égalité, qui leur avait toujours échappé comme disparaît un mirage dans un désert. Puis, serrés les uns contre les autres, coude contre coude, ils entonnèrent des chants roulant dans les gorges la soif de liberté, les bonheurs guettés, attendus, choyés, mais sans cesse différés. Les habitants noirs de Cleveland Court se mirent à chanter comme pour abolir un système obsolète afin de reconfigurer autrement leur existence. En retrouvant mon domicile, où me déposa, au volant de son taxi, Felix Thomas, j'eus la surprise de tomber sur cette étrange cérémonie. M'apercevant, mère s'approcha de moi et me résuma les épisodes que j'avais manqués. J'appris que Raymond dormait. Il avait dû avaler un cachet pour ne pas entendre le brouhaha qui montait jusqu'à nos fenêtres. Au milieu de la nuit, je constatai que le virevoltant Folks, aussi insaisissable que son père, avait rassemblé un amas de brindilles, de bois, de cônes de pin et de branches sèches. La fluette voix du jeune garçon cria :

« Pour conjurer le mauvais sort, il faut d'abord

se débarrasser de Jim Crow, a dit mamie Leona. N'est-ce pas ?

— *Yes sir!*

— Alors, donnez-moi une minute ! »

Et je le vis qui bondit comme un chat agile dans les broussailles et revint portant sur la tête un long objet en forme de cercueil, qui se balançait d'avant en arrière. Il le retenait de tomber d'une main. On devinait qu'il était en carton. Sur le côté, bien lisible pour l'assemblée, était inscrit en gros caractères : « Ci-gît Jim Crow ».

« Qu'allons-nous faire de ça ? s'étrangla quelqu'un.

— L'enterrer, monsieur, l'enterrer ! répondit l'adolescent.

— Oui, bravo ! Enterrons-le !

— Mieux que cela, et pour qu'il ne pourrisse pas la terre de ses funestes émanations, nous allons l'incinérer, lança Folks.

— Oui, brûlons-le ! Tout de suite ! » hurlèrent de joie les participants.

Leona, émue et fatiguée, venait de me dire qu'elle voulait rentrer se coucher. Mais l'apparition de Scottie Folks et du cercueil l'en dissuada. Le jeune homme réclama bientôt le silence. Il indiqua que son correspondant africain, son frère en totem, comme on disait de ceux qui avaient suivi la même initiation, Souleymane Barry, plus âgé que lui, avait suggéré, depuis la Guinée, de procéder à une inhumation symbolique de Jim Crow. « Il nous revient d'en définir les modalités. » Nous eûmes ainsi le choix de recourir à l'immolation ou à l'enfouissement du cercueil. On savait que les Folks avaient maintenu des liens avec l'Afrique et on se demanda ce que le jeunot allait pouvoir inventer. Barry, son correspondant, connaissait l'anglais qu'il avait appris grâce à une coopérante américaine du nom de Dawn Williams, me renseigna Scottie Folks junior. Barry avait correspondu avec le défunt Folks senior, lequel avait réussi, par l'entremise de Dawn Williams qu'il avait croisée en Géorgie, à entrer en relation avec les Peuls du Fouta-Djalon. C'est ainsi qu'il avait établi le lien entre lui et le père de Souleymane Barry, puis entre ce dernier et Scottie junior. Mais la cérémonie que nous devions accomplir était-elle sérieuse ? Pouvions-nous, malgré la répulsion que nous inspirait Crow, nous abaisser à des pratiques païennes ? « Ce n'est pas seulement par la loi que nous vaincrons Crow, m'a écrit Souleymane, reprit vivement le jeune Folks. Il nous faut aussi mobiliser les autorités invisibles ! C'est pourquoi nous devons leur confier ce cadavre, coupable de si nombreux et indéchiffrables forfaits en Amérique ! » Dans le cercueil qu'ouvrit Folks, dormait un long chiffon représentant une forme vaguement humaine et cagoulée.

J'étais sceptique. Mais, puisque la population semblait fascinée par l'initiative de Folks, pourquoi aurais-je perturbé ou interrompu l'immolation de Jim Crow ?

« Si on ne l'enterre pas, il continuera à répandre son œuvre maléfique! fit une vieille dame.

— Oui, débarrassons-nous de ce fantôme et des démons qui l'accompagnent! insista Scottie Folks junior.

— Hourrah! Hourrah! » scanda la foule.

Sur les indications de l'adolescent de quatorze ans, on construisit au-dessus du tas de bois mort un échafaudage sur lequel on déposa le cercueil de Crow. Une voiture de police fit soudain entendre sa sirène. On se regarda d'abord avec effroi. Les policiers venaient-ils interrompre la cérémonie? Un murmure de désapprobation monta de la foule. Un indicateur avait-il informé la police qu'un rassemblement étrange se tenait dans notre quartier? Chacun retint son souffle, puis Folks fit signe de se jeter par terre. Instinctivement, on le suivit, on se dissimula derrière les chênes, on s'aplatit derrière les immeubles. La voiture freina, puis accéléra, traversant bientôt le lotissement à vive allure. Le bruit du puissant moteur s'éteignit progressivement pour disparaître ensuite, à notre plus grand soulagement. Folks revint au-devant de la scène se ceindre d'une écharpe herbeuse et d'un chapeau de paille. Et notre cérémonie reprit son déroulement. Je ne croyais pas à ces rites païens, mais il y avait une telle curiosité mêlée d'impatience dans les attitudes des participants que je restai là. Mère, si rationnelle, ne bougeait pas non plus. Elle fixait le petit Folks et se remémora sûrement quelques-uns des discours et des tours du père de l'ingénieux garçon quand nous vîmes le fils de l'ancien thaumaturge disposer le long de l'échafaudage des herbes, un cactus et des cucurbitacées. Il annonça qu'ils étaient destinés, selon les instructions de son correspondant africain, à écarter les mauvais esprits sur le chemin de nos revendications et de nos procédures judiciaires. « Vous avez vu comment les sorciers africains ont éloigné les poulets ? » dit le malicieux enfant. Et, chacun repensant à la patrouille de police et aux frayeurs qu'elle nous avait causées, nous pouffâmes de rire. Le jeune homme continua sa préparation. Il demanda si quelqu'un avait une tresse d'ail. Un de mes voisins courut en chercher une. « C'est parfait ! » commenta Folks. Puis il nous demanda de reculer, afin que les éclats du brasier qu'il allait allumer sous le cercueil de Crow n'atteignent personne.

« Y a-t-il une vierge dans l'assistance ? » Plusieurs femmes avancèrent. « Une seule suffit ! » Il tendit une bougie allumée à l'une d'entre elles. Elle mit le feu aux brindilles qui montèrent jusqu'au cercueil, crépitant en un joyeux brasero dont les flammes dansèrent dans la nuit de Cleveland, réduisant Jim Crow en cendres...

Les Vigilants ne sont pas
des enfants de chœur

À part les facteurs ou quelques rares voisins, on ne sonnait que très rarement ou jamais à la porte de la maison de Douglas White junior. Comme sa sœur avait renoncé à venir le voir, ne supportant pas de mettre les pieds dans un quartier blanc, Douglas, le célibataire, ne recevait personne. Il n'avait jamais pu nouer de relations autres que professionnelles, et n'avait ni ami ni petite amie, estimant depuis toujours que la gent féminine était bien trop mystérieuse pour une approche positive que son cerveau alourdi de confiseries lui interdisait d'entreprendre. Il était monté dans un bus en sortant de son travail.

Quand la sonnette retentit chez lui, ce mercredi 4 janvier-là, il venait de rentrer de son travail de gestionnaire de portefeuilles de particuliers dans une succursale du groupe American Express à Montgomery. Il était d'ailleurs présent à bord du même bus dans lequel avait eu lieu mon arrestation. Contrairement à ses habitudes, il n'était pas passé par le drugstore Lemon et ne s'était pas non plus attardé au casino où il jouait parfois. Il s'apprêtait à parcourir le livre de Condorcet que je lui avais remis et qui traînait sur la table basse du salon, et, encouragé par mes recommandations, essayait de dompter par avance les bâillements que lui tirait habituellement la lecture. Il interrompit son mouvement et, après avoir reconnu à travers l'œilleton un voisin, il ouvrit. La massive silhouette de Bob Austen avança dans l'encadrement de la porte, prête à entrer. Gras, le cheveu coupé court, âgé de vingt-cinq ans, le jeune homme au teint cireux et aux yeux d'un bleu acier ressemblait à un petit sumo. Douglas le croisait régulièrement en compagnie des belliqueux du quartier. Le visiteur lui lança :

« *Hi*, Douglas ! »

Surpris par ce ton familier, Douglas répondit, néanmoins sur ses gardes :

« *Hi, there !* »

La mâchoire serrée, Austen lui tendit un papier. C'était un tract. Il appelait à une réunion des Blancs organisée par un groupe : « Les Vigilants ». White les connaissait. Ils étaient d'une violence inouïe envers les Noirs. C'était une organisation informelle de jeunes de son quartier, une sorte de vivier dans lequel puisait le Ku Klux Klan.

« Cette histoire de boycott nous fout les boules, grogna Bob. Ça nous les chauffe vraiment et on ne va pas rester là, comme des piquets ou des poules mouillées, attendant que l'orage passe ou qu'on nous tranche la gorge ! »

— Je lis le papier. Un instant ! »

Il prit donc connaissance d'un texte sans équivoque sur les objectifs de ses auteurs : « L'histoire du boycott des bus n'est qu'une manœuvre des communistes. Les rouges ont trouvé, en la personne d'un habile bavard nommé Martin Luther King, un dangereux adversaire des Blancs. Ne vous laissez pas impressionner par ses discours fumeux. Ne vous laissez pas endormir par un type qui n'a fait que plagier les honnêtes livres écrits par les Blancs pour obtenir ses diplômes ! Veillez sur vous, sur vos frères et sœurs de race ! » clamait le libelle. La dernière phrase du tract donnait rendez-vous, à South Farm, le jour de l'Épiphanie, « à tous les gardiens et sympathisants de l'ordre blanc ».

Douglas White fréquentait très peu son voisin Bob Austen. Ils s'étaient parfois croisés aux rares fêtes des Vigilants auxquelles Douglas avait davantage pris part pour les excellentes pâtisseries et confiseries qu'on y servait que pour les idées qu'on y défendait. Le texte qu'il tenait en main lui brûlait les doigts. Mais il s'obligea à dissimuler les signes de nervosité qui auraient pu trahir ses sentiments. « Si Rosa me voyait là ! Quelle honte ! » Il rangea la mèche rebelle qui lui tombait sur les yeux et sourit à Bob Austen. Après tout, il fallait sauver la face. À vrai dire, n'eût été le rôle particulier que Douglas White avait joué au moment de mon arrestation, il ne se serait pas senti concerné par les événements. Mais il effectuait sa mue. L'affaire du bus, prenant chaque jour des proportions inattendues, était venue pulvériser le petit nuage de certitudes arrosées de sucre et de nougats sur lequel il planait.

Le voisin, Bob Austen, regarda White d'un air insistant. Il semblait clair qu'il ne tournerait pas les talons si son vis-à-vis ne réagissait pas. White baissa donc les yeux sur le papier. « Entrez donc !

— Je ne veux pas vous déranger…

— Vous ne me dérangez pas, voyons !

— Prenez-vous toujours le bus, White ?

— Je vais être franc avec vous. Je ne devrais pas, car mon médecin m'a conseillé la marche… »

Son interlocuteur faillit s'étrangler :

« Quoi ? Les médecins aussi s'en mêlent et soutiennent les nègres ? De quel droit se permettent-ils, hein, de telles positions ? C'est contraire à l'académie ! De quel droit ? Je parie qu'il est communiste, votre toubib !

— Je ne pense pas !

— Vous êtes bien naïf ! Il vous demande de marcher et ça ne vous donne aucune indication sur ses idées politiques ? Cela ne vous cause aucun tourment, peut-être, *mister* White ?

— Sans vouloir vous vexer, *mister* Austen, la prescription dont je parle est dictée par des considérations purement médicales. Mon cœur risque de lâcher si je ne me soumets pas à la pratique sportive ! Mon médecin m'a conseillé la marche comme cure d'amaigrissement. J'ai en effet un cœur bien fragile. »

Austen était intrigué et regarda White de bas en haut. White continua :

« Il tient à ma santé, voyez-vous, voilà l'explication. Non, non, n'allez pas chercher midi à quatorze heures. Au fait, nous pourrions courir un de ces jours ou... marcher tous les deux, non ? proposa White un œil entendu sur le ventripotent Austen.

— Marcher ? Il n'en est pas question ! Bon, revenons à ce qui se passe ici à Montgomery. Vous en pensez quoi, vous, cher White ?

— Vous savez, Austen, je suis partisan de la tranquillité.

— D'accord, mais cette femme de merde qui a osé garder son cul sur le fauteuil d'un bus devant l'un des nôtres, vous en pensez quoi, exactement ?

— C'est très surprenant.

— Plus que cela, White ! Le type à qui elle s'est opposée aurait même dû, avant que le brave chauffeur n'intervienne, lui coller deux paires de claques, non ? Deux, vous m'entendez ? Voilà le traitement qu'il lui aurait fallu pour qu'elle s'enfonce dans sa petite cervelle le règlement élémentaire de notre État. Vous rendez-vous compte du raffut que cela provoque ? Nous devons être vigilants ou c'en sera bientôt fini de notre supériorité et du juste bénéfice de notre travail.

— La situation se tend. La chose ne peut que sauter aux yeux.

— Viendrez-vous tirer les rois après-demain, comme nous y invite le tract?

— Je viendrai, je viendrai.

— Vous me rassurez, White, vous me rassurez. J'avais peur que vous aussi ne soyez intoxiqué et prêt à bêler avec les chèvres, comme ces pauvres Blancs prétendument intégrationnistes, qui ne se rendent pas compte qu'ils vont casser la jolie branche sur laquelle sont posés leurs sales culs. Cette stupide histoire d'égalité est un leurre. Quelle sottise de perdre son temps à brandir des pancartes en faveur des nègres! White, nous avons des inconscients parmi nous et il faut s'en débarrasser sans faiblir! »

White baissa la tête après cette sentence. Son virulent visiteur continua à s'exciter. Douglas se contenta d'une molle invitation :

« Voulez-vous des bon... euh, une boisson? Un gâteau?

— Ni l'un ni l'autre, White! À demain soir?

— À demain soir!

— Parfait, je vais de l'autre côté de la rue, voir si les carpetbaggers qui habitent en face persistent à soutenir l'insoutenable... Je parie qu'ils sont juifs, mon bon White! Ces carpettes commencent à nous courir sur le haricot. Elles n'ont jamais si bien porté leur nom de carpetbaggers! »

Quand l'encombrant voisin eut disparu de sa vue, Douglas White se précipita sur un sachet de bonbons qu'il engloutit en quelques minutes. Il voulut me téléphoner, mais se retint. Que penserais-je de lui? Il se dit qu'il était assez grand pour se décider tout seul et fermer sa porte à Austen. Il s'inquiéta de la menace pesant sur ses voisins : les carpetbaggers, ces gens du Nord que l'on appelait ainsi avec condescendance et mépris. Qu'avaient-ils donc commis de si odieux? Il alluma son poste de radio et écouta un programme. Son esprit revenait à ces voisins qui étaient aussi appelés avec dédain par les sudistes les « amis des nègres ». Il ne leur avait accordé aucune attention. Il prit un dictionnaire sur une étagère de son meuble secrétaire et chercha à savoir qui étaient ces gens installés dans le Dixieland après la guerre de Sécession.

Leurs premiers représentants, immigrés de l'intérieur, étaient plutôt des aventuriers; ils portaient un baluchon et un pauvre tapis sur le dos leur servant à coucher à la belle étoile. Un peu bohèmes, un peu marchands, ils étaient pour la plupart des gens modestes, venus prêter main-forte à la reconstruction du Sud après la sale guerre… Ces Blancs du Nord, ne disposant que de faibles ressources, avaient bénéficié des aides fédérales destinées à rétablir des pans entiers de l'économie dévastée du Sud. Le plan Marshall, dont avait bénéficié l'Europe au lendemain de la Seconde Guerre mondiale, s'était inspiré, sur une plus grande échelle, des politiques publiques volontaristes menées dans les États du Sud après la guerre civile américaine.

« Ils nous ont bien aidés et maintenant on leur crache dessus », se dit White en lisant. Le sommeil le gagnait de nouveau. Il posa le manuel, fit sonner de tonitruants bâillements d'hippopotame et courut se préparer une infusion. Tout en s'affairant dans sa cuisine, il pensa que je serais bien heureuse de le voir lire. Il revint donc à son dictionnaire, se rappelant aussi qu'il ne s'était toujours pas plongé dans Condorcet et ses *Réflexions sur l'esclavage des nègres*. Les allégations des sudistes ségrégationnistes présentant les carpetbaggers comme des aventuriers uniquement attirés par l'argent fédéral étaient réfutées par l'article. Ils étaient d'ailleurs présentés comme de sincères militants soucieux d'accélérer l'émancipation des Noirs. La loi du 19 juillet 1867, dite « troisième loi de reconstruction », avait cependant bel et bien heurté les conservateurs sudistes en permettant aux gouverneurs militaires installés dans les anciens États confédérés de décider qui serait éligible aux fonctions représentatives. Nombre de caciques réfractaires à l'émancipation avaient ainsi été déchus de leurs fonctions au profit de carpetbaggers incontestablement favorisés.

« Après tout, c'est normal. Quand on a perdu, on a perdu ! philosopha White. C'est pas la peine de s'accrocher à ses anciens privilèges. Au diable, ces scrogneugneux ! » Les carpetbaggers avaient d'ailleurs passé une alliance avec les « freemen », les Noirs libérés, et les « scalawags », les Blancs originaires du Sud mais qui acceptaient que la reconstruction de leurs États s'effectue dans le cadre des nouvelles lois progressistes. Douglas, résistant de plus en plus difficilement aux bâillements, allait néanmoins apprendre que freemen, scalawags et carpetbaggers avaient formé une coalition au sein du parti républicain, lequel n'était pas encore le gardien sourcilleux du conservatisme tatillon et sectaire qu'il allait devenir au XXe siècle. Il était à l'origine constitué de progressistes choqués que les États du Sud aient voté après la guerre de Sécession les codes noirs, ce qui pour eux revenait quasiment à réinstaurer l'esclavage. Les Noirs ne pouvaient voter, faire du commerce, s'instruire, contracter des mariages mixtes. « Et dire que Sarah, ma mère, m'a choisi une fiancée noire ! » Douglas pensa qu'il n'aurait de toute manière pu vivre avec une femme noire dans ce quartier coquet du sud-ouest de Montgomery entouré de chênes et d'érables. Il préférait être seul et croquer ses friandises ! Il ouvrit d'ailleurs une belle bonbonnière et en sortit une poignée de guimauves qu'il déversa aussitôt dans sa bouche gourmande. Il ferma un moment les yeux, sacrifiant à son rite. Il salivait, un liquide onctueux s'échappa de la commissure de ses lèvres. Il s'assit, les jambes posées sur la table basse du salon. Ce goût sucré qui coulait dans sa bouche lui ouvrait les portes d'un nirvana qu'il ne pouvait plus se priver d'arpenter. Il avait soudain l'impression qu'une plantation de framboisiers s'étendait devant lui à perte de vue, s'offrait à son unique contemplation. Des rossignols chantaient tandis que le sucre descendait dans sa gorge. Il était aux anges, Douglas White ! Il récupéra d'un doigt expert et agile le liquide sucré qui débordait et perlait à la pointe de son menton. On sonna à sa porte. Il grogna, dressa douloureusement sa carcasse et consentit à grand-peine à quitter son monde appétissant pour aller rouvrir la porte à l'importun dont il devinait la rougeaude figure. C'était forcément Bob Austen.

« Ils m'ont claqué la porte au nez, ces chiens ! Nous n'en resterons pas là ! Vous vous rendez compte, White, de l'affront ?

— Quels chiens ?

— Les merdeux d'en face.

— Ne vous faites pas de bile...

— Il leur en cuira, White ! Je ne vous embête plus. À bientôt ! »

White, redoutant une nouvelle irruption d'Austen, enfila un manteau et sortit de chez lui. Il avait besoin de marcher et de suivre les conseils de son médecin. « Il sera content », s'encouragea-t-il. Il fit le tour du bloc avant de revenir chez lui. Le lendemain, il prit son vélo après son travail et fonça chez moi, le tract de Bob Austen dans la poche. Il sonna. J'ouvris et l'invitai à s'asseoir. Leona, ma mère, cuisinait. Raymond n'était pas rentré.

« Quel bon vent vous amène, White ?

— L'envie de vous saluer.

— Je vous en remercie ! »

Je remarquai sa mine préoccupée. Il s'enfonça, plus à son aise, dans son fauteuil. J'avais même acheté des bonbons et les lui tendis. C'était des bergamotes.

« En voulez-vous ? »

Ce n'était franchement pas le genre de question à lui poser. Il plongea la main dans la boîte. Il me raconta son entrevue avec Austen et moi je lui confiai mes soucis :

« Raymond m'inquiète. Il ne parle plus à son patron, lequel n'est pas très favorable au boycott. »

Un autre ennui financier, plus menaçant encore, celui-là, était la hausse inconsidérée du loyer que le propriétaire de notre appartement s'apprêtait à nous imposer. J'avais en effet reçu un appel à ce sujet et mes protestations avaient laissé mon interlocuteur de marbre.

White, à travers ce que je lui racontais, retrouvait les irritations qui avaient tant marqué la vie quotidienne de ses parents quand il était petit. Il était, en ce temps-là, loin de mesurer la détresse qui les rendait si plaintifs. La manière détachée et sereine avec laquelle je lui parlais de mes problèmes l'impressionnait. Ce n'était pas les hurlements qui autrefois faisaient trembler les murs de sa maison.

« Je vous ennuie, White, avec ces vétilles. Avez-vous pris des nouvelles de votre sœur Irina ?

— Elle m'a écrit. Elle est informée du boycott et de l'effervescence qui règne à Montgomery. Je ne lui ai pas parlé de vous.

— De notre rencontre dans le bus ?

— Bien sûr que non ! Si je racontais à ma

sœur que j'étais là quand vous avez refusé de céder votre place, elle aurait une attaque cardiaque, mais diffuserait aussi l'information avant son trépas à la planète entière. Je lui ai dit que j'étais allé à Holt Street vous écouter. Irina ne m'a pas cru. Elle a failli appeler un médecin pour qu'il vienne voir si je n'avais pas perdu la tête. Elle a lu les journaux, m'a longuement interrogé sur le mouvement de solidarité autour de vous. Les reportages sur l'association dirigée par Wonderboy l'ont touchée. Je tenais aussi à vous informer que les Blancs s'énervent...

— Ah, tiens donc!... Où? »

Et Douglas White me raconta en détail sa rencontre avec son voisin Austen. Il voulut connaître ma position concernant la réunion des Vigilants.

« Soyez prudent. Le KKK mine, comme vous ne pouvez l'imaginer, le moral de Raymond. La maison des Graetz a été soufflée. Jeannie et ses enfants s'y trouvaient. Heureusement, ils sont sains et saufs. Nous-mêmes avons déjà reçu plusieurs menaces de mort. On s'y attendait, mais le vivre fait froid dans le dos.

— Que fait la police? L'avez-vous saisie?

— Elle ne bougera pas. Nous le savons, hélas, par expérience! Wonderboy nous appelle aussi constamment au calme...

— Wonderboy, le communiste dont tous les Blancs ont peur! Austen, mon voisin, m'a parlé de lui en des termes effrayants. Tenez, j'ai apporté là un tract de leur organi-sation. »

Je le lus et le remis à White.

« C'est l'accusation tradition[...]s klansmen et des hordes maccarthystes. N[...] en préoccupez pas. Allons plutôt march[...] vous dit?

— Allons-y ! »

Il me suivit. Les Noirs de C[...]nd Court commençaient à être habitué[...]s à v[...]es Blancs dans notre quartier et ils n[...]us [...]rent respectueusement. À Montgom[...]y, [...]Blanc ne marchait généralement pas à c[...]té un Noir sans que cela n'éveillât l'attentio[...] [...]fois, des voitures de police, ostensiblement[...] [...]aient ce genre de couples mixtes comme s'[...]eprésentaient un danger imminent. Pendant[...] [...]boycott, la scène commençait toutefois à êt[...] banale. J'avais un peu de temps devant moi [...]ant le retour de Raymond qui, avec Manga Be[...] s'occupait d'une nouvelle distribution de tra[...]ts. À l'occasion de l'Épiphanie, que nous ne fê[...]ons pourtant pas, la MIA et le Conseil politiqu[...] des femmes de Montgomery avaient décidé d'in[...]iter les soutiens et les sympathisants de notre comb[...]t à une soirée récréative à Dexter Avenue. Douglas White, qui avait déjà donné son accord à Austen pour prendre part à la rencontre organisée par les Vigilants, ne pouvait assister à la nôtre.

« Je vais envoyer au pasteur, par la poste, ma contribution financière », me dit-il.

Les soirées récréatives, dont le lancement avait lieu à l'église baptiste, se multiplièrent. Elles servirent à renforcer les liens entre les boyco[...] teurs et à collecter les fonds utiles pour soute[...]

les dém juridiques en cours. Je n'eus pas besoin réciser à Douglas White.

Tout je lui parlai du vif débat qu'avait suscité i les membres de la MIA l'hypothèse iouvelles procédures juridiques. Fallait-tendre les résultats de l'appel que j'avais jeté o engager des actions en justice sur utres as que le mien ? Cette dernière idée au le double mérite de mobiliser d'autres citoyen et éviter une focalisation sur ma seule psor e. Cela m'arrangeait. Fred Gray et Chars ngford n'avaient cependant pas de position chée. D'autres ministres du culte hésitaien n raison de l'impression de désordre que le clenchement de contestations ou de recour uridiques multiples pouvait engendrer. King ulait que le débat fût démocratique et que l décisions fussent précédées d'une discussion suivie d'un vote. Il entendait se conformer à la discipline baptiste et renforcer l'exigence démocratique y compris dans le processus de contestation publique en cours. Quant à Edgar Nixon, il enrageait contre les lenteurs de la démarche, mais il avait été obligé de céder. « Un baptiste, assenait King, doit avoir confiance dans l'intelligence et dans le libre arbitre de chacun. Ceux qui prétendent que nous sommes communistes en seraient pour leurs frais s'ils assistaient à nos travaux. » Durr trouva finalement les arguments tactiques les plus convaincants. Il estimait nécessaire d'engager la contestation de ma ondamnation sur les plans à la fois local et fédéral; il préconisait le dépôt d'une [re]quête séparée regroupant les autres femmes no[ires v]ictimes de la ségrégation dans les bus [d]e [M]ontgomery et condamnées avant moi. Nix[on], [qui] avait tant déploré qu'on laissât de côté [l]es [p]récédentes affaires, approuva l'idée. « Ce[la mo]ntrera aux conservateurs notre détermina[tion] à ne plus laisser passer la moindre occasio[n d'a]battre Jim Crow », conclut-il en bombant la [poit]rine.

Un autre argument de Durr fut [app]rouvé par tous : « Chaque cas de ce type, rele[van]t du droit public, est examiné par trois juge[s. E]n diversifiant notre contestation, non seul[em]ent nous augmentons nos chances d'affaiblir [...] un état d'esprit offensif le camp d'en face, [m]ais nous augmentons aussi la probabilité de [tr]ouver des juges plus réceptifs à nos arguments. »

Nixon, président de la NAACP locale, avait applaudi. Mais, en sa qualité de trésorier de l'Association pour le progrès à Montgomery, il se mit à grimacer. « Il nous faudrait plus d'argent dans les caisses pour mener de front les batailles juridiques que le maire de Montgomery et les adversaires du boycott vont opposer à nos démarches. » Il n'avait pas tort, car des lois, opportunément exhumées, comme l'article 1921 de la loi de l'État de l'Alabama, n'interdisaient-elles pas le boycott ? Le maire de Montgomery voulait casser le nôtre au moyen de cette disposition. Et l'entreprise de bus, qui perdait des milliers de dollars par jour à cause de l'absence d[e] passagers noirs, préparait sa propre riposte.

discuta jour dais un bus avec un chauffeur qui ne éfiait ps du Blanc Douglas White, ce dern vait é informé des projets et des difficulté e tra rsait la City Lines. Son personnel s'uiéta des mesures de délestage des bus et de a r ction imminente des agents navigants, ha urs et contrôleurs compris. Je fus heureue l'apprendre. Je retins Douglas pour qu'il m e à ranger les cadeaux et à classer l'abond ourrier que je recevais. Dans un carton que ite avait ouvert, un crotale dressa soudain la é. Douglas faillit s'évanouir et tomber à la r verse. Se ressaisissant, les tempes tambouri ntes, il vit la bête sortir du carton et s'empara temps d'un gourdin décisif.

Le licenciement

Un journal conservateur auquel j'avais accordé un entretien avait publié un article qui mit en ébullition les nerfs déjà ébranlés de John Thunder. En arrivant à l'atelier, les filles m'avertirent que le contremaître avait la mine des mauvais jours. À mon apparition, nous échangeâmes des regards incendiaires et il monta quatre à quatre les marches menant chez Colin Gommel, pour lui réclamer ma tête. Gommel voulait bien me garder à Montgomery Fair, ce que John Thunder considérait comme une marque de défiance à son égard. La publication d'un énième article où j'apparaissais lui donnait l'occasion de convaincre son patron de se débarrasser de moi. Il n'y avait pourtant rien dans l'interview qu'il avait sous les yeux qui fût scandaleux. Le seul fait que je sois dans les journaux et dans l'actualité lui était devenu insupportable. Ma réponse à la première question du gazetier l'avait plongé dans un état de surexcitation :

« *Why did you decline to give up your seat on the yellow bus ?* »

À moult reprises, j'avais invariablement donné une réponse minimaliste. Cette fois, m'étais-je dit, un peu d'humour ne ferait de mal à personne :

« Je crois l'avoir fait, pour ne plus avoir honte de moi quand je me regarde dans mon miroir, mon beau miroir, en me pomponnant le visage, le matin, avant d'aller à mon travail ! »

Les filles me racontèrent que Thunder se serait arraché les cheveux, ses mouvements de fureur les secouant en tous sens, tandis que s'éparpillaient sur son veston noir des pellicules blanches envolées de sa tignasse. Il avait paru au bord de l'apoplexie :

« Elle finasse à présent ! Elle se prend sûrement pour une vedette, cette truie ! » disait-il à voix haute.

Sur un ton plus conventionnel, j'avais répondu sans fard aux autres questions du journaliste, mettant encore au supplice mon contremaître :

« Dans nos États du Sud, vous savez bien que ceux qui détiennent le pouvoir, de nos anciens grands propriétaires d'esclaves et de plantations jusqu'aux gros capitaines d'industrie, soutenus par des démocrates opportunistes, sont opposés à toute évolution. Tous ont refusé d'admettre, vous le savez aussi, depuis la guerre de Sécession, leur défaite politique. Mon Dieu, accorder la pleine citoyenneté aux anciens esclaves ne serait pas une tragédie !

— Le Sud vous offre des emplois, des maisons, des médicaments, des conditions de vie meilleures que dans bien des pays, y compris dans votre ancienne Afrique, me dit l'interviewer.

— Nous sommes américains et, en tant que tels, nous voulons que l'égalité soit la norme et non l'exception, monsieur.

— Vous êtes manipulée par une puissance étrangère. Avouez-le! Croyez-vous réellement en Christ?

— Profondément.

— Soyez sincère et admettez que vous agissez pour le compte d'un ennemi des États-Unis.

— Nous serions dans ce cas coupables de haute trahison! Nous nous battons depuis des décennies, depuis des siècles, pour que ce pays soit conforme au message des pères fondateurs. Tant pis pour ceux qui ne veulent pas le comprendre.

— L'ingratitude ne vous étouffe pas! On dirait que vous ne vous posez jamais de questions autres que celles dont l'idéologie communiste vous bourre le crâne!

— La vraie question que vous pourriez vous poser serait plutôt : comment avons-nous fait jusqu'ici pour supporter notre misérable condition?

— Eh bien, renseignez-nous, madame!

— La réponse est donnée par Sénèque! Il nous apprend que "seul l'arbre qui a subi les assauts du vent est vraiment vigoureux, car c'est dans cette lutte que ses racines, mises à l'épreuve, se fortifient". »

J'avais aussi mentionné dans cet entretien la manière dont le quinzième amendement de la Constitution, qui donne le droit de vote aux anciens esclaves, était violé, notant d'ailleurs combien mes activités dans la Voter's League, l'association qui luttait pour l'inscription des Noirs sur les listes électorales, m'avaient utilement formée. Mais, comme je ne présentais pas ma candidature à Harvard, je n'insistai pas sur ce point. J'avais un temps pensé à exposer ma grande amertume d'avoir été empêchée de prendre part à l'élection présidentielle de 1940. Je m'en gardai. Pourtant, Dieu seul savait combien j'étais frustrée d'avoir été empêchée de voter et de donner ma voix à Franklin Delano Roosevelt. Pour s'inscrire sur les listes électorales, dans les États du Sud, un Noir devait payer au préalable des taxes élevées, on le soumettait à la lecture de textes tarabiscotés et à d'autres pénibles ou humiliantes épreuves toutes destinées à l'éliminer. Moi, pour m'empêcher de voter pour Roosevelt, on me força à lire un article extrait d'une revue médicale spécialisée et qui se rapportait à une opération chirurgicale complexe. Je trébuchai sur les mots savants, ma langue fourcha et je sentis peser sur moi les regards hostiles qui, à chaque mot écorché, me fusillaient, me jetaient plus bas que terre, me retiraient la possibilité de voter. Ces mots interminables qui dansaient sous mes yeux n'auraient pu sortir d'aucune bouche qui ne fût experte en médecine sans être bousculés, éreintés, cassés, heurtés. Je fus d'ailleurs prise d'une quinte de toux. De toutes les façons, à la troisième mauvaise prononciation, on considérait que l'examen était terminé et que le postulant était inapte au vote. J'aimais beaucoup Roosevelt, son courage, son charisme et étais séduite par son engagement dans l'action publique. Le comportement de la *first lady*, Eleanor Roosevelt, m'avait aussi réjouie. Son soutien aux artistes noirs avait été fantastique, ainsi que son ardeur décisive en faveur de l'ouverture des cabarets à ces gens du spectacle qui étaient à l'époque marginalisés. « Seul le talent doit être examiné et non la couleur de leur peau », proclamait-elle.

À la question de l'interviewer de savoir si j'avais prémédité le coup dans le bus, je faillis répondre que j'eusse dû. Je ne pipai mot du boycott des magasins détenus par des membres du Klan, mesure que les militants émancipationnistes venaient de prendre. Les fêtes de ce Noël-là avaient en effet été moroses ; les commerçants de Montgomery ne masquaient pas leur irritation — y compris les responsables de Montgomery Fair — et étaient de plus en plus nombreux à faire le siège du cabinet du maire de la ville.

Thunder, fou de rage, s'en fut donc dans le bureau de son patron. Il avait trouvé une parade pour me licencier : le Montgomery Fair allait tout simplement fermer l'atelier de couture dans lequel je travaillais ! « À cause du boycott, avança

Thunder pour convaincre Gommel, cet atelier est devenu non rentable. » Une partie du personnel avait déjà été reclassée dès les premiers jours de l'année « pour des raisons de redéploiement stratégique », avait prétendu la direction, au moment où le patron de l'établissement hésitait encore sur mon sort. L'insistance de John Thunder et la chute du chiffre d'affaires le firent plier. Il signa ma lettre de licenciement. Le contremaître se précipita vers moi : « Voici votre fiche de félicitation pour votre magnifique action, persifla-t-il. Ce n'est pas la peine d'attendre la sonnerie. Vous pouvez déguerpir ! »

Cette annonce me laissa sans voix. Maria Steawart, mon amie, n'était pas à mes côtés, car elle avait été affectée à un autre atelier, celui qui s'occupait du repassage.

« Allez, on se dépêche. Vous irez voir si la lune est belle ailleurs, en dehors de Montgomery Fair, par exemple ! » continua sur le même ton le contremaître.

Avec ce renvoi, l'hiver 1956 commençait rudement pour moi. J'avais un rendez-vous dans la soirée au siège de la MIA. Je me rendis d'abord à Dexter Avenue pour informer Wonderboy de mon licenciement. Il préparait une rencontre à laquelle devaient participer les dirigeants de la compagnie d'autobus et les autorités municipales. À l'église, il m'écouta, le cœur serré. Je lui parlai de mes collègues et de leur soutien. Maria avait versé toutes les larmes de son corps et la plupart de mes collègues, qui appréciaient mon dévouement et mon esprit de solidarité, avaient été choquées par la décision du patron. Elles avaient voulu se rendre en masse dans son bureau.

« Je les en ai dissuadées », fis-je à King.

Il voulut connaître l'état de nos relations, savoir ce qui les passionnait en dehors de leur activité professionnelle. Je le renseignai, brossant allégrement le portrait de chacune de mes collègues : Zora Neale, celle qu'on appelait « la flamboyante », mais qui n'avait cessé de renifler et de pleurer quand mon licenciement fut connu ; Ellen, l'artiste, qui avait sorti de son casier un portrait de Booker Washington qu'elle avait colorié et qu'elle m'avait cédé. Elle dessinait souvent des modèles de vêtements dont tout le monde se montrait ravi ; elle aurait aisément pu vivre de cette activité de styliste, et y prospérer, si elle avait eu davantage confiance en ses moyens. Je citai Wilna, « la sportive », qui avait promis de continuer le boycott des bus et de passer elle-même chaque matin chez ses collègues pour les inciter à marcher ; Pauli, la sainte mère, si effacée et aimable, qui avait joint les mains au ciel et balbutié des prières pour que le Seigneur me vînt en aide ; Irene, la tonique, toujours prête à se rendre utile, qui était une excellente danseuse et aimait transmettre les remèdes de grand-mère à quiconque se plaignait d'une douleur. Elle m'avait remis une liste de mixtures qui servaient à soigner toutes sortes de maux. On aurait dit une adepte de Scottie Folks senior. Elle m'avait aussi donné quelques fioles de sa pharmacopée personnelle. Je ne savais pas en réalité si j'en userais, mais j'avais accepté les présents avec émotion. Il y eut Barbara, la belle et impulsive Barbara, qu'il fallut ceinturer pour qu'elle se calme et ne monte droit dans le bureau du patron. « Il te demandera de coucher avec lui, ce porc ! » rugit Norma ; architecte, elle s'était rabattue sur le travail de couturière, car elle n'en trouvait aucun dans son domaine de formation. C'était une grande fille, surnommée « la girafe », qui avait construit sa maison toute seule et suscitait l'admiration de tous par son courage. N'avait-elle pas perdu ses parents très jeune, dans un incendie commis par les klansmen ? Depuis ce jour-là, elle s'était juré de reconstruire la maison de ses parents. Elle m'en avait offert la maquette. Ida, la rondouillarde, pétillante de malice, qui riait tout le temps, avait fondu en larmes au moment des adieux…

« Après les avoir entendues, j'ai dit à celles qui voulaient en découdre avec le contremaître : ne faites rien. John Thunder a trop de haine en lui et sera bien content de la déverser sur vous. Suivons les préceptes non violents de King !

— Tu as eu raison, Rosa. S'agissant de ton patron, il t'a, certes, mise à la porte du Montgomery Fair, mais il ne t'a pas fermé celle de l'avenir. Je me répète peut-être, Rosa, mais nous travaillons pour le futur. »

King me demanda les adresses de mes anciennes collègues afin de maintenir un lien discret avec elles. Il fallait tisser, selon son expression, un cordon sanitaire autour de Montgomery Fair. « Après toi, tes amies vont subir une pression insoutenable. Elles ont des familles à nourrir. Tu as bien agi en pensant à les protéger. Ce geste est essentiel. Ne va pas les voir sur le lieu de travail ou aux abords de celui-ci, car tes patrons vont sûrement se renseigner sur tes déplacements et t'espionner. Des chantages, aussi absurdes qu'abjects, vont s'exercer sur elles. »

J'ai beaucoup apprécié l'intérêt que King a porté à mes collègues, me priant de le tenir informé de toute nouvelle les concernant et dont j'aurais connaissance. Je lui demandai où il en était de l'avancement de son livre. Il sourit, m'assura que tout allait bien, même si le temps lui manquait pour affiner son travail et ses recherches. Il n'avait pas de loisir, passait son temps à lire la bible ou les exégèses, à écrire aux paroissiens qui le sollicitaient ou demandaient son conseil. Il évoqua les négociations en cours avec les autorités communales et les responsables de la société des autobus. Il me souffla :

« Notre boycott n'est pas l'entreprise de quelques personnes sans expérience et sans vision globale de la situation économique et des problèmes de sécurité que pose le mouvement. Je pense aux nombreux marcheurs, aux provocations et aux attaques du Klan, aux menaces qu'il fait peser sur eux comme sur nos taxis. J'ai saisi de tous ces sujets le chef de la police. Il y a déjà eu des rixes et des échauffourées *downtown* et en banlieue. Les Vigilants, excités par le Klan, ont molesté à plusieurs reprises des chauffeurs de taxi. Votre ami et précieux Felix Thomas a dû affronter seul une dizaine de Blancs armés de battes de base-ball. Il s'en est sorti par miracle, mais avec quelques côtes fêlées.

— Je le sais. Pauvre Felix ! »

Les premiers jours après mon renvoi, je les passai avec ma mère, ma copine Butler et Jo Ann qui vinrent régulièrement me tenir compagnie. J'étais épuisée. Scottie junior arrivait aussi à me distraire. Il sonnait chez nous, les bras chargés de dessins. Il m'amusait en me racontant ses conversations secrètes avec les grands arbres d'Afrique et la fraternité qui le liait à Souleymane Barry, le Guinéen qui lui avait inspiré la cérémonie d'immolation de Jim Crow. Folks projetait déjà à cette époque de le rejoindre pour recevoir sa véritable initiation au totem qui leur était commun. Si le boycott occupait mes journées, il m'importait de retrouver un travail. Mes demandes n'aboutissaient pas. Les Blancs ségrégationnistes détenaient la plupart des entreprises et leurs employés semblaient épouvantés par ma notoriété ; ils me fermèrent la porte au nez.

Bientôt, j'appris par King que Goodwyn Fallen, le chef de la police de Montgomery, avait enfin accepté de le rencontrer. Il lui avait du reste déjà adressé une lettre de félicitations pour son discours de Holt Street. Wonderboy, esquissant un sourire, m'avait glissé :

« Je ne suis pas dupe de sa démarche. Sa lettre est aussi un moyen de me prévenir que je suis suivi par ses services.

— C'est angoissant ! m'écriai-je.

— Non, c'est la règle. Mon père a toujours su qu'il était épié. C'est la règle ! »

Il voulut me raconter un rêve, en commença le récit, mais la sonnerie du téléphone l'empêcha de poursuivre. Je retins simplement qu'un archange lui était apparu pendant son sommeil. Martin Luther King junior devait se mettre, lui avait-il dit, à la disposition du Très-Haut. La voix de l'archange avait dit :

« Il y aura désormais des regards braqués sur toi. Les uns seront bienveillants et de nombreux le seront beaucoup moins. Tu connaîtras des attaques, plus virulentes les unes que les autres. Il y aura, autour de toi, le feu, le bruit, la fureur, la controverse, la menace. Y compris au sein de la communauté que tu défends, des hommes et des femmes, assez simples d'esprit... »

King s'interrompit pour répondre au téléphone. Il me fit ensuite part, revenant à moi, de la souscription qu'il voulait lancer avant le mois de juin. Cette idée, qu'il comptait concrétiser dans le cadre de la MIA, lui était venue pendant une conversation avec le révérend T. J. Jemison ; celui-ci avait été loquace sur la manière dont il avait lui-même participé au boycott des bus, en juin 1953, en Louisiane. Que pensais-je d'un appel à l'aide pour des chaussures et des vêtements ? Ils seraient d'une grande utilité aux marcheurs. J'acquiesçai à cette idée. Les dons seraient distribués aux travailleurs modestes qui, en marchant, votaient avec leurs pieds pour une nouvelle Amérique. King avait d'ailleurs sur son bureau, ce jour-là, une pile de documents traitant de ce sujet. Il les avait lus et annotés de son écriture nerveuse. Des journaux de 1953 traînaient également sur une étagère et King me les donna. Il voulait que je me documente sur la grève des bus à Baton Rouge. Certains aspects pouvaient, selon ses vues, inspirer notre comportement et notre mouvement. Grâce aux renseignements de Jemison et par l'entremise d'un pasteur baptiste de Louisiane, Wonderboy avait aussi réussi à joindre au téléphone d'autres leaders du boycott, installés à Dixieland.

« Ils ont été enthousiastes à l'idée de savoir que nous portions intérêt à leur expérience. Ils espèrent que nous irons plus loin qu'eux et obtiendrons gain de cause. Ils ont insisté sur un point : notre organisation doit être performante, solidaire et bien réglée. »

Je lui décrivis brièvement les petits rassemblements qui se constituaient dans les quartiers, où des groupes de Noirs s'organisaient et relayaient le message sur la non-violence. Il reçut l'information d'un air rêveur puis, avant de me raccompagner à la porte, il me dit :

« Je parlerai de toi à mes collègues pasteurs. Je sais que Nixon a été furieux d'apprendre ton licenciement. Jo Ann Robinson, le pasteur blanc Robert Graetz, et moi-même te proposerons des vacations dans les domaines qui t'intéressent. Mieux vaut allumer les petites lumières, disait Lao-tseu, que se plaindre de l'obscurité. »

Des aides extérieures allaient en effet affluer à notre domicile ainsi qu'au siège de la MIA. Depuis l'épisode du crotale surgissant d'un carton, des mesures de sécurité avaient été prises pour le déballage des colis. Cela avait permis d'écraser des scorpions et d'étouffer d'autres dangereux reptiles avant qu'ils ne passent à l'action.

Je ne participai pas à la réunion de concertation avec les autorités municipales et la City Lines. D'entrée de jeu, King souligna, comme un fait incontestable, la violation de la Constitution que représentait la ségrégation dans les bus. Il était urgent d'y mettre un terme. Il présenta ensuite les revendications adoptées par les membres de la Montgomery Improvement Association. Pour lui, le boycott ne prendrait fin qu'à trois conditions qu'il énuméra en des termes précis :

1° Que les Blancs et les Noirs puissent s'asseoir où ils veulent dans les autobus.

2° Que les chauffeurs soient courtois à l'égard de toutes les personnes sans distinction de couleur de peau.

3° Que des chauffeurs noirs soient recrutés dans la City Lines.

Les autorités se montrèrent scandalisées par ces revendications qu'elles jugèrent totalement irrecevables et irresponsables.

« Sachez, monsieur King, que vous ne faites pas la loi ici.

— Nous en avons assez de subir la vôtre.

— Vous êtes manipulés et nous ferons tomber vos masques !

— Vous feriez mieux de regarder la réalité telle qu'elle est. Rien ne justifie que des hommes montant dans le même bus, payant le même ticket et se rendant à une même destination ne soient pas logés à la même enseigne.

— L'entretien est terminé. Il n'y a rien de bon à négocier dans vos propositions », glapit Gayle, le maire de Montgomery.

Après cette rencontre et l'échec des négociations, les dirigeants de la commune diffusèrent des informations selon lesquelles une petite troupe bolchevisante, constituée de nègres radicaux et de petits Blancs instrumentalisés, s'apprêtait à semer la zizanie à Montgomery. Le gouverneur de l'Alabama et le maire de Montgomery ne cachaient pas leur fureur. Ils avaient cru qu'avec les fêtes de fin d'année le boycott allait cesser. Il n'en fut rien. Pire, nous avions, à les en croire, des revendications inadmissibles ! Ce qui les tracassait aussi venait du bon fonctionnement du système de transport alternatif mis en place par le révérend Simms et

Jo Ann Robinson. Les racistes enrageaient. Les taxis affiliés à la MIA avaient aligné leur tarif sur celui pratiqué dans les bus. Le voyageur devait donc s'acquitter de dix cents en montant dans les taxis de l'égalité.

L'administration communale, dénonçant l'illégalité de leur activité, commença à harceler nos taxis, sous les prétextes les plus divers et les plus fallacieux. Le système de convoyage devint également l'objet de manœuvres de harcèlement. Les hommes du Ku Klux Klan ne voyaient pas d'un bon œil cette « horde noire » qui tenait le haut du pavé, bravant l'ordre blanc. Des bagarres éclataient dans les « pick-up points », ces stations où les taxis et leurs chauffeurs, partisans du boycott, attendaient les grévistes. Certains matins, les chauffeurs trouvaient les lieux jonchés de clous nuitamment déversés. Tout était mis en œuvre pour semer le trouble et contrarier l'action des grévistes ; les opposants au boycott se radicalisaient au fur et à mesure que le temps passait et que les déconvenues financières s'alourdissaient de leur côté, tandis que les marcheurs affermissaient, par leur détermination, leur mouvement. Quand les opérations du Ku Klux Klan parvenaient à désorganiser les transports alternatifs, les Noirs décidaient de marcher, bravant parfois le vent glacial de l'hiver et les intempéries.

Quant aux relations entre King et la police, elles étaient tièdes. G. J. Fallen faisait mine de le ménager, alors que les ordres émanant du FBI devenaient plus pressants pour l'écarter du devant de la scène. Le jeune Noir, natif d'Atlanta, agaçait et inquiétait le patron du FBI, John Edgar Hoover. Tout en contenant son exaspération, il n'allait d'ailleurs pas tarder à adresser une lettre au chef de la police de Montgomery :

Cher Monsieur,
Je vous remercie de nous faire parvenir toute information disponible concernant Martin Luther King junior. Il s'agit d'un homme noir, né le 15 janvier 1929.
Nous apprécierons beaucoup votre coopération dans cette affaire.
Bien à vous,

J. E. Hoover

Bien à vous ? Humm ! Il fallait se méfier ! pensa le destinataire de ce courrier. Quand Hoover se mêlait d'une histoire, ça n'était jamais pour rien. Ça risquait de barder ! Le chef de la police de Montgomery, faisant son introspection, se demandait ce qu'il pouvait se reprocher qui fût connu de ses supérieurs. Le vindicatif patron du FBI avait des dossiers sur tout le monde. Pourquoi n'en aurait-il pas qui pourraient le compromettre ? Il continua son examen de conscience, s'interrogea sur les ombres susceptibles de planer sur ses études universitaires, sa formation d'officier de police, sa vie sentimentale. Et sa fortune, comment l'avait-il acquise ? Par simple héritage, voyons ! Avait-il un jour fraudé le fisc ? Oh, non, il n'était pas Al

Capone, tout de même ! Mais on lui trouverait bien des embrouilles, si telle était la volonté de l'intransigeant et rancunier Hoover. Il lui faudrait désormais jouer une partie serrée, car son patron, psychorigide, ne lâchait jamais une proie. Lui, Fallen, en était-il une ? Y avait-il quelqu'un qui lorgnait sur son poste depuis Washington ou dans le district ? Où était donc passée la liste de ses ennemis ou des gens qu'il aurait froissés et dont il consignait les noms dans un calepin secret ? Qui, à Montgomery ou dans ses environs, Selma et Birmingham, principalement, lui en voulait au point de lui faire payer une arrestation, un trafic éventé, une contrebande ou un acte contraire à la loi qu'il aurait, lui Fallen, sanctionnés ? Il pensait tout bas, en tournant la lettre de Hoover dans ses mains : « Bon sang, quelle femme ai-je donc tourmentée ou ai-je jamais délaissée ? Quelle avance, y compris venant de l'un des mâles homosexuels du Federal Bureau, ai-je repoussée ? » Ses mains, tenant fiévreusement la lettre de Hoover, tremblaient. Quelles étaient les intentions fédérales dans cette affaire de boycott ? Et si lui, Fallen, devenait la victime collatérale du vieux conflit opposant nordistes et sudistes ? La guerre de Sécession allait-elle renaître des cendres de l'histoire ?

L'officier arpenta son bureau, indécis. Il voulut attraper sa veste et s'en aller faire un tour en voiture. Au moment de saisir son vêtement, une idée lui vint. Il héla un agent de police et envoya chercher Slim, son fidèle reptile. Ce dernier devait surveiller l'entourage de King et savoir ce que visait ce jeune loup à la philosophie justicialiste. Pour les Blancs du Sud, elle était surtout diabolique. King, de leur point de vue, avançait masqué : il aspirait à une fonction politique majeure, malgré son christianisme lyrique. Sa notoriété commençait à mettre à cran les nerfs des responsables à Washington comme à Montgomery.

Mes vieux cauchemars

Douglas White avait assisté à la réunion des Vigilants et en était sorti effaré. Il n'avait pu ni manger une seule confiserie ni boire une goutte de bière avec ses inquiétants, violents et vindicatifs voisins. Il avait prétexté, devant l'œil sourcilleux et sombre de Bob Austen, une crise de foie et une sévère contrainte médicale pour s'extraire de la belliqueuse assistance. Pendant la nuit, il avait rêvé, me dit-il, remuant en moi de vieilles frayeurs, aux chiens aux yeux luisants de férocité et aux crocs tranchants comme des sabres que les Vigilants projetaient de lancer sur les cortèges des Noirs pendant les manifestations. De nombreuses actions violentes se préparaient pour briser notre boycott qui ne donnait, au grand regret de nos adversaires, aucun signe d'essoufflement. Les représentants de l'ordre public se raidissaient. Un petit entraînement, consistant tour à tour à courir et à marcher et qui avait rassemblé mes sympathisants, avait été perturbé par la police aux abords du capitole. Les arrestations visant à intimider les marcheurs et les grévistes exaspéraient les défenseurs de l'égalité. Une tendance radicale commençait d'ailleurs à naître parmi les nôtres; elle entendait rendre coup pour coup. Le boycott était respecté et il augmentait même parmi les Blancs. Néanmoins, des Noirs plus impatients, vivant dans les quartiers bruyants de l'ouest de la ville, trouvaient le temps long et commençaient à moquer le concept de non-violence de King. « Ce n'est pas en tendant l'autre joue quand quelqu'un t'a giflé que cela te fera moins mal », persiflaient ces jeunes gens-là. Les activités violentes que multipliait le Klan n'incitaient pas non plus à la sérénité.

Slim avait rencontré son chef et livré quelques renseignements concernant Wonderboy, le nouveau leader de la cause noire. Goodwyn Fallen estima qu'ils n'étaient pas assez consistants ou croustillants pour intéresser Edgar Hoover. Slim devait maintenir le contact et collecter des éléments plus décisifs. King n'avait-il pas une maîtresse? Qui pouvait croire que l'austérité derrière laquelle s'abritaient les baptistes les empêchait d'avoir des faiblesses? « Hein, Slim, en fouillant un peu, on doit pouvoir en apprendre bien plus! »

Fallen avait du reste reçu King; les deux hommes avaient dialogué pendant une heure. Hormis la courtoisie qui avait caractérisé leurs échanges, chacun était resté sur la défensive. Personne, parmi les participants à cet entretien, n'aurait pu sérieusement soutenir qu'un élément déterminant avait été évoqué qui fût de nature à présager une sortie de crise. Néanmoins, le chef de la police promit à son interlocuteur de veiller à la sécurité des boycotteurs. Des enquêtes, assura-t-il, étaient engagées pour punir les auteurs des explosions, des envois de colis dangereux et de toutes les atteintes aux personnes.

Fallen ne voulait pas apparaître comme un allié objectif de King. Il l'avait reçu pour apprécier par lui-même les aptitudes de ce dirigeant et tester ses capacités à négocier. Il eut le sentiment que le jeune homme n'était pas un jusqu'au-boutiste et qu'il pouvait jouer un rôle modérateur, si l'occasion se présentait, dans la pacification du climat social. Il n'avait pas la faconde de Nixon, ni les gestes théâtraux dont abusait le leader local de la NAACP. Toutefois, il demanda à ses services de filer le jeune leader.

Le 26 janvier, King, qui roulait en direction de son domicile, à Jackson Street, fut arrêté au volant de sa voiture par une patrouille pour excès de vitesse. Il fut jeté en prison. Une foule en colère se rassembla aussitôt sur les lieux où il se trouvait détenu pour protester vigoureusement contre son incarcération. Si la nouvelle mit en joie les gens du FBI à Washington, Fallen ne la reçut pas avec la même satisfaction. Quand il annonça ensuite que le motif de l'emprisonnement, un banal excès de vitesse, était finalement bien trop léger pour qu'on coure le risque d'une émeute, il y eut un froid au bout de la ligne.

« Allô ! Il y a quelqu'un ? s'inquiéta-t-il.

— Oui… C'est quoi ce changement de cap ? Il est en taule ou non, le petit coureur de jupons ?

— Vous parlez de King ?

— Bien sûr ! Aucun cadeau ne doit être fait à cet énergumène. Compris, Fallen ?

— Fallait-il courir le risque d'un embrasement de la ville et de ses environs ? À Selma et à Birmingham, les communes voisines de Montgomery, la tension entre communautés monte chaque jour d'un cran. La libération de Martin Luther King s'imposait. J'ai pris la mesure qui me paraissait être la meilleure pour maintenir la paix civile.

— On passe l'éponge sur ce coup-ci. O.K.

— Entendu ! »

Ils avaient beau fulminer contre cette issue, Hoover et ses hommes durent convenir qu'elle était inévitable.

Autour de moi, la tension croissait. Raymond, fatigué par les heurts avec son patron, avait fini par présenter sa démission quand son chef le somma de ne plus prononcer mon nom dans son échoppe de barbier.

« Il s'agit de ma femme, une honnête citoyenne, monsieur !

— Je m'en fous, vous me suivez ? Vous obéissez ou c'est la porte ! »

Il la prit.

Le retrait de Raymond coïncida avec une recrudescence du nombre de lettres de menaces que les principaux leaders du mouvement de boycott et nous-mêmes recevions. Bertha Butler remarqua bientôt l'état de fébrilité dans lequel se trouvait Raymond. Il ouvrait anxieusement sa porte aux visiteurs et semblait plus que jamais disposé à monter une milice de riposte. La non-violence ne le satisfaisait plus et il était prêt à assurer lui-même, les armes à la main, la défense du quartier, malgré mes exhortations et les prières de ma mère.

Le même mois, King participait à la traditionnelle rencontre du lundi avec les membres de la MIA, qui se tenait dans l'église baptiste de son ami Abernathy. On vint lui annoncer qu'une bombe avait explosé à son domicile, à Jackson Street. Il ne montra aucun trouble. Il savait pourtant que sa femme et sa fille se trouvaient sur les lieux. D'une voix posée, il avertit l'assistance qu'il devait d'urgence quitter la réunion pour rejoindre sa famille. Les siens étaient heureusement sains et saufs, mais la bombe avait emporté une bonne partie de la maison, laissant un trou béant et impressionnant à l'épicentre de l'explosion. Le commissaire de police Sellers et le maire arrivèrent sur les lieux où, instantanément, une foule de curieux, de militants antiségrégationnistes et de boycotteurs s'était formée. Yolanda ne pleurait pas. Sa mère tremblait d'émotion en serrant sa fille dans ses bras, au risque de l'étouffer.

Les jours suivants, dans le quartier de Douglas White junior, les habitations des Blancs qui manifestaient leur sympathie pour le boycott furent à leur tour plastiquées. Le Ku Klux Klan avait décidé de passer à l'offensive. Après la maison de King, celle de Nixon explosa ; on ne déplora, miraculeusement là aussi, ni tué ni blessé. Les nuits suivantes, les membres du Klan, reprenant leurs sorties nocturnes, brûlèrent des habitations censées abriter leurs adversaires noirs ou blancs. Le cauchemar tant redouté par Raymond se révélait plus éprouvant encore. Les eaux de l'Alabama, que nombre de boycotteurs utilisaient aussi comme voie navigable, charriaient les corps des Noirs que les klansmen noyaient ou balançaient dans le fleuve après les avoir pendus ou exécutés d'une balle dans la tête. Les familles touchées échouaient généralement au siège de la MIA ou devant les presbytères des églises. Coach Rufus Lewis, l'entrepreneur des pompes funèbres, tout en participant souvent bénévolement à l'enterrement des victimes, devenait plus sombre. Il pensait quelquefois durcir le mouvement en lançant un mot d'ordre de grève générale. Faire de Montgomery une ville morte le tentait. L'idée ne séduisait que peu de personnes. Par ailleurs, mon recours auprès de la Cour fédérale n'aboutissait pas. Les manœuvres dilatoires de l'administration locale ne laissaient entrevoir aucune issue favorable au conflit. Du côté de la compagnie de bus, les portes de la négociation avaient été brutalement refermées après les trois revendications formulées par King. Plus la violence montait, plus insistant devenait Wonderboy pour que ses troupes ne tombent pas dans le piège des affrontements de rue. L'intérêt que les médias internationaux portaient à notre combat et à ma personne, « à la petite couturière qui faisait vaciller Jim Crow sur son socle », permit à un flot ininterrompu de dons d'arriver, non plus à Union Street, mais à Dorsey Street. Notre association avait dû en effet changer de local et en louer un autre plus spacieux. Le siège de la Montgomery Improvement Association était devenu une ruche bourdonnante. Les cartons s'y empilaient et j'avais beaucoup de travail pour en assurer le tri, avec le soutien de trois ou cinq bénévoles — auxquels s'ajoutait le concours ponctuel de Douglas White. Il avait adhéré à la MIA et contribuait à gérer l'archivage puis la redistribution des aides envoyées aux nécessiteux. La poste de la ville, devant cet afflux d'objets hétéroclites, avait dû recruter du personnel pour la seule distribution des colis qui nous étaient destinés. Il est étonnant que l'administration n'ait rien fait pour bloquer ces arrivages. King venait lui-même prêter main-forte aux équipes qui se relayaient autour de moi. Quand Raymond sortit de sa dépression, on le vit également s'activer avec entrain à nos côtés. J'aimais mieux le voir près de moi, afin de lui parler, de l'encourager. Mais l'alcool, mélangé aux psychotropes, déclenchait des hallucinations qui finissaient par l'épuiser.

Parmi les objets qui nécessitèrent la location d'un vaste hangar, il y avait, pêle-mêle, des chaussures pour adultes et enfants, des vêtements, des bâtons de pèlerin, des cannes, des genouillères, des chasubles, des patins à roulettes, des bicyclettes, des crèmes de massage, des gels contre les contractures, des baumes musculaires. Il y eut même des masques à oxygène. Ils étaient adressés aux boycotteurs pour résister aux gaz et autres bombes lacrymogènes utilisés par la police contre les « pick-up points », les têtes de station de notre réseau de transport parallèle.

Avant la fin de l'hiver, un incessant défilé de journalistes étrangers eut lieu à notre domicile, puis au siège de la MIA. Des Argentins, des Boliviens, des Chinois, des Indiens, des Européens, et particulièrement des Suédois et des Russes amplifièrent ainsi le retentissement de l'événement. La presse new-yorkaise s'intéressant à l'affaire du bus, cette médiatisation énerva le FBI et son ombrageux patron. Celui-ci craignit que Russes et Chinois ne fassent de cette histoire un moyen supplémentaire de propagande antiaméricaine, et n'en profitent pour rallier à leur idéologie les citoyens américains opposés à la ségrégation. Cela poussait Fallen à imaginer une sortie de crise. Près de cinquante mille personnes, en se déplaçant à vélo, à pied, en taxi ou grâce au covoiturage, faisaient perdre à la compagnie des bus environ trois mille dollars par jour.

Douglas White junior continuait, quant à lui, à monter dans les bus, pour écouter ce qui s'y disait. Il glanait auprès des chauffeurs, qui ne se méfiaient pas d'un Blanc, des informations qu'il pouvait me transmettre. Parfois, à la sortie de son travail, nous nous voyions à l'abri des regards. Je me souviendrai longtemps de ce jour où il me retrouva, non point chez nous, mais dans une église près de Burton Avenue, au sud de la ville.

Nous avions décidé de ce rendez-vous pour échapper à la surveillance exercée par la police. J'étais de plus en plus sollicitée et de moins en moins seule, même dans les bureaux de l'association, où White ne me parlait que très peu quand il y avait une tierce personne. Ma vie avait changé. J'étais fêtée par les Noirs et insultée par certains Blancs. Dans mon bloc, les gens du quartier, surtout les femmes, venaient me consulter ou me confier des travaux de couture. Il y avait plusieurs semaines que je n'avais vu White avant ce rendez-vous à Burton Avenue, au mois d'avril. Le pasteur blanc qui nous avait ouvert la porte de l'église, un vieil homme à la mine fermée, s'était montré circonspect devant ce couple qui, pensa-t-il, venait avouer au seigneur quelque sombre forfait. Devait-il discrètement prévenir la police ? Il n'était pas habitué à voir des couples mixtes dans son église. Il nous avait murmuré la bienvenue dans la maison du Seigneur avant de monter dans son bureau.

Je m'étais mise à genoux et priai. Je ne pouvais entrer dans un temple sans un serrement particulier au cœur. Il me semblait que le Tout-Puissant, miséricordieux et bon, celui qui gonflait ma poitrine d'allégresse et mon cœur de pieux battements, était là, réellement présent. Le monde pouvait être secoué de vacarme et de colères, les églises savent accorder à celui qui pénètre en leur sein une atmosphère de calme et de piété. Cela m'a toujours impressionnée et bouleversée. « Rendons grâce à Dieu ! » avais-je murmuré à Douglas, sous mon fichu semblable à ceux que portent les grands-mères. White, dont l'éducation religieuse était fort limitée, était également agenouillé. Demandait-il pardon au Créateur pour sa gourmandise et son attrait sans bornes pour la confiserie ? Il avait fermé les yeux.

À la fin de ma prière, me retournant vers White, j'évoquai à voix basse le regain d'activité des klansmen. Douglas m'entretint à son tour des agissements du groupe des Vigilants de son quartier. Lui avaient-ils causé des problèmes ?

« Non, ils croient que je suis avec eux, puisqu'ils me voient monter dans les bus. Mais, à leur dernière fête, je n'ai pu manger un seul des bonbons que l'on y a servis.

— Sans blague !

— Oui, je n'aurais jamais cru que mes yeux puissent un jour s'en détourner. Il m'a toujours semblé que si on me jetait en enfer, par exemple, mais qu'on m'y apportât des bergamotes, eh bien, elles en adouciraient les flammes. »

J'avais souri, ne pouvant m'esclaffer à mon aise dans l'église. Je racontai à Douglas, pour le pousser à s'intéresser davantage aux questions raciales, la mésaventure d'une jeune fille noire,

Lucy Autherine, conspuée à son arrivée à l'université de l'Alabama. Un groupe d'étudiants blancs, opposés à l'admission de cette première personne de couleur dans leur établissement, l'avait en effet abreuvée d'injures et de menaces.

« Les Vigilants ont parlé de cela ! s'écria Douglas. Ils ont dit, lors de la fameuse soirée à laquelle j'ai assisté, qu'ils défendraient partout, jusque dans les universités, l'ordre et le pouvoir blancs.

— Effectivement, les autorités de l'université ont exclu Autherine au motif que sa sécurité ne serait pas assurée si son inscription était maintenue. Un comble ! »

Je vis que White oubliait un peu ses bonbons et m'écoutait davantage. Après avoir évoqué la décision de la Cour suprême favorable à la mixité raciale dans les établissements scolaires, j'en vins aux derniers développements judiciaires relatifs à mon affaire et au boycott :

« Pour éviter l'enlisement du boycott, l'avocat Durr a suggéré à la MIA et à la NAACP qu'une nouvelle procédure soit lancée. »

Je poursuivis en disant qu'il nous importait de regrouper tous les cas récents de femmes condamnées pour violation des règles régissant les discriminations dans les bus à Montgomery. La cour du district, statuant au niveau fédéral cette fois, devait ensuite se prononcer sur l'inconstitutionnalité des lois autorisant la ségrégation dans les bus.

« Contre qui la plainte sera-t-elle déposée ?

— Contre la commune de Montgomery représentée par Gayle, son maire, sur la base de l'arrêt de la Cour suprême "Morgan contre Virginia" qui, en 1948, avait condamné la ségrégation dans les bus inter-États. »

La nouvelle action en justice allait être connue sous l'appellation de procès Browder contre Gayle, que les médias, et particulièrement le *Montgomery Advertiser*, avaient contribué à populariser.

« Préparez-vous à nous soutenir, *mister* White, l'audience est programmée pour le 5 juin !

— J'y assisterai !

— Prenez garde aux Vigilants ! »

Douglas White m'informa ensuite qu'il s'intéressait aux chroniques judiciaires des journaux et plus particulièrement à celles qui traitaient du racisme. Il apprit ainsi que le maire de Montgomery, W. A. Gayle, était furieux contre la MIA. Il ne décolérait pas qu'une nouvelle affaire relançant les faits de discrimination soit portée devant les tribunaux. Il paraissait aussi inquiet, car l'affaire Browder contre Gayle devait être jugée à un niveau qui ne relevait plus des juridictions locales où son influence était grande et où la contestation des lois Jim Crow ne pouvait que difficilement aboutir. Durr, appuyé par l'intraitable juriste qu'était Thurgood Marshall, qui a depuis siégé à la Cour suprême, avait dit : « Le fait de dénoncer l'inconstitutionnalité des lois de l'État d'Alabama sera plus efficace contre l'ensemble du dispositif Jim Crow que ne le serait le seul procès de Rosa. » Ce dernier s'enlisait en effet en appel, victime de toute une série d'obstructions que la MIA ne parvenait pas à lever.

Quand je revis White, cette fois dans un drugstore du centre-ville où je me rendis sous un déguisement, nous nous installâmes dans la partie réservée aux gens de couleur, déplorant tous deux, d'un même mouvement, cette situation. Il me surprit par sa réprobation vigoureuse du système ségrégationniste et par la qualité de ses informations sur la préparation du nouveau procès. Il voulait si bien me prouver son évolution qu'il se crut obligé de me dire, comme si je l'ignorais, que quatre femmes au moins, avant moi, avaient été arrêtées pour infraction à la loi ségrégationniste dans les bus de Montgomery.

« Dans ces affaires-là, plaisanta-t-il, ce n'était pas moi qui demandais à m'asseoir !

— Néanmoins, le blâmai-je, tu aurais dû intervenir quand j'ai été agressée par James Blake dans le bus en décembre.

— C'est vrai, j'ai été en dessous de tout, je le reconnais. »

Nous avions cependant continué la conversation sur les quatre nouvelles plaignantes qui accusaient aussi les autorités de Montgomery, et le maire en tête, de maintenir des mœurs condamnables et contraires à la Constitution américaine sur son territoire.

« Connaissez-vous personnellement ces femmes ?

— Oui, répondis-je. Je les ai rencontrées. La première, Aurelia Browder, est une diplômée de l'enseignement supérieur, titulaire d'une licence en sciences délivrée par l'université d'Alabama. Elle a refusé de céder sa place à un Blanc de longs mois avant mon affaire. Mais son cas n'a suscité ni mouvement populaire ni indignation. La deuxième, Susie McDonald, a été tout de suite d'accord de se joindre à nous. Quant à Jeannette Reese, intimidée par les menaces dont elle a rapidement été l'objet de la part des autorités municipales aux abois, elle a décidé de retirer son nom de la liste des plaignantes. Rien, ni les exhortations de Nixon ni les regards adoucis de Coach Rufus Lewis, n'a eu raison de sa peur de perdre la vie dans un combat qu'elle estimait voué à l'échec. « Vous me placez entre le marteau et l'enclume. Je ne veux pas être broyée », a-t-elle lancé avant de s'éclipser. La troisième plaignante, Mary Louise Smith, aurait bien pu en vouloir aux membres de la NAACP. En effet, son cas n'avait pas été de prime abord jugé défendable, sous prétexte que son père était un alcoolique notoire. Les juristes avaient ainsi conclu, et Durr s'en est excusé, que le comportement défaillant du père aurait fragilisé notre démarche intégrationniste. La quatrième plaignante, la benjamine du groupe, est Claudette Colvin... »

On l'avait crue la plus influençable. Mais elle

s'est montrée volontaire et d'un tempérament affirmé. Elle avait refusé de quitter sa place dans un bus le jour même où elle devait rendre à l'école un exposé sur les droits civiques. Elle prouva sa force de caractère lors du procès en effectuant un témoignage impeccable, concis et sans faille face aux questions agressives des avocats adverses et des juges.

Au cours d'un autre rendez-vous, au local de l'association où White était venu m'aider au rangement des colis, profitant de la pause-déjeuner et de l'absence de nos collègues, je lui avais raconté combien le boycott accélérait la prise de conscience des Noirs et leur implication dans la vie économique. Je l'avais d'ailleurs invité à se rendre à Davies Street, le premier samedi de mai, au bistrot Calamity Jane. On y fêtait, en soirée, la création de la dix-huitième compagnie de taxis participant au boycott. Elle était, comme les précédentes, l'œuvre d'un groupe de jeunes Noirs résidant à l'est de la ville. Pour encourager cet esprit d'entreprise lié au développement du transport privé, Wonderboy avait institué le prix du « chauffeur du mois ». Il avait pris mon conseil avant de lancer l'idée ; je m'en étais immédiatement réjouie. Le gagnant recevait une sculpture en terre cuite représentant une sucette. Telle fut ma proposition, destinée à associer White à notre combat, à travers un symbole qui lui était cher. La réalisation des sculptures avait été confiée au jeune et talentueux Cleve

Webber. C'était un précoce artiste-peintre de Montgomery. Comme Douglas White m'avait regardée avec des yeux incrédules, j'avais sorti de mon sac une reproduction de l'objet dont je lui parlais.

« Celle-ci est pour toi ! »

Il en avait eu les yeux baignés de larmes. J'ajoutai en blaguant : « Attention, tu ne la manges surtout pas ! »

Dans la foulée, je lui avais confié, pendant que nous rangions les vélos, les mocassins ou les baskets, mes petites frayeurs et celles, plus vives, de Raymond. Ses angoisses, ses hurlements nocturnes, le tintamarre qui semblait envahir son cerveau... Douglas avait lu dans mes yeux ce qui me détachait du Sud : la tristesse de voir mon Raymond s'abîmer. Les vapeurs inconnues qui annonçaient la ménopause me couvraient encore de suées. Raymond était d'une humeur massacrante ces jours-là. Son sommeil, de plus en plus troublé, agressait le mien. L'aube me surprenait veillant sur lui ou sur ma mère. Quand je ne dormais pas, en ayant assez d'écouter la respiration irrégulière de mon mari, tantôt ronflante, tantôt sifflante, tantôt silencieuse, je me levais, descendais doucement le raide escalier en bois, prenais un livre dans la bibliothèque et le lisais dans la cuisine. Je touchais prudemment chaque objet, retournant avec d'infinies précautions les pages des livres, évitant par un geste malencontreux de réveiller les dormeurs. Les ombres de la nuit dansaient et s'épaississaient.

Les bruits les plus anodins, les craquèlements réguliers des arbres, les cris des écureuils, ceux lointains des coyotes aux yeux fiévreux et aux mâchoires dures, les hululements des hiboux, les aboiements des chiens accompagnaient mes nuits. C'étaient d'encombrants partenaires ; ils me tenaient en éveil comme une lueur qui, bien que fragile, piquait les yeux, mais était utile pour diminuer l'épaisseur des ténèbres. Ces bruits me signalaient que le monde était constitué de sons d'inégale valeur, hostiles ou inopportunément bavards, ponctuels ou permanents, agréables ou oscillant entre l'abîme et le salut.

En compagnie de l'enfant mal dégrossi qu'était ce White que j'avais adopté, je ne voulais pas m'appesantir sur mon cas. Riant de ce que je lui avais dit, j'en atténuais ainsi la gravité. On ne raconte pas la pénombre pour s'enfoncer en elle. On la secoue, sinon elle renouvelle ses figures tendues, oppressantes parfois, apaisantes de manière cyclique et aléatoire.

Douglas avait-il récemment ouvert un livre ? Oui, il commençait à lire, mais il pratiquait cette discipline comme quelqu'un qui apprend encore à faire du vélo, c'est-à-dire doucement, avec la peur de manquer d'équilibre, de tomber par terre et de s'érafler les poignets, les genoux et les hanches. J'en ris encore. Ce Douglas était un curieux personnage. En dehors des chiffres et des bonbons, il peinait à trouver de l'intérêt à la vie. Il y avait aussi en lui tout un monde en attente. Il fallait le sortir de sa propre nuit. Il en est probablement toujours ainsi de l'instant imperceptible qui précède le basculement vers la nouveauté. Plus on la guette, plus elle tarde à venir, comme peuvent paraître longues à éclore les fleurs que l'on fixe du regard. Je lui avais demandé :

« White, pensez-vous parfois à l'avenir ?

— Je l'attends ! »

Voilà, me répétai-je en moi-même, il va guérir, puisqu'il espère. Mais pour accélérer le processus, il fallait agir de façon plus volontaire. Une parabole de Manga Bell, concernant la passivité en pays mandingue, me revint. Elle raconte que des personnes en quête de fortune l'attendaient sous le grand tamarinier. Une légende disait que quiconque assistait à l'apparition de la fleur pimprenelle, au sommet de l'arbre, devenait fortuné. Aussi voyait-on parfois, sous le grand tamarinier, des êtres anguleux et perdus s'affaissant comme des bougies consumées dans le tunnel d'une vie manquée, réduite, mangée, engloutie dans l'attente d'un miracle. On entendait s'élever sous le tamarinier des toux sèches et le sifflement de poumons viciés, rejetant dans l'air le souffle rauque des derniers soupirs de ceux qui ne verraient pas la fleur d'abondance. Ils s'étaient desséchés dans la posture d'attente en pays mandingue, malinké, soussou, ibo, fang, kongo ou beti, devenant de pauvres hères aux yeux abîmés, au teint cireux, aux nerfs à fleur

d'une peau ravinée par l'accroupissement exta-
tique devant une miraculeuse et vaine floraison
tamarinière.

Ces derniers temps, je ne sais pourquoi, je
demande à Elaine de me faire écouter *Man in the
Mirror*, l'une des chansons de Michael Jackson.
Elle m'émeut. Elle évoque peut-être le passé qui
ne sort pas de la brume. Et, quand je l'écoute,
je vois Wonderboy et Kennedy assis devant un
miroir. Ils auraient dû mieux s'entendre ici-bas.
Un homme assis devant son miroir attend parfois
désespéré que le monde change ou que le miracle,
lui prenant la main, lui dise : bouge de là !

Folks n'attendait pas ! Il agissait et recevait toujours des lettres de son frère en totem,
Souleymane Barry. Celui-ci lui avait manifesté sa
joie, après avoir pris connaissance du rite punitif
qui avait eu lieu pour enlever l'épine Jim Crow
de la plante de nos pieds de marcheurs, de boycotteurs.

Les petits sont parfois
de gros méchants

« Slim, je veux connaître les liens qui unissent Manga Bell à King. Je veux savoir ce qui se trame entre Rufus et la bande d'enragés qui contestent les lois. Les gens de Washington en ont plus qu'assez de ces macaques qui pourrissent la vie des braves gens de Montgomery. Si tu veux obtenir ta dose de cocaïne, il nous faudra des renseignements plus exploitables, bordel, que ceux que tu as donnés jusqu'ici ! »

Le jeune homme ouvrit la bouche et accusa King de plagiaire, de voleur des phrases des autres. D'un geste le policier Greg Diamond, mandaté par son patron, l'interrompit :

« De toute façon, à Washington, on était déjà au courant que King avait soutenu un PhD à Boston. Penses-tu que nous ignorions qu'il est passé maître dans l'art de s'approprier les citations des autres, hein, petit morveux à tête de pingouin ?

— Nixon ne l'aime pas. Il dit que...

— On s'en fout de ce que ce bavard d'Edgar Nixon, son rival, pense de lui. Qu'ils se chamaillent et s'étripent autant qu'ils le souhaitent à l'intérieur du merdier où ils se sont mis est le cadet de nos soucis. Non, que dis-je, il est bon que ces emmerdeurs poursuivent dans cette voie et qu'ils se dévorent! Ouais, qu'ils se saignent et on ramassera gaiement les cadavres! S'ils n'y arrivent pas, on les y aidera, on mettra le nez dans leurs comptes et dans leurs alcôves! On les aidera, hein?

— C'est cela, chef!

— A-t-on déjà vu des nègres réussir une affaire? Toutes ces sommes qui affluent pour soutenir cette saloperie de boycott, on regardera ça de près le moment venu. Es-tu au courant que ce diable de King a récemment acheté des voitures Chevrolet?

— Pour quoi faire?

— Pour fabriquer des cerfs-volants, connard! Ma parole, qu'as-tu donc dans la caboche? Un cerveau ou de la purée de pois chiches? Les congrégations achètent maintenant des voitures pour transporter les boycotteurs. Après l'église baptiste de Dexter Avenue, sais-tu quelle autre église a acquis une automobile-taxi?

— Euh, je l'ignore. Je pense que c'est de la frime, tout ça!

— De la frime!... De la frime!... Quand on ne sait pas, on demande. Compris? On demande ou, mieux, on la ferme. Depuis avril, les églises de Madison Avenue, de Mobile Road, d'Oak Street, de Holt Street, de Day Street, de Hutchinson Street, de Ripley Street, de...

— Toute la ville...

— Pas de persiflage, négro, pas de persiflage, ou je dévisse ta pastèque de ces épaules inutiles. Je te le dis tout net, tes renseignements sont nuls. Bon sang, tu ne nous as rien rapporté de consistant sur les vices cachés de ce King, sur son train de vie, sur les gens que rencontre sa femme pendant qu'il prêche. On veut savoir s'il a fumé un joint dans sa vie. À Dexter Avenue, quelles femmes fréquente-t-il en secret? Bon sang de merde, à qui veux-tu faire croire qu'il n'aime que Coretta? Un nègre, un vrai, peut-il se contenter d'une seule femme, hein? Note bien les noms de ses maîtresses, et vite! Et puis, parmi toutes ces chiennes blanches qui bêlent ses louanges, n'y en a-t-il pas une seule qui soit déjà allée se fourrer dans son lit, hein? Cette Jo Ann Robinson, cette Virginia, cette Bernice, cette Irene West et autres Mary Fair, bref, toutes ces écervelées du Conseil politique des femmes de Montgomery qui n'ont que son nom à la bouche, aucune n'a donc approché de plus près celui qu'elles appellent en se pâmant Wonderboy? Écoute, petit gars aux oreilles pas assez décollées, le procès du 5 juin approche et nous voulons des renseignements plus... plus intéressants et croustillants. Nous voulons confondre ces bellâtres et bouter hors d'ici la horde de faussaires et d'agitateurs qui plastronnent en Alabama! Je veux savoir ce qu'il fabrique avec les homosexuels qui le soutiennent et ce qu'il fout avec ce communiste de Smiley qui lui écrit ses discours! Toi et ta bande, vous n'êtes pas des cracks, vous ne savez que sniffer la poudre ! Vous n'êtes que des bons à rien ! Le patron te transmet un ultimatum : si tu ne révèles rien, on ressort tes saletés et au gnouf ! Il ne te recevra ni aujourd'hui ni demain. N'oublie pas que c'est grâce à lui que la potence ne t'a pas encore envoyé son invitation ! Compris ?

— Cinq sur cinq, chef ! »

Slim était sorti tremblant du bureau de police où Greg Diamond venait de lui passer un mémorable savon. Le petit délinquant était à la recherche d'une drogue et son souffle haletant semblait ralentir puis s'accélérer subitement sans qu'il y puisse grand-chose. Il transpirait à grosses gouttes. Passant à proximité d'un saule pleureur, il cassa violemment une de ses branches comme s'il voulait ainsi détruire la potence qu'avait évoquée Diamond. À l'heure qu'il était, c'est-à-dire à onze heures du matin, les membres de sa bande dormaient encore et il aurait été mal venu pour lui d'aller les réveiller dans l'état où ils se trouvaient. Ils n'avaient probablement pas encore digéré tout l'alcool et toute la drogue de la veille. Devait-il aller se coucher et dormir ? Non, il n'en était pas question ! Aller mendier une dose de cocaïne chez un ami qui pouvait le dépanner ? Peut-être ! Il hésita entre se rendre à Columbus Street ou pousser vers Pleasant Street. Pleasant se trouvait plus loin vers le sud-ouest et Columbus était à quelques blocs. Mais il n'aimait pas se rendre dans ce quartier qui se trouvait près de la prison de Ripley Street. Il y avait déjà séjourné et ne souhaitait pas remuer en lui de mauvais souvenirs. Il fonça néanmoins sur Columbus Street. C'était plus près. Il avait tellement besoin de sa drogue !

Au niveau de Madison Avenue, il crut être victime d'une hallucination : Manga Bell se tenait sur le trottoir, un journal à la main. Slim se frotta les yeux. Il ne rêvait pas. Il décida donc de revenir sur ses pas et d'épier les mouvements de cet homme dont on venait de lui parler. Il sortait de l'église baptiste de Dexter Avenue. Quand il eut replié son journal, un sourire de satisfaction effleura ses lèvres. Slim le suivit. À distance l'un de l'autre, ils se dirigèrent vers le pick-up point de North Hull Street. Son chapeau bien enfoncé sur la tête, Slim suivait l'élégante silhouette de Bell. Il avait déjà croisé l'Africain à plusieurs manifestations et savait d'ailleurs où habitait cet homme assidu aux messes de Wonderboy. En cette fin de mois de mai, les Montgomériens, retrouvant progressivement le bienheureux climat printanier, s'élançaient encore plus facilement à pied sur les trottoirs. Les marcheurs plaisantaient entre eux, s'adressaient des signes d'encouragement quand bien même ils ne se connaissaient pas. Peu de bus roulaient désormais dans la ville. En réalité, ils auraient même dû rester au garage si la compagnie des autobus avait uniquement tenu compte de ses résultats financiers. Ils étaient catastrophiques. Des mécènes s'étaient entremis, avec l'appui des autorités locales, pour voler au secours des transporteurs. Interrompre la circulation des bus revenait à admettre notre victoire. Certains magasins avaient fermé et la plupart des commerçants étaient impatients de revoir leur ville fonctionner normalement. Leurs plaintes étaient vaines, leurs exhortations à arrêter les leaders du boycott échouaient.

Au pick-up point de Hull Street, Manga Bell conversa longuement avec des chauffeurs, salua vigoureusement des membres de la NAACP et les Blancs qui continuaient à affluer, eux aussi, et à soutenir le boycott malgré les attaques du Klan.

Une heure après, Manga Bell reprit le chemin de son domicile. Slim se sentit de plus en plus mal. Il avait besoin d'une dose. Quant à Bell, sa journée était satisfaisante et il comptait aller se reposer avant de prendre son travail de nuit dans une pompe à essence située à Lake Street, vers la sortie sud de la ville. Il était content de la rencontre chez Wonderboy où, après discussion avec les membres exécutifs de la MIA, il avait été décidé d'envoyer une lettre de conciliation au chef de la police, G. J. Fallen. King réaffirmait l'option pacifique du mouvement qu'il dirigeait. En revanche, il appelait les forces de l'ordre à assurer la protection des boycotteurs et de tous les membres, blancs et noirs, de son association. Nixon avait souhaité l'envoi d'une lettre plus vindicative et virulente. En pure perte.

King avait soutenu sa thèse de doctorat en juin 1955 à Boston et préparait un livre qui s'en inspirait largement. Il avait cependant pris le temps, quelques jours plus tôt, de convaincre Jo Azbell, le journaliste blanc du *Montgomery Advertiser*, de publier un portrait de Manga Bell, lui indiquant tout le profit que la communauté des boycotteurs tirerait de cette publication. Le journaliste avait favorablement accueilli cette suggestion. Il venait donc de faire paraître un entretien avec l'Africain le jour même. Slim, le drogué, ne l'avait pas lu. S'il en avait pris connaissance, peut-être aurait-il compris le ton courroucé du policier qui l'avait reçu en lieu et place de son patron. Pourtant, Fallen n'aimait que le contact direct. Il fallait qu'il fût remonté contre Slim pour demander à un subalterne de le recevoir et de le sermonner. Était-ce le signe que l'indicateur était tombé en disgrâce? Il tenait à sa place. Il tenait à la drogue qu'on lui fournissait gratuitement. « Au diable, les nègres et leur putain de boycott! » rugit-il. Reportant son attention sur Manga Bell qui ouvrait la porte de son appartement, Slim sentit une aigreur nauséeuse monter en lui. Il détestait cet homme, celui que Jo Azbell présentait comme « le messager ».

En sonnant à la porte de Manga Bell, Slim expira fortement pour ne pas trahir son trouble. L'Africain lui ouvrit en souriant.

« Que puis-je pour vous? »

Slim enfonça ses poings dans ses poches. Ils lui démangeaient sans qu'il puisse expliquer pourquoi.

« Je viens vous parler...

— Entrez ! »

Manga Bell l'invita à s'asseoir et lui dit :

« Vous êtes le chiendent ?

— Moi ? Du chiendent ? »

Manga Bell sourit et lui cita un dicton mal-
gache : « Je suis le chiendent qui vous accroche
le pantalon. Mais ce n'est pas pour vous faire
tomber, c'est juste pour que nous parlions... »

Il avait siffloté, laissant son interlocuteur
méditer ce qu'il venait de lui dire. Puis, se tournant vers son visiteur, il s'enquit :

« On s'est déjà aperçus, non ? Ah, vous avez
peut-être lu le journal. »

Il traînait sur la table. On voyait en effet, sur la
couverture, la photo de Manga Bell. L'Africain
était fier de ce reportage dans lequel il avait
exprimé ce qu'il avait sur le cœur depuis qu'il
était arrivé, cinq ans plus tôt, en Amérique.

« Je n'ai pas lu le journal.

— Il est sous vos yeux. Lisez-le pendant que
je nous prépare une tisane. Ça vous dit ? »

« Ah, comme il se la joue, cet avorton », pensa
Slim. « C'est votre photo ? grinça-t-il, sans desserrer les dents.

— *Yes, sir !* Ce boycott est une magistrale
leçon, ne pensez-vous pas ? Il aurait pu nous
diviser, nous les nègres ; mais je suis heureux de
ce que je vis, vous ne pouvez imaginer à quel
point !... »

De la cuisine où il faisait chauffer l'eau, Bell

parlait à un visiteur qui refrénait la colère qui bouillait en lui.

« Il me nargue, oh! il me nargue, ce salopard! se dit-il. Il est heureux, ce vendeur d'esclaves, et moi je vais crever sans ma came! Il croit que sa tisane me servira à quelque chose? Je vais la lui faire avaler de travers. Shit! Il m'a vendu, ce type, et il vient plastronner ici. Ah, la vengeance n'est-elle pas un plat qui se mange froid? Qu'il continue à la ramener et on verra!... »

De la cuisine, Manga Bell parlait :

« Je viens de discuter avec les chauffeurs de taxi. Aucune des difficultés, aucun des pièges que leur tendent le Klan et la mairie ne les démonte. Quand quelqu'un est déterminé, il est presque impossible de le détourner de son objectif. Non, l'ami?

— Bien sûr! » répondit-il mécaniquement. Il se dit : « Oh, il parle d'or, ce descendant des vendeurs d'esclaves! Ce gars me chauffe les nerfs. Qu'il continue et je vais lui faire bouffer sa putain de langue de merde! »

Ses yeux jetaient des flammes qui auraient pu, auraient dû, consumer son interlocuteur sur place. Le bruit d'une vaisselle échappant des mains de Manga Bell tinta. Une marmite, au couvercle récalcitrant, émit en tombant un bruit strident. Ces sonorités aiguës lui raidissaient les muscles du visage. Ah! il détestait ça! Ce son faisait vibrer ses dents de manière désagréable. Elles s'entrechoquaient, déclenchaient une épouvantable tension de ses muscles et de ses nerfs. Il avait toujours eu horreur de ça. « Ne pouvait-il donc pas faire attention, cet avorton de fils de marchand d'esclaves ? » maugréa-t-il en tremblant. Bell, tout joyeux et maladroit, laissa tomber le couvercle de sa bouilloire dont les ondulations sur le carrelage ébranlèrent la patience du visiteur. « Il paiera l'addition. *Shit!* pesta Slim, *he has to pay for himself and for his fellows!* » Il baissa les yeux pour ne pas bondir immédiatement en direction de Bell comme un fauve blessé.

Les yeux exorbités du jeune drogué retombèrent sur la photo de Bell. Il se saisit du journal. Les pages tremblaient entre ses mains nerveuses. Des ondes étranges semblaient transpercer de leurs invisibles piquants son corps en manque de drogue. Une image inouïe se fixa dans son cerveau embrumé : la carte de l'Afrique. Non, pas ça ! Pas cette terre des abandons ! Pas ça ! On n'est pas obligé de ressasser en soi le tourment perpétuel. On n'est pas condamné à revoir cette masse inerte de terres inertes. « J'étouffe ! Je vais crever ! Je dois me ressaisir ! Je dois attendre cette satanée tisane et mon tourmenteur... »

La voix de Manga Bell lui dit :

« C'est la première fois que je parle ainsi de nous. J'ai fait ma confession dans le journal que vous avez en main. »

Slim lisait pendant que Manga continuait à soliloquer :

« Les herbes hautes ou basses, les odeurs chatoyantes ou les couleurs rutilantes du ciel et de la mangrove peuvent vous manquer, mais ce qui manque le plus à un être, c'est celui qu'on attend et qu'on n'a pas connu. Qu'attendez-vous de la vie, cher monsieur ? »

Il ne répondit pas. Il eut envie de vociférer : « J'attends la drogue ou je te bute ! » Il fit :

« Je ne sais pas !

— Celui que j'attendais, c'est vous !

— Moi, bondit Slim. Ce n'est pas possible ! »

« Il est dingue, ce type », murmura-t-il.

« Je plaisante, disons que, sous le ciel torride d'Afrique, parce que nous y sommes aussi brûlés par le remords, j'étais impatient de rencontrer mes frères d'Amérique ! Nous avons vendu les nôtres comme du vulgaire bois de chauffage en échange d'objets de pacotille. Je remercie Jo Azbell de m'avoir permis d'exposer ce qui est écrit dans l'article que vous avez devant vous. Jetez-y donc un coup d'œil ! Azbell ! Avez-vous remarqué que ce nom rime avec Bell ? »

Slim avait les yeux qui rougissaient de plus en plus. Il lut l'interview : « Vous me demandez, monsieur Azbell, pourquoi je suis venu en Amérique ? Pour calmer ma tempête intérieure. — Que représente Rosa à vos yeux d'Africain ? — Une douce mère, car c'est ainsi que nous nommons nos mamans. *Sweet mother, she is a sweet mother !* Rosa, Wonderboy et tous les autres leaders du boycott auront des statues en Afrique. Ce sont des héros. » Avait-il une chose à reprocher aux Noirs qui ne participaient pas au boycott ? « Non, répondit-il. Ils ont la peur au ventre

323

et c'est humain. L'esclavage fut une faute que les Africains doivent eux aussi expier. »

Slim était comme ivre. Il n'arrivait plus à lire et les mots dansaient sous ses yeux. Ils le menaçaient, lui lançaient d'aveuglants éclairs, lui sautaient dessus, lui enserraient la gorge. Ils allaient le tuer s'il poursuivait sa lecture. Il leva la tête du journal. Une dague, dans son étui en cuir, était accrochée à l'un des murs du salon. C'était un cadeau, offert à Manga Bell par son chef de village. Les yeux de Slim ne se détachaient plus de la dague. Était-ce un de ces sortilèges que les Africains promenaient avec eux et dont certains terrorisaient les Blancs ? Lui, Slim, l'Américain, ne possédait rien qui puisse effrayer ses maîtres. *Shit!* Comment cet avorton de Bell détenait-il un objet que le FBI n'avait pas encore subtilisé ? Que la merde les ensevelisse tous ! Que l'enfer emporte les gens qui ne lui donnaient pas sa drogue ! « Je leur prouverai que j'ai fait mieux qu'écouter ce marabout intrigant qui me soûle de mots. Peut-être a-t-il d'ailleurs glissé un poison ou un sortilège dans la boisson qu'il prépare ! *Shit!* Moi, le camé, moi Slim, nègre honteux, je prouverai aux flics que j'ai arraché à King, qu'ils redoutent, son gourou de merde. Je le leur prouverai !... »

Dans la cuisine où il avait achevé de préparer la collation, Manga Bell soulevait enfin le plateau contenant les boissons et quelques tartines à la confiture de goyave. Il n'entendit pas son visiteur bondir tel un félin sur la dague qui pendait au mur. Slim tira la lame de son fourreau d'un geste sec. D'un bond, il fut sur sa victime et lui planta la dague en plein cœur. Il y eut un bruit mat suivi d'un crépitement de vaisselle brisée. La vie s'envola du corps frappé avec la soudaineté d'un éclair.

La victoire

La cause du décès de Manga Bell me reste
en travers de la gorge. Un communiqué avait
été diffusé qui prétendit que notre ami avait
succombé des suites d'« une bouffée narcissique
aiguë, suivie d'un important délire christique,
dont la combinaison avait entraîné un suicide » !
Le médecin légiste commis à sa rédaction indiqua
qu'un choc émotionnel, probablement consécutif
à une notoriété aussi soudaine qu'ingouvernable,
accentuée par l'article du *Montgomery Advertiser*,
avait contribué à déstabiliser l'Africain, le pous-
sant à abréger ses jours. Nous nous étions
regardés avec étonnement, stupeur et doute.
On évoqua aussi, dans les couloirs du siège de
la Montgomery Improvement Association, les
éléments qui auraient pu avoir une influence
négative sur le psychisme du défunt : l'enlisement des procédures judiciaires lancées par la
MIA, la grogne de certains marcheurs radicaux
qui n'en pouvaient plus, les rumeurs malveill-
antes diffusées par le KKK et qui concernaient
ma vie privée, ma liaison supposée avec King,

Nixon ou Bell lui-même. Le maire de la ville joua avec nos nerfs en affirmant, contre toute logique, que nous avions donné ou nous apprêtions à prononcer l'ordre de lever le boycott. On trouva les cahiers intimes de Manga Bell. Il avait composé ce qu'il appelait une Haute Cour morale, chargée, selon lui, de « laver l'histoire de la honte esclavagiste » et qui serait compétente pour instruire « toute plainte relative aux procès en réparation morale ».

On avança que Manga Bell avait perdu la tête, qu'il ne l'avait du reste jamais complètement eue droite sur ses épaules, qu'il avait sombré dans le désespoir après une déception sentimentale avec une blonde du Kansas que le FBI avait envoyée nous espionner.

Les membres de la MIA et de la NAACP avaient trouvé la cuisine propre, la vaisselle bien rangée, mais Manga Bell baignant dans une mare de sang, la dague dans la main droite et un crucifix dans l'autre.

Au 454 de la Dexter Avenue, dans l'église baptiste où officiait le pasteur Martin Luther King, les signes de deuil avaient été apposés. Un crêpe noir pendait à l'entrée de l'église et une veillée avait été organisée. Les membres de la MIA y assistèrent, ainsi que les militants de la cause du boycott consternés par ce triste événement que personne n'avait prévu. Bell semblait à tous si maître de ses nerfs !

Raymond et moi étions affligés. Pour lui, dont le pessimisme s'aggravait, il s'agissait d'un meurtre commis par le Klan et par personne d'autre. Il avait participé avec Bell à la distribution des tracts et à plusieurs opérations de solidarité ou de maintien de l'ordre pendant les meetings des intégrationnistes. Il était persuadé que Bell ne pouvait avoir mis fin à ses jours. Délire christique? Non, c'étaient des foutaises! En tout cas, la mort de Bell fut un rude coup porté à sa propre fragilité mentale. Les jours suivants, il sombra un peu plus dans une léthargie que je tentais de combattre en l'obligeant à sortir et à voir du monde. Comme Bell n'avait aucune famille en dehors des membres de la MIA et des militants de la NAACP, Coach Rufus Lewis indiqua qu'il prenait à sa charge tous les frais nécessaires à l'inhumation du disparu. La foule n'avait pas été nombreuse à la veillée, sans doute à cause de l'absence du corps, car les formalités policières devaient se poursuivre, arguat-on; il fallait aussi savoir si le corps devait être rapatrié vers le golfe de Guinée ou inhumé à Montgomery. On trouva opportunément une lettre au domicile du «suicidé» dans laquelle il indiquait qu'au vingtième jour de sa mort il voulait que ses cendres soient répandues dans l'Atlantique. «Pour reposer avec ceux qui ont été avalés durant la traite», écrivait-il. L'autre cause de la faible mobilisation des Montgomériens à ses obsèques fut la célébration de la fête de la ville, le fameux «Jubilee», que la majorité des boycotteurs voulaient transformer en «carnaval du changement». Nous avions ainsi mis en fabrication des chars tractés par des bus de l'égalité, représentant chacun les couleurs des nations européennes et américaines qui exercèrent à un moment ou à un autre leur souveraineté dans la région. Il y eut donc les couleurs des drapeaux français, britannique, étatsunien, et, sur insistance de King, celles des confédérés, les troupes sudistes pendant la guerre de Sécession. Il voulait que la fête communale fût celle du rassemblement et non de la dispute. Cinq autres chars représentaient les nations indiennes : Cherokees, Séminoles, Muscogees, Chikasaws et Choctaws. Enfin, sur ma proposition, un char spécial, aux couleurs du Tuskegee, ma ville natale, avait été fabriqué. Il s'était surtout agi de rendre hommage à Washington Carver, le botaniste noir. Sur un fond bleu, au milieu d'un champ de coton, apparaissait le portrait du scientifique. Trois volontaires s'étaient proposés pour la réalisation de ce char : l'artiste-peintre Cleve Webber, le regretté Manga Bell et Scottie Folks junior.

Pendant la fête, Wonderboy prit la parole pour s'adresser aux Montgomériens. Il évoqua Jefferson Davis, l'emblématique président des confédérés. Il était devenu le symbole de la fierté des sudistes après le 21 juillet 1861, lors de la bataille de Bull Run où triomphèrent, à la surprise générale, les troupes de la Confédération. « Il n'empêche, ajouta Wonderboy, que ce fut une victoire à la Pyrrhus, car elle fut plus lourde à payer pour l'ensemble de la nation qu'une défaite. Elle cristallisa les peurs, la haine et le ressentiment. » L'orateur appela cependant à la poursuite du boycott, faisant ainsi taire la rumeur qui prétendait qu'il s'apprêtait à déclarer la fin du mouvement. Il n'omit pas de saluer la mémoire de Manga Bell, « ce grand combattant de l'égalité que nous avons perdu ».

Pour la première fois de sa vie, Douglas White consentit à participer à la fête communale. Il se déguisa même en artiste noir. Il se détourna des barbes à papa, du pop-corn, des cacahuètes et des pistaches caramélisées. Au cours de l'une de nos entrevues, pendant la décoration des chars à laquelle il avait accepté de participer, il m'avait promis de se déguiser. Au vrai, il n'avait pas retiré un sentiment heureux de ce travestissement. Le maquillage était trop dégoulinant et il craignait que les Vigilants ne le repèrent et l'attaquent dès la fête terminée, comme ils se plaisaient à le faire pour ceux qu'ils nommaient les « traîtres à la cause blanche ». Si la fête connut un immense succès populaire cette année-là, avec la participation de nombreux artistes de country music et de blues, elle n'eut pas le même goût pour tout le monde en raison de la disparition de Bell. Nul ne put cependant nier que les esprits en sortirent requinqués et la mobilisation des boycotteurs confortée.

Deux semaines après le carnaval, le 5 juin 1956, eut lieu la séance capitale de la Cour fédérale

examinant notre recours sur l'inconstitutionnalité des lois ségrégatives dans les transports
publics en Alabama. Le fameux et décisif procès Browder contre Gayle. King était inquiet,
lui d'ordinaire si maître de ses nerfs. La veille,
comme j'étais nerveuse, Douglas White m'avait
demandé s'il pouvait témoigner. Il était lui aussi
gagné par la nervosité. « Mon témoignage serait
peut-être décisif, suggéra-t-il.

— Malheureux, tu te ferais tuer par le KKK!
Il n'en est pas question. Et puis, les juges trouveraient là un simple artifice de procédure destiné
à émouvoir les foules.

— Je suis prêt à subir leurs foudres!

— Non, garde-toi en vie. Il y a déjà eu assez
de morts comme ça et dont nous sommes bien
incapables de dresser la liste complète. »

White me quitta, tout aussi pensif qu'il était
arrivé. C'est la seule fois que je redoutai de
le voir craquer et tout raconter. Il ne fut pas
la vedette de ce procès que l'histoire a retenu
comme décisif dans le bras de fer entre les grévistes et les autorités ségrégationnistes. Bien sûr,
on parlait toujours de moi dans les journaux.
Ma boîte aux lettres ne désemplissait pas de
lettres de menaces et d'insultes, et les dessins
de presse me montrant en épouvantable guenon
continuaient à être publiés dans les magazines
racistes. Pour nous remonter le moral, les aides
financières et matérielles arrivaient sans discontinuer. Je dus cependant déployer une belle
énergie pour dérider Raymond. Il commença à

se plaindre de maux de ventre que les premiers médecins consultés attribuèrent un peu vite au stress, les jugeant même imaginaires. Pourtant, ils étaient liés aux prémices du cancer : celui qui l'a emporté en 1977.

Mère Leona n'était pas très vaillante non plus. Ses douleurs dorsales s'étaient réveillées. Le va-et-vient continuel dans la maison n'arrangeait pas sa délicate santé. Elle devait elle aussi se rendre disponible et faire, contre la persistance des douleurs, bonne mine. Quand nous bavardions toutes les deux, elle ne voulait pas montrer de signes de fléchissement qui m'eussent inquiétée ou détournée de ma tâche au secrétariat de la NAACP, ou qui eussent ralenti la cadence des entretiens que j'accordais aux médias. Ma mère s'impliquait toujours, flanquée de Butler, dans la préparation des *potluck dinners*, ces dîners à la bonne franquette que la MIA organisait. Nous y récoltions des sommes importantes pour soutenir le boycott. Leona avait tant rêvé, sa vie durant, d'obtenir par son militantisme la fin des lois Jim Crow qu'elle vivait l'année du boycott comme l'un des événements les plus significatifs de son existence. Fière du rôle de sa fille, elle était ma première supportrice et redoublait donc d'efforts pour masquer ses propres défaillances physiques. Ce fut aussi la malade Leona qui se chargea de Raymond. Elle débordait d'énergie pour lui mitonner les petits plats en sauce dont il raffolait. Elle n'en critiquait pas moins son attitude et les beuveries qui aggravaient les ulcères à l'estomac dont il se plaignait. Il se laissait aller, oubliait de se raser, se traînait comme un légume. À peine avait-il manifesté un certain allant qu'il était de nouveau submergé par la peur, l'anxiété et les émotions négatives. Felix Thomas venait lui rendre visite et cela semblait lui convenir. Quand Thomas n'était pas disponible, c'était le jeune Scottie junior qui arrivait, un conseil de son correspondant africain à la bouche, une fiole dans une main et des cartes d'Afrique dans l'autre. Un jour qu'il s'était trouvé avec Scottie dans le taxi de Thomas, la voiture roulant à vive allure écrasa un serpent. Scottie manifesta une si vive inquiétude que le chauffeur dut s'arrêter un kilomètre plus loin. L'adolescent, rendu superstitieux par les enseignements de son père et la correspondance qu'il entretenait avec Souleymane Barry le Guinéen, exigea qu'on fît demi-tour afin de manifester clairement sa désolation à la dépouille du serpent.

« C'est insensé, maugréa Raymond, nous allons perdre du temps !

— Peut-être, mais si nous ne présentons pas d'excuses au mort, le boycott risque d'échouer !

— Fadaises ! Ce n'est pas à un reptile d'en décider !

— Je vous l'assure, Thomas, si on écrase un serpent, on met en péril les projets auxquels on tient le plus.

— D'où tires-tu ce charabia, jeune homme ?

— D'un sage africain !... »

Ils avaient donc rebroussé chemin. Folks junior, dont le père était mort l'année précédant le boycott, descendit de voiture et s'enfonça dans la forêt toute proche. Il en ressortit avec des herbes qu'il jeta sur le corps de l'animal et récita, à la stupéfaction de ses compagnons, des paroles de repentir. Puis ils reprirent la route, graves et pensifs. Ils arrivèrent au siège de l'association MIA où nous avions besoin d'aide et de renfort. Je ne prêtai pas immédiatement attention aux paroles de Raymond sur les rituels de Scottie. J'avais fort à faire. À la maison, j'en entendis encore parler.

Pendant l'année de boycott, ce ne sont pas seulement les discours inspirés de Wonderboy qui avaient marqué ma mère. Une phrase lui revenait souvent en tête et lui étirait les lèvres d'un gai sourire. Edgar Nixon, parlant un jour de moi, avait eu ce mot qui plaisait à mère : « Rosa est couturière, mais je peux vous dire que c'est un grand homme. » Leona adorait le répéter, à Bertha Butler comme à ses visiteurs. Elle s'inquiétait certes des sollicitations qui me retenaient de plus en plus hors de la maison, mais s'en faisait une raison : « Bertha, je ne me plains pas, car ma fille a toujours bien fait ce qu'elle a décidé d'entreprendre. Je lui ai dit combien la foi chrétienne nous conduirait au bonheur. Et elle m'a suivie. Je n'ai jamais accepté la séparation entre Blancs et Noirs. Elle non plus. » Elle s'interrogeait sur le temps que durerait cette aberration et sondait ses interlocuteurs sur l'identité des Américains. Butler eut droit à ce sondage :

« Qu'est-ce qui nous unit, ma fille, à votre avis ? »

Elle aimait bien s'adresser à elle ainsi, en lui parlant comme si c'était moi qui étais en face d'elle.

« Le hamburger et le colt, j'imagine !

— Hum ! Il n'y a que le dollar qui nous unit. C'est notre seul et malheureux trait d'union. Je vois une autre malédiction qui guettera Blancs et Noirs : la drogue ! Elle frappe de plein fouet les jeunes et cela m'épouvante. Regardez bien, Bertha, les adolescents que nous croisons ici. À peine nés, ils sont déjà candidats à la destruction par la drogue avant même que le KKK ne se mêle de leur empoisonner l'existence... »

Quand elle était lancée, mon ancienne institutrice de mère était intarissable. Ma copine l'écoutait donc : « La dureté de l'Amérique est un fait. Le culte du succès aussi. Il pousse ceux qui échouent à la "ruine de soi". Les uns pensent vivre mieux en vendant des paradis artificiels et les autres imaginent qu'ils échapperont à moindres frais à l'impitoyable bagarre sociale et économique en s'y réfugiant. Le boycott met heureusement de nombreux jeunes dans le sens de la marche positive ! » Mais après la mobilisation, conserveraient-ils longtemps la faculté d'avancer ou feraient-ils marche arrière ? Bertha n'avait pas de réponse à cela. Leona, le redoutant, s'en remettait au Seigneur :

« Prions le ciel pour notre victoire !

— Oui, l'Amérique n'aime pas les perdants.

— Justement, Bertha, nous, les Noirs, avons trop longtemps donné le sentiment que nous étions perdus dans ce pays. Bertha, mon enfant, la confrontation permanente est notre croix. Mais il plaît aux Américains de crier qu'ils sont jeunes et aussi les meilleurs. *We are the best !... at what ?* Dans le crime par les armes à feu, la ségrégation, le mal-être, la disproportion entre richesse criante et pauvreté affligeante ? *Do you, my dear, see what I mean ?*

Pour nos juristes, le pronostic du procès du 5 juin était serré, mais on pouvait gagner. Les informations recoupées, vérifiées, triturées, indiquaient que, parmi les trois juges désignés pour le procès Browder contre Gayle, l'un d'entre eux, Seyborn H. Lynne, était un conservateur dont le vote ne leur serait pas forcément favorable. Un autre, Richard Rives, semblait pencher pour la voie intégrationniste. Les choses n'étaient pas figées, mais tout donnait à penser que l'issue du procès reposait sur l'attitude du troisième juge : Franck M. Johnson junior. C'était un vétéran de la Seconde Guerre mondiale. Il comptait parmi les héros du débarquement de Normandie, en France, et avait d'ailleurs été sévèrement blessé pendant les combats. Il était doté d'un courage exceptionnel et il racontait souvent sa guerre, la fraternité des armes, les solidarités tissées avec ses compagnons noirs sous le feu ennemi.

Après l'audience des plaignantes et de leurs contradicteurs qui eut lieu le 5 juin, le suspense fut intense. Les juges devaient délibérer et prendre leur décision. Celle-ci tomba à la mi-juin. Par deux voix, dont celle du vétéran Franck Johnson junior, contre une, la Cour fédérale déclarait non conformes à la Constitution américaine les lois ségrégationnistes de Montgomery. Elle annulait ainsi la jurisprudence issue du procès Plessy contre Ferguson inspirée de la doctrine « séparés, mais égaux ».

La balance avait donc penché en notre faveur. Les plaignantes de ce procès exultèrent. Aurelia Browder, Susie McDonald, Mary Louise Smith et Claudette Colvin avaient gagné contre le maire Gayle, le commissaire Frank Seller et Franck Parks. (Ce dernier n'avait bien entendu aucun lien de parenté avec Raymond et encore moins avec moi.) Comme lors de mon procès, James Blake, le chauffeur de la City Lines, était une fois de plus venu à la barre délivrer ses mensonges en faveur des thèses soutenues par la municipalité de Montgomery. Les Blancs étaient furieux du verdict, tandis que Montgomery résonnait des joyeux coups de klaxon des taxis favorables au boycott. Pour beaucoup d'observateurs, ce coup de canon, en pulvérisant les textes ségrégationnistes en vigueur dans le Sud, mettait sérieusement à mal le camp des racistes. Celui-ci fit immédiatement appel. Il appartenait à la Cour suprême de se prononcer.

Pendant tout l'été, de nombreux *potluck dinners*

eurent lieu aux quatre coins de la ville et particulièrement dans les églises. Il ne fallait pas renoncer au boycott, déclara King. Avec l'ensemble du comité exécutif de la MIA, et les avocats Gray et Langford, nous reçûmes, le 13 novembre 1956, dans un tonnerre d'applaudissements, d'exultations et d'embrassades, la confirmation, par la Cour suprême, de la décision de la Cour fédérale du district sur le caractère inconstitutionnel de la ségrégation dans les bus. Portant les noms et signatures de tous les leaders, la lettre suivante, dont le contenu avait été décidé par King, parvint au chef de la police :

Cher Monsieur Fallen,

Nous apprécions tous les efforts que vous avez consentis pour maintenir le calme et réduire à son minimum la violence dans notre ville. Nous espérons ardemment, à travers ces lignes, que ces efforts vont se poursuivre.

Nous avons bien enregistré la notification à la Cour fédérale de notre district de l'arrêt de la Cour suprême concernant la ségrégation dans les bus. Aussitôt que le district publiera les décrets relatifs à cette décision, nous retournerons naturellement dans les bus.

Recevez, Monsieur Fallen, nos sentiments responsables.

Mais nous n'étions pas au bout de nos peines, car il restait encore un dernier recours que la municipalité, notre adversaire, exerça auprès de la Cour suprême à Washington. Cette fois, pour ne pas irriter les juges, le Ku Klux Klan se fit moins violent et moins visible à Montgomery qu'au lendemain de la décision de la cour du district de juin 1956. Elle faisait patte de velours dans un gant de fer forgé aux pointes assassines.

Invitée à une tournée dans le pays, j'avais emmené Leona et convaincu mes amies Virginia Durr et Septima Clark de m'accompagner. Comme je fus heureuse quand Septima se présenta pour le départ de ce périple ! Je me jetai dans ses bras, éperdue de reconnaissance. Nous découvrîmes plusieurs villes : Monteagle, Chicago et New York. Puis nous fîmes une surprenante virée dans le Kentucky. C'est Leona qui nous l'imposa, ou plutôt la suggéra. Elle nous convainquit de nous rendre dans cet État par superstition ! Comme nous attendions la décision de la Cour suprême, nous devions nous souvenir qu'un juge de cette importante institution, natif du Kentucky, avait beaucoup œuvré par ses convictions libérales et progressistes à modifier la société américaine dans un sens plus juste. C'était Louis Dembitz Brandeis, un Juif natif de Louisville ! Ce juge avait beau être mort en 1941, son aura brillait encore en 1956 tant ses procédures, son approche juridique factuelle, ciselée et prenant en compte les expertises les plus fines, avaient permis de progrès sociaux considérables. La limitation du temps de travail, l'adoption du salaire minimum, l'extension des droits civiques lui devaient beaucoup. Et il n'était pas étranger à la cruciale décision de mai 1954, concernant le cas Linda Brown et autres contre le Bureau de l'éducation, qui mit fin à la doctrine « *separate but equal* », jurisprudence en vigueur depuis l'arrêt Plessy contre Ferguson du 18 mai 1896, quand la Cour suprême, qui avait d'abord eu une lecture restrictive du quatorzième amendement, abattit enfin le mur de la ségrégation en milieu scolaire pour reconnaître l'égalité de tous dans la citoyenneté. Cette décision de 1954 mit mère en transe! Or les avocats de la NAACP soutenant Linda Brown et ses plaignants avaient pour beaucoup recouru au type d'argumentation qu'affectionnait Brandeis. Voilà pourquoi Leona nous entraîna à Louisville! Nous mîmes ainsi le cap sur le Kentucky. Deux moments, juste deux, me restent de cette aventure!...

Le premier fut tordant. Arrivées à Louisville, nous avions laissé Virginia Durr au motel, car elle se plaignait de son foie. Nous avions faim et nous nous rendîmes au restaurant le plus proche du motel. Nous entrâmes naturellement dans celui qui était réservé aux Noirs. À peine fûmes-nous installées que deux Blancs poussèrent les battants et vinrent s'asseoir près de notre table. C'étaient de jeunes garçons portant beau. L'un, presque maigre et longiligne, souriait; l'autre, grassouillet, avait la lippe boudeuse, un veston étroit qui le saucissonnait de telle sorte qu'on voyait pointer ses bourrelets sous l'étoffe. Ils parlaient une langue étrangère, européenne. Comme nous avions interrompu nos conversa-

tions, nous demandant qui étaient ces inconscients qui venaient dans un restaurant réservé
aux Noirs, nous comprîmes, avant le patron du
bar, qu'ils s'étaient trompés ou ignoraient nos
mœurs. Le chef de salle, qui était noir, coulissa
vers eux.

« Ce n'est évidemment pas pour vous être
désagréable, commença-t-il, mais j'ai comme
l'impression que vous vous êtes égarés !

— Ah çà ! non ! nous sommes bien dans un
restaurant ? fit le longiligne.

— Oui, mais avez-vous remarqué la couleur
des gens qui vous entourent ?

— La couleur des gens ? C'est le cadet de nos
soucis. Enfin, disons que nous n'avons pas fait
attention à cela. Nous avons faim et soif, voilà
tout, se fâcha presque le grassouillet.

— Vous avez peut-être faim et soif, mais la
loi est la loi !

— Elle ne permet pas de consommer de l'alcool, c'est ça ? fit le jeunot à la mine de play-boy.

— Désolé, mais ce lieu est réservé aux Noirs !

— Ah, merde ! pardon, on ne savait pas.
Désolé. *Sorry, we are confused !*... Chez nous,
c'est différent, vous comprenez ?

— De quel pays êtes-vous ?

— *We are Europeans.* Je travaille pour la compagnie de tabac Funny Days. Je viens d'entrer
au service juridique. C'est moi qui établis les
contrats...

— Stop ! Je ne suis pas du FBI. Je vous

demande simplement de bien vouloir choisir un autre établissement.

— Et pourquoi, monsieur ? fit le mince.

— Comprenons-nous, je ne refuse pas de vous servir, mais je ne veux pas être accusé d'attirer les Blancs chez moi pour faire de la concurrence déloyale à mes voisins !...

— Ah, c'est ça ! Sapristi, comment n'y ai-je pas pensé ? Mon nom est Rock, Marcel Rock ! Si vous venez chez moi, vous verrez que nous servons à boire et à manger à tout le monde dans les restaurants, sans distinction de couleur !

— C'est où, chez vous ?

— En France, pardi ! Oui, je suis français, monsieur. Mon ami aussi, du reste. Je suis de Lamalou-les-Bains, dans le Languedoc-Roussillon ! »

J'avais écouté la conversation. Aussi, tendis-je un papier au jeune homme, alors qu'il s'apprêtait à quitter le restaurant. Mère fut ahurie par mon audace quand je m'adressai au jeune homme :

« *Mister Rock, I wonder how you spell your name in French. So, would you, please, write it down for me ? Who knows, I'll be in France one day !* »

Et il écrivit, je m'en souviens encore, un mot phonétiquement proche de celui que j'avais pris pour Rock : « Roques, me prévint-il, en souriant. *Don't pronounce the final letter, the "s".* » Nous en étions là quand l'illustre boxeur Ray Sugar Robinson entra dans ce restaurant où il avait ses habitudes. *Mister* Roques et son compatriote s'envolèrent vers l'idole pour lui réclamer un autographe. Je ne suis jamais allée en France, et plus précisément à Lamalou-les-Bains, pour vérifier si les Noirs y entraient dans tous les restaurants. Il me semble bien que ce pays-là connaissait lui aussi de graves problèmes avec ses colonies, en Afrique en particulier. Mais le rire de ce *french guy* m'est resté. Il avait une sonorité cristalline et le sympathique éclat qui miroitait dans son regard lui a certainement ouvert bien d'autres portes que celles de nos restaurants cadenassés par Jim Crow.

Le second incident dont je me souviens encore très fortement est pourtant banal. Nous nous apprêtions à rentrer dans nos chambres quand une grosse voiture freina dans la cour du motel. Une femme en descendit et se mit à crier. Non contente de cela, elle sortit un revolver et entreprit de tirer dans la porte de la chambre numéro 5 du premier étage. Nous n'eûmes d'autre choix que nous aplatir au sol en attendant qu'elle eût vidé son chargeur. Mon Dieu, comme mon cœur battit fort! Je craignais que celui de mère ne lâchât! Une voiture de police crissa. Une ultime détonation stoppa la fusillade. La femme s'écroula. Quand on avança vers elle et qu'on la releva, on s'aperçut qu'elle avait la poitrine gonflée de coussins et d'un gilet pare-balles. C'était un homme. On lui ôta sa perruque. Il respirait. Dans la chambre numéro 5, il n'y avait personne. Le tireur jaloux jura qu'il croyait que son ami était là, le trompant avec un autre homme…

La lecture est une chirurgie de l'âme

Dès mon retour à Montgomery, j'avais été
ravie de revoir Douglas White. Il semblait amai-
gri et plus exubérant que de coutume. Il me dit :
« Dans une société moderne, les transports en
commun sont aussi indispensables que l'air,
l'eau, le pain et le travail. » Cette phrase m'in-
trigua. Était-il amoureux ? Il y avait beaucoup
de jeunes filles dans le mouvement. Il acceptait
maintenant d'en inviter certaines à sa table. Je
l'en félicitai. Douglas s'était aspergé d'un parfum
qui embaumait la pièce. Je soulevai le portrait
de mes grands-parents et le tournai et retournai un instant avant de le reposer. Ils portaient
de larges chapeaux sur la tête. Plus loin, sur la
même commode, trônait une autre photo de
mon grand-père Anderson Cauley. Il tenait son
éternel fusil à la main. Mère était allée faire sa
promenade. Il me revient que, sur un pan du
mur de notre salon, pendaient trois calendriers.
L'un, le plus grand, était celui de l'année 1956
et nous en arrachions progressivement les pages.
Deux autres, plus petits, étaient la mémoire du

boycott. Ils étaient notre aide-mémoire du boycott depuis le 5 décembre 1955. J'y inscrivais certaines annotations, dessinant une fleur à la date des journées qui nous avaient particulièrement souri. Celles qui nous avaient attristés portaient au feutre noir un gros F majuscule qui signifiait « *forget* »!... Une journée à oublier!

White me dit :

« La marche me fait du bien et la lecture est une chirurgie de l'âme. » J'en fus heureuse. Il me donna l'impression qu'un autre homme, un être neuf, plus apaisé, avait vu le jour. Il s'était effectivement mêlé aux marcheurs qui boycottaient les bus et se rendaient à leur travail à pied. Il avait décidé de ne plus se soucier de ce que penseraient de lui ses voisins Austen et quelques autres membres du groupe les Vigilants. Il s'était soulagé de quelques kilos mais n'avait toutefois pas renoncé au plaisir d'avaler ses friandises favorites. En marchant, il avait noué quelques amitiés qui restaient à conforter. Parfois, pendant le trajet, il évoquait avec d'autres marcheurs les conversations dans les cabinets médicaux et l'heureuse surprise que manifestaient les médecins devant la réduction de la cellulite chez leurs patients.

Je lui racontai l'accueil digne d'un chef d'État qui m'avait été partout réservé pendant mon voyage dans les villes du Nord. Ce ne furent pas les marques de dévotion qui me frappèrent, ni les nombreux cadeaux que j'avais rapportés ni les décorations reçues. Ce furent bien plutôt les rencontres avec les enfants. Saurai-je un jour traduire l'émotion que je leur devais, les tonnes de joies ressenties à leur contact? «Non, dis-je à Douglas White, personne ne pouvait comprendre combien j'étais heureuse quand des yeux d'enfants se posaient sur moi. »

Le retour de notre petite troupe à Montgomery coïncida aussi avec l'ultime décision de la Cour suprême qui, le 17 décembre 1956, rejeta le dernier pourvoi de la commune de Montgomery.

Douglas se souviendra, aussi longtemps que sa mémoire résistera aux outrages du temps, que la publication officielle de cette décision, le 20 décembre, jeta des milliers de Montgomériens dans les rues. Les photographes emmenèrent King et les membres du comité exécutif de son association faire le tour de la ville dans les bus jaunes au liséré vert, les mitraillant de leurs flashes. Ils étaient assis aux places qui leur étaient interdites la veille. Moi? Je n'étais pas avec eux. Je soignais ma mère. Douglas était passé me remettre un bouquet de roses. Il avait été le seul à penser à moi. C'est ainsi. Que voulez-vous. Personne ne m'avait sollicitée ce jour-là. Aucun membre de la MIA, même le fidèle Nixon, n'était venu me voir ou ne m'avait appelée au téléphone. Ils étaient tellement demandés! Le 21 décembre marqua aussi la levée du boycott. Je ne pris pas ombrage de mon absence aux festivités. Raymond, Felix Thomas, mère et moi, nous restâmes loin de la liesse à Holt Street ou à

Dexter Avenue. White vint nous saluer, comme le firent deux ou trois autres militants blancs qui avaient bravé le vent violent de ce jour-là et parmi lesquels figuraient Jo Ann Robinson et Graetz. White nous quitta, rouge comme une écrevisse et incapable de parler tant son émotion était grande. Graetz, ce militant blanc, si actif et discret pendant le boycott, me congratula et me versa dans les oreilles de fortes paroles de gratitude que je ne méritais nullement.

Une photo de Wonderboy assis côte à côte à l'avant d'un bus avec un Blanc, le révérend Glen Smiley, fit sensation. Je consentis, le lendemain, à aller faire quelques photos à l'avant du fameux bus jaune qui roulait vers Cleveland Avenue. Était-ce Blake qui le conduisait? Cela ne me paraissait plus important. L'essentiel était acquis. Dé-fi-ni-ti-ve-ment! Trois cent quatre-vingt-deux jours après ma rencontre houleuse avec Blake dans le même véhicule, je tenais ma revanche, installée à un siège derrière le chauffeur, place habituellement réservée aux Blancs. En Floride, on appela ce siège « *Rosa Parks' seat* ». Il y eut des messes à Dexter Avenue où les fidèles débordaient jusque dans la rue. Il y eut encore des marches où il fut question de droits civiques et dans lesquelles, souvent, je me glissai. Douglas White n'était jamais loin de moi, mais personne ne prêtait attention à cette ombre collée à mes basques à Selma, à « bombing » Birmingham, à Washington, à Baton Rouge, à Orlando, à Memphis... Même durant la marche

Selma-Montgomery du 25 mars 1965, il fut là. Quand je quittai Detroit où j'avais commencé à travailler dans le cabinet parlementaire de John Conyers, Douglas me suivit. On avait oublié mon nom et mon visage en Alabama. On me repoussait loin de la tête des manifestants. Les jeunes ne savaient pas qui j'étais. Et Douglas faillit se battre avec plusieurs d'entre eux. Ce fut d'ailleurs une belle marche, malheureusement endeuillée par l'assassinat de Viola Liuzzo, cette Blanche qui habitait aussi Detroit et que je n'avais jamais rencontrée. C'était une militante des droits civiques, qui dit à son mari et à ses enfants qu'il lui fallait être présente au « combat de tout le monde ». Dans la nuit, alors qu'elle transportait dans sa voiture des manifestants noirs se trouvant en queue de cortège, un groupe de membres du KKK stoppa son véhicule et une salve meurtrière l'abattit. Je ne peux écouter Nina Simone et sa poignante chanson *Mississippi Goddam* sans une pensée pour Viola Liuzzo. Me remue aussi, jusqu'au frémissement des os, l'enveloppante voix de Harry Belafonte, lorsque j'écoute *Try to Remember*, car je n'oublierai jamais que le chanteur nous prêta main-forte dans le brasier sudiste. J'écouterai aussi jusqu'à mon dernier souffle de lucidité *Farewell Angelina*, cette mélodie réparatrice de la délicieuse Joan Baez et il me plairait d'avoir encore et encore dans l'oreille, pour évacuer les tourments de l'âme en hiver, *Ave Maria* de la divine contralto

Marian Anderson. Comment, dites-le-moi, peut-on vivre sans chansons ? Dites-le-moi !...

Tout n'a pas été simple par la suite... Mais il est vrai que Manga Bell avait coutume de citer ce proverbe africain : « Celui qui dort à même le sol n'a pas peur de tomber du lit. » Mais nous voulions dormir dans des lits douillets... Le Klan s'est vraiment déchaîné. La fin du boycott et la victoire contre la ségrégation dans les bus n'avaient pas fait disparaître tout le système discriminatoire. Il semblait s'être renforcé dans les bars et les restaurants de notre État. Une partie importante avait été gagnée, mais la mort des proches, celle de Manga Bell en particulier, n'avait pas été oubliée. Remontaient dans nos souvenirs des scènes d'une rare violence, comme ces conducteurs de camions, faisant partie des Vigilants, qui n'hésitaient pas à foncer sur les boycotteurs revenant à pied de leur travail. Les énormes véhicules écrasaient les gens et vouaient de nombreux malheureux à l'infirmité à vie. Ils voulaient les dissuader de poursuivre leur grève des autobus. De tels actes, restés impunis, ont réellement été commis. Ce n'est pas de la fiction. Cela a eu lieu ! Les commissions créées pour établir les responsabilités et arrêter les coupables sont restées lettre morte. Il en a résulté de profonds traumatismes.

Après le boycott à Montgomery, la MIA fut dissoute. Nixon et sa femme Arlet, de plus en plus agacés par King, estimaient qu'il était devenu plus manœuvrier et qu'il s'était enfermé dans sa citadelle non violente. De nombreux autres jeunes, véhéments, et qui se voulaient plus pressés d'en finir avec les pesanteurs et les injustices, entendaient, eux aussi, enfoncer le clou. Pour cela, ils surenchérissaient, comme Malcolm X, demandant aux Noirs d'abandonner le registre jugé soporifique que leur servait le christianisme. Ils poussaient à embrasser la cause islamique, plus apte, selon eux, à hâter l'amélioration réelle de nos conditions de vie. Ces affrontements entre Noirs divisaient chaque jour davantage le camp uni qui avait conduit le boycott des autobus au succès.

Daisy Elizabeth McCauley, la femme de Sylvester, insistait et lui demandait de tout mettre en œuvre pour le regroupement d'une famille trop longtemps séparée. Il revenait souvent à la charge, dès que je l'avais au téléphone, prétendant que des gens bien intentionnés, à Detroit, sauraient nous accueillir et nous offrir des conditions de vie meilleures qu'à Montgomery. Raymond, en changeant d'air, ne retrouverait-il pas une plus grande confiance en ses moyens et une meilleure santé? Cet argument porta.

Sylvester, mon frère, voulait aussi s'occuper de mère. Il vantait le calme du Michigan, la vigueur intellectuelle, la mixité raciale qui y régnaient. Ses enfants, mes très nombreux neveux et nièces, me réclamaient. Ah, comme il me plut d'accompagner les plus jeunes à l'école élémentaire ! J'aimais aussi aller les y rechercher. J'arrivais bien avant l'heure de la fin des classes et me tapissait à l'angle de la rue. Au moment de la pause, quand les enfants s'égaillaient dans la cour de récréation, leur piaillements, leurs cris de joie, le son de leurs voix innocentes me remplissaient d'une ineffable sensation de bonheur pour le genre humain. Mon enfance à Pine Level me revenait et ces mêmes cris, surgissant de la nef d'innocence qu'est la prime jeunesse, m'envahissaient, m'engourdissaient. Nous étions comme des étourneaux rassemblés à la tombée du jour autour des grands chênes de l'Alabama. À Detroit, me collant contre le mur pour ne pas m'effondrer, j'écoutais la ronde des cœurs enfantins et j'eusse aimé qu'on enregistrât ces piaillements d'enthousiasme-là, leurs notes aiguës, dont la vibration n'irritait pas le tympan, mais y versait un psaume bienveillant, une onde lumineuse où perçait quelque chose d'angélique. Montait dans le ciel, au-dessus de ces cours de récréation, un bourdonnement chaleureux et réconfortant. Il y avait longtemps que je n'en avais pas entendu. Je m'y emmitouflais, comme on le fait d'une pelisse pour éteindre les claquements de dents au cœur d'un hiver glacial.

Oh ! comment n'a-t-on pas fait écouter la voix de ces enfants noirs aux racistes, à ceux qui n'avaient en tête que la perpétuation d'un vieux temps, d'une musique rance dont les refrains

entonnés sous des chapiteaux glauques sonnaient si faux ? Ils étaient surtout tristes à mourir ! Je me le disais et des bouillons de larmes
chaudes roulaient en moi, puis montaient et
ruisselaient sur mes joues et noyaient mon âme.
Car à entendre ces rires qui caquetaient, ces
fous rires qui éclataient soudain comme le dernier grand tir lors du feu d'artifice un soir du
4 Juillet pendant la fête de l'Indépendance, je
rêvais que la joie de ces enfants ne croise jamais
le mur de haine dressé par Jim Crow et les fous
furieux du Klan.

Il n'y avait pas encore eu les émeutes de
Detroit qui éclatèrent une dizaine d'années
plus tard, en 1967. Mon frère était heureux de
me voir. Il avait tant redouté, me rapportait-on,
que ma notoriété ne fût un corset et même une
potence, en Alabama. Cette période qui couvre
mes premiers mois à Detroit m'est restée et je la
convoque volontiers quand je sens que viennent
le vague à l'âme et ses épouvantables aigreurs.
Oh ! une musique de Joan Baez passe dans le
poste... Il s'agit de *Motherland* !... Et j'entends
ce couplet :

> *Take one last look behind*
> *Commit this to memory and mind*
> *And don't miss this wasteland*
> *This terrible place*
> *When you leave*
> *Keep your heart off your sleeve...*

Lorsque nous déménageâmes de Montgomery, Douglas White junior fit aussi immédiatement mouvement vers la cité de l'automobile. Il prétendait que j'étais la seule étoile en mesure d'éclairer son chemin. Raymond le connaissait et ne fut pas surpris de le voir à Detroit. Je crois me souvenir que c'est White qui composa une chansonnette qu'une petite fille de l'Arizona, là-bas dans la ceinture du soleil, poussa en me recevant au cours d'un été frisquet. Les camélias rouges ornaient les jardins et les buissons d'azalées répandaient généreusement dans l'air leur parfum. Les yeux fermés, j'entendis :

Sur le manteau de la nuit
Brilla une flamme
Aux éclats serrés,
Luttant contre les vents
Qui balayaient collines et plaines

Sur les chemins caillouteux
S'élevèrent des rêves
Guidés par des forces invisibles
Sur lesquelles se séchaient les larmes

Sous le manteau du silence
Bondirent les chevaux
Hennissant en cadence
Au rythme des cors et des rires

Pour faire flotter le drapeau de l'humain
Sur les champs naguère dévastés

Sur les monts brûlés
Il faut quitter toute indolence

L'aurore naissant
Aux joues écarlates
Aux oreilles dans le vent
Invite à offrir les roses de la liberté.

À Detroit, nous avions, Raymond, mère et moi, atterri dans un studio à Fleming Street, avant de déménager pour occuper un petit appartement à l'ouest de la ville, sur Euclide Avenue. J'avais quitté les jalousies et les médisances de Montgomery et aidais donc Sylvester, sa femme et leurs nombreux enfants. Quelle joie d'être parmi eux ! Quelques mois plus tard, acceptant l'opportunité d'un emploi d'hôtesse de conférences à Boston, dans le Massachusetts, j'abandonnai ma famille, le cœur lourd. Et, ne parvenant à trouver un poste pour Raymond dans mon nouvel État, je revins à Detroit où ils étaient restés, lui et mère. Ce dernier y suivait une formation de barbier pour obtenir les habilitations d'exercer dans le Michigan. Je repris mon travail de couturière, cousais des napperons et des tabliers pour un salaire à la pièce, à Eastside. Il fallait être rapide pour s'acquitter de sa tâche ! Je l'étais et aimais ramener des *doggy bags* du restaurant, car leurs portions étaient trop grandes pour mon appétit d'oiseau. C'est à Eastside que je fis la connaissance de ma « fille » Elaine. Elle n'était pas habile en couture, mais quelle humanité en elle ! White venait nous voir et, malgré mes problèmes d'arthrose et la santé déclinante de mère, nous marchions longuement, Elaine, lui et moi, dans les rues du centre-ville. Nous parlions de son évolution, de son implication dans le mouvement des droits civiques. Le ciel s'éclairait !

Que me restait-il de mes années montgomériennes ? Pas du ressentiment. Jamais ! Je suivais de loin l'évolution de Wonderboy. Parfois, je recevais de lui un appel qui me faisait un bien fou. Il me reliait somme toute à son incommensurable bonté, à notre mémorable chevauchée sur le sentier de l'émancipation. Il était si occupé, Wonderboy ! Mais, quand il le pouvait, il m'écrivait. J'ai gardé comme un fétiche la dédicace qu'il a rédigée et m'a envoyée dans son livre autobiographique paru en 1958. Oh ! comme j'ai tremblé quand une démente le poignarda à Harlem au cours d'une signature. Dieu soit loué, il s'en tira ! Nous répandîmes vers le ciel de si ferventes prières pour qu'il sortît vivant de cette épreuve que le Seigneur nous entendit. J'ai souvent parlé à mes proches de la béatitude dans laquelle me plongeaient les paroles de King et notamment le discours qu'il fit à Detroit, plus connu sous le nom de « *Cobo Hall speech* » ; il annonçait déjà son fameux « *I have a dream* » du 28 août 1963, devant le Lincoln Memorial de Washington. Wonderboy ! Prenez soin de son message ! On eut peur que ce fantastique orateur ne quitte les rangs de la contestation pour marcher vers le trône du commandement suprême. On eut très peur et, à cause de cela, on arma ferme la main du crime à Memphis. Moi, je ne fus que la modeste attachée d'un parlementaire. Mais, un jour, une femme, noire ou blanche, siégera à la Maison-Blanche. Mais il mettra bien plus long à venir, le jour où un Noir sera gouverneur de l'Alabama. Il faudra attendre le XXIIIe siècle de notre ère!... Ce ne sera pas suffisant, car, ne nous leurrons pas, ce n'est pas de la couleur de la peau que viennent les choix hardis et les actes décisifs en politique! Ils dépendent de la volonté de l'exécutif et de l'accord du Congrès. Voilà ce que m'a appris mon compagnonnage avec le député Conyers!

Ma chère Elaine Steele, qui est d'une patience infinie, et qui en a soupé de mes soliloques, comme de mon envie de tracer d'une main sûre ces lignes, sait plus que quiconque que je mourrai avec trois noms à mes lèvres : Raymond, Wonderboy et l'Éternel! Aurai-je la force d'en murmurer d'autres? Mère, disparue en 1979 deux ans après Raymond du même rongeur fatal, le cancer? Mon frère Sylvester qui succomba de la même maladie trois mois après mon mari? Le député Conyers? Il est vivant dans mon cœur. Oh, répétez-le-lui, il y est ficelé par les liens bienheureux de la gratitude, car il me tira de bien des tracas!... Quant aux treize enfants, mes neveux et nièces, que Daisy et Sylvester ont mis au monde, combien je voudrais que la division ne règne jamais en leur sein. Mais la nature humaine est insaisissable. Ah! je m'en vais écouter *Human Nature* de Michael Jackson. Cela me fera du bien.

La petite couturière anonyme que j'avais été l'est redevenue à Detroit. Cela ne m'a pas perturbée. On passe de la lumière à l'ombre sans tourment quand on n'a demandé à l'existence que de vivre. Ce n'était pas un manque d'ambition, disais-je à quelque jeune collègue qui, me prenant pour une icône, s'étonnait que je puisse exercer un métier si ingrat. C'est en mars 1965 que je fus embauchée dans le cabinet du député John Conyers. Je lui dois beaucoup. Je n'ai pas accompli des tâches surhumaines à ses côtés. Je répondais au téléphone, prenais ses rendez-vous, organisais des réunions sur les droits civiques. Il ne s'est jamais offusqué que des gens appellent davantage pour me rencontrer, pour voir « la Rose dans le bus jaune », que pour demander audience au *congressman* qu'il a été. Lorsque je dis que j'ai pris ma retraite à soixante-quinze ans, certains peinent à le croire. Mais j'ai toujours été effrayée à l'idée de rester inactive.

Les terribles émeutes de Detroit de 1967 m'ont ébranlée et me bouleversent encore, car elles ont ouvert des plaies qui mettront longtemps à cicatriser entre les communautés. Malgré l'attaque de ce béotien de Skipper, malgré tous ceux qui, depuis le boycott des bus de Montgomery, n'ont pas arrêté de m'envoyer des lettres de menaces et quelques dangereux scorpions, malgré la démoniaque persévérance de ceux qui me pourchassent avec leurs poupées vaudoues lardées d'aiguilles et de poignards — Elaine en a conservé une impressionnante collection —, malgré les controverses et les médisances, malgré les arthroses et l'assassinat de Wonderboy, malgré la mort de Raymond, recommencerais-je une telle vie si le choix m'en était donné? Permettez-moi de réfléchir!... Je vous répondrai lors de mon centenaire!...

J'ai connu, en juin 1990, un grand bonheur en accueillant Nelson Mandela à l'aéroport de Detroit. Ce fut un moment fantastique! Il avait demandé à me voir aussitôt arrivé aux États-Unis en citoyen libre et en leader d'une nouvelle espérance mondiale. Il y eut des péripéties avant que le protocole n'acceptât ma présence parmi les personnalités chargées d'accueillir notre illustre visiteur. Elaine, encore elle, avait su déjouer tous les pièges et toutes les oppositions qui avaient été mis en œuvre pour me marginaliser. Descendant de la passerelle de l'avion, de son pas dansant, il me vit, me reconnut et se précipita vers moi. Notre accolade fut comme un grand bain de lumière, un don du ciel. On aurait dit que tous les miens revenaient d'entre les morts, là, sur le tarmac de l'aéroport. L'étreinte de Mandela ressuscita Manga Bell, Raymond, Wonderboy, Leona, grand-mère et papy Cauley... Oh! cette rencontre avec Mandela fut un instant magique. Notre lutte n'avait pas seulement été américaine.

Cependant, je la revis maintenant à travers la scène de la petite Ruby Bridges, cette gamine de six ans qui mit les racistes en émoi à La Nouvelle-Orléans en 1960. Haute comme trois pommes, je revois sa fière et fine couette dressée à l'arrière de sa tête et ficelée par un ruban blanc; au milieu de quatre agents fédéraux, cette gamine avait l'allure d'une frêle mais indestructible goélette dans un océan démonté. Et elle avançait vers l'école comme un défi à tous les diables et assassins. Je reverrai toujours l'image qu'a tirée de cette histoire le peintre Norman Rockwell, paix à son âme! Elle montre la chère enfant, vêtue de sa robe blanche, de socquettes assorties et de baskets de la même couleur. Une beauté noire drapée dans du blanc. Quel symbole! Elle marchait vers son école escortée par quatre agents fédéraux. Les mêmes qui nous donnaient de la matraque comme on distribuerait des guimauves aux enfants, alors que nous revendiquions nos droits, pouvaient aussi protéger, au nom de la loi, le premier enfant noir qui venait de s'inscrire à la William Frantz Elementary School de La Nouvelle-Orléans, un établissement jusque-là réservé aux Blancs. Quel tollé déclencha cette petite affaire! Une hostilité déraisonnable se déchaîna parmi les parents blancs!

Quelle époque! De quel ventre hideux sortent donc les humains? Non, ça ne peut être de celui de leur mère. On naît de deux ventres : de celui de sa mère et de celui de ses idées. L'Amérique, c'est fou comme elle nous a chiffonnés, brinquebalés! Ce qui nous serrait le cœur aux larmes et nous a fait malgré tout accepter ce pays à défaut de l'aimer complètement, malgré les horreurs qu'il a fabriquées, c'est sa capacité à changer. Tant d'autres s'enferment dans leurs certitudes jusqu'à l'absurde écœurement, jusqu'à l'absurde chaos!

Autour des enfants, près d'eux, j'ai toujours senti une force d'espérance m'envahir, une tendresse inouïe se déployer. C'est celle qu'il faut mettre à la disposition de l'avenir. Il me semblait certain que les espoirs mobilisés et le potentiel d'optimisme capitalisé rendraient le monde plus ouvert, plus passionnant. Il l'a été par à-coups. Leona et Raymond vivaient encore. Nous avons dansé à perdre haleine avec King, Durr, Robinson, Graetz, Coretta King, Smiley, Andrew Young et de nombreux autres lorsque le président Lyndon Jonhson signa le Civil Rights Act en 1964 puis le Voting Act en 1965. Restaient les taudis, les violences et la pauvreté. Ils sont longs à éradiquer.

Des années ont passé. Mes cheveux sont aussi blancs que la neige et mes jambes molles comme le coton de mon vieux Sud. Je souffre un peu trop de partout et ma mémoire flanche. Que ferais-je sans mon amie Elaine ? Elle est ma seconde tête, mon second corps ! Le temps s'égrène tout doucement. J'ai arpenté l'Amérique, cette terre dure et épatante. J'ai le sentiment d'avoir un peu œuvré afin que la bougie de l'histoire des droits civiques ne s'éteigne pas de sitôt. J'ai vu Douglas White la semaine dernière. Nous avons parlé de Scottie Folks junior qui vit en Guinée depuis vingt-cinq ans et qui m'a invitée à l'inauguration du musée Williams-Bah, fondé par Dawn Williams la Géorgienne et Bah la Guinéenne, au cœur de l'écrin de verdure qu'est le Fouta-Djalon. Folks s'est établi dans cette région dont il n'a cessé de nous vanter les charmes, après qu'il eut fui les purges de Conakry, la capitale, où furent massacrés, dans le maudit camp Boiro, des milliers d'hommes et de femmes ! Scottie junior y a lui aussi séjourné et failli perdre la vie pour avoir voulu protéger les enfants et les flamboyants qu'on décimait aussi. Il assure maintenant, dans ses dernières lettres, que le pays s'est apaisé et ne se livre plus à la dévoration nationale, cette entreprise de tueries massives d'État pratiquées pendant d'interminables décennies par un dictateur dont personne n'a vu la dépouille mortuaire. Il a tellement redouté de recevoir après sa mort un flot ininterrompu de crachats du peuple survivant.

Mme Bah, la belle et infatigable inspiratrice du musée de Dalaba, et sa cofondatrice, l'Américaine Williams, ont donné mon nom à la rue qui mène à ce sympathique lieu de mémoire. Mon Dieu, comme j'aurais aimé voir les photographies, les objets d'art et des pièces historiques qui y sont rassemblés. On y retrace une foule de faits, m'a écrit Folks, dont cette tragédie que fut la traite négrière. Il est utile que l'Afrique parle elle-même de ça, de cette chose visqueuse. On doit parler des hommes qui y ont fait l'histoire — comme cet almamy dont le nom m'échappe — ou de ces hommes de plume qui y décadenassent les esprits. Dans le verdoyant Fouta-Djalon, deux femmes ont donc aussi tenu à retracer dans un établissement en brique rouge, si semblable à la maison typique de Géorgie, les mythologies africaines : la cosmogonie yorouba, le komodibi des Bambaras qui rend possible la parole, Amma, le mythe dogon de la Création, *Kaydara*, le conte initiatique peul centré sur la quête de la connaissance, le mvett des Fangs, considéré comme un art épique et total qui raconte, au rythme d'une harpe-cithare, l'éternelle compétition entre mortels et immortels.

Oh! comme mes articulations crient et sifflent!... Me voici devant les plans du musée de Dalaba que nous avons commentés ce matin, Elaine et moi, en buvant du thé : au rez-de-chaussée sont exposés des photos et des objets;

au premier étage se trouve la bibliothèque issue du don Hemery, un original, semble-t-il, un Français qui voua sa vie à la Guinée, à l'éducation de la jeunesse et qui milita pour la concorde de tous les enfants du Seigneur, noirs, arabes, blancs et jaunes ; dans la cour, sur la face nord de l'établissement, s'ouvre un espace culinaire vers lequel se hâtent les visiteurs, alléchés par les parfums des sauces à l'oseille, aux noix de palme et par le crépitement des grillades épicées. On y boit aussi du jus d'ananas et surtout de mangue, ce fruit si abondant là-bas que même les singes s'en détournent avec dédain. Ah ! j'aurais voulu découvrir ce pays que me décrit Folks depuis bien longtemps et qui m'attire ! J'aurais vraiment aimé l'arpenter et voir le musée de la renaissance, monter son escalier en colimaçon jusqu'à la terrasse de la petite bibliothèque où l'on cueille les goyaves sans avoir besoin de se dresser sur la pointe des pieds. Avec l'aide d'un inventif botaniste guinéen du nom de Diouma, Mme Bah et des enfants de Dalaba ont planté, autour du cailcédrat géant qui s'élève à l'entrée du musée, d'innombrables espèces végétales et arboricoles : kouratier, kinkeliba, jasmin, lauriers-roses, violettes, basilic, mimosa pourpre, jacquier, corossolier, papayer, lantana camara…!

J'ai demandé à Douglas de me représenter à la cérémonie d'inauguration de la rue Rosa Parks, car les voyages me sont interdits et je ne peux même plus converser avec les visiteurs à ma guise. Ma bien-aimée Elaine, que je considère comme ma fille providentielle, ne consent pas à me laisser seule ici. Plus de dix ans après les coups que m'a portés Joseph Skipper, je ressens maintenant de vives douleurs que l'esprit a dissimulées mais que le corps a enregistrées et accuse. Mon humeur est devenue variable et ma résistance bien pâle. Je perds souvent patience et m'étonne même de voir les êtres et les choses de manière brouillée. Avant que ma mémoire ne s'envole, emportant mon âme Dieu seul sait où, je glisse hors du monde et des rêves. Entendre craquer le corps qui nous porte n'est pas une musique agréable, croyez-moi. À chaque craquement, on descend un peu plus dans la tombe.

Douglas White a sauté de joie à l'idée d'aller en Guinée et de découvrir les villes de Kindia, Boké et de Mamou, les cases mythiques de Dalaba et le splendide hôtel du Fouta. Il veut voir les paysages de Bomboli et de Porédaka. Il m'a aussi dit qu'il irait à Kankan, le pays de *L'Enfant noir*, ce beau roman de Camara Laye. Puis il se rendra à Nzérékoré, en Guinée forestière, où, paraît-il, les grands singes viennent dans la cour des villages assister aux palabres des hommes. Ils prennent place à même le sol, et écoutent parmi les villageois le dénouement des intrigues et des litiges. Quand ces derniers sont tranchés, ils se lèvent et repartent en silence vers la brousse, ses lianes et ses murmures. Douglas me racontera tout cela en détail à son retour, s'il revient vivre parmi nous et me retrouve en vie. Peut-être ira-t-il visiter le Kenya, le pays

Mboya, cet Africain et ami de Martin Luther King Junior qui participa avec nous aux marches de la reconstruction par l'égalité des droits. Dieu soit loué! Le Seigneur nous entende! Douglas me racontera tout cela. Quelque frayeur ou songe prémonitoire me suggère qu'il restera près de Folks, espérant percer en sa perspicace compagnie le mystère de l'incommunicabilité entre les immortels et les mortels. Cette idée l'obsède et il est heureux de partir! Je lui ai néanmoins formellement interdit de dire dans quelles circonstances il m'a rencontrée. S'il trahissait ma pensée, il sait quel sort l'attend là-bas : on lui fera boire de l'urine de l'âne, le pire supplice qui soit infligé en pays peul! J'ai donné à Douglas une motte de notre terre d'Amérique. Il la versera dans le pot commun des offrandes lors du rituel des retrouvailles. Il m'a quittée, tout guilleret, pour aller préparer sa valise. J'ai allumé la radio. *Depot Blues*, un air de Son House, passait sur les ondes. Le refrain du chanteur a été comme un rafraîchissant baume sur ma peau craquelée et mes souvenirs chancelants : « *Ain't gonna cry no more...* »

POSTFACE

DE VALÉRIE LOICHOT

L'hymne à Rosa

> « Hymne. 1. Chant, poème à la gloire des dieux, des héros. [...] 3. Chant, poème lyrique exprimant la joie, l'enthousiasme, célébrant une personne, une chose. » (*Le nouveau petit Robert*)

L'histoire est connue. L'histoire se doit d'être connue de tous. Le 1ᵉʳ décembre 1955, à Montgomery, dans l'Alabama, une frêle couturière, fatiguée, ne se lève pas de sa place dans le bus jaune pour faire place à un Blanc.

Rosa Louise McCauley Parks devient alors l'étincelle du mouvement de libération des droits civiques, comme le chantent les frères Neville de La Nouvelle-Orléans dans leur chanson éponyme, *Sister Rosa*. La scène se déroule dans un Sud encore sous le régime des lois Jim Crow, où la violence contre les Africains-Américains, quotidienne ou fulgurante, se déchaîne ; où les droits civiques heurtent de front la ségrégation raciale ; où de jeunes élèves bravent foules de Blancs en colère et forces de l'ordre pour pénétrer la tête haute dans les écoles qui leur sont interdites ; où le Ku Klux Klan dynamite une église baptiste de Birmingham, Alabama, et massacre Cynthia Wesley, Carole Robertson, Addie Mae Collins et Denise McNair, quatre jeunes filles de onze à quatorze ans. Le musicien de jazz John Coltrane dédie à ces enfants victimes un chant funèbre, simplement intitulé *Alabama*.

L'histoire de Rosa est l'étincelle de la libération et demeure l'étoile guidant la lutte pour l'inégalité des Africains-Américains aux États-Unis ainsi que celle des opprimés dans le monde. Par son refus, Rosa Parks arrive à la hauteur des leaders des droits civiques comme Thurgood Marshall, Jo Ann Robinson et Martin Luther King et du combat que livrèrent hommes, femmes et enfants qui se révoltèrent en tant qu'humains et non en tant que Noirs ou Blancs, tels les neuf adolescents de Little Rock dans l'Arkansas. The Little Rock Nine, en 1957, réussirent à aller dans un lycée réservé jusque-là aux Blancs, malgré la décision du procès de Brown v. Board of Education de 1954 qui avait déclaré inconstitutionnelle la ségrégation raciale dans les écoles publiques. Le non de Rosa est un cri, à l'image de ces actes d'élèves. Le non de Rosa est un chant, comme celui de Billie Holiday qui pousse son cri rauque d'outrance dans son interprétation de *Strange Fruit*, ces fruits étranges de corps lynchés pendus aux magnolias à la douce fragrance, hymne écrit et composé par l'instituteur juif new-yorkais Abel Meeropol ; comme celui de Joan Baez qui chante dans les marches antiségrégationnistes aux côtés de son ami Martin Luther King Jr., ou comme celui de Nina Simone qui ose hurler son dégoût et sa rage face à la violence raciale dans son *Mississippi Goddam*. Le non de Rosa est fulgurant.

Et puis, près d'un demi-siècle après le refus de Rosa, il y eut la jubilation. Le 4 novembre 2008, Barack Obama devint le premier président noir des États-Unis. J'ai encore en mémoire l'image d'une vieille dame fatiguée dans cette salle d'Atlanta en liesse, qui, une fois dévoilé le visage du nouveau président américain, s'assit sur une chaise. Je souris en voyant cette dame et songe à Rosa qui, en ce mois de novembre 2008, aurait eu quatre-vingt-quinze ans, une presque-centenaire, qui aurait pu elle aussi enfin s'asseoir, accablée et victorieuse. J'aime à penser que cette vieille dame anonyme, portant le poids de l'espoir de générations enfin lourdement récompensées, vit pour Rosa. *We Shall Overcome*, « Nous triompherons », fait vibrer la salle d'Atlanta où le public se tient en cercle par la main en entonnant le même hymne collectif chanté lors des marches du mouvement des droits civiques et qui sera encore une fois interprété par Joan Baez à la Maison-Blanche en 2010. *We Shall Overcome*. En 2011 Obama fit suspendre dans le hall de la Maison-Blanche le tableau du peintre Norman Rockwell intitulé *The Problem We All Live With* (« Notre problème à tous »). L'illustration représente Ruby Bridges, une petite fille noire toute vêtue de blanc protégée par quatre gardes du corps alors qu'elle se rend, simplement, armée d'un cahier, d'un crayon et d'une règle jaune, à l'école élémentaire William Frantz de La Nouvelle-Orléans. Ébodé évoque cette petite fille comme une « indestructible goélette dans un océan démonté » (p. 360).

Have we overcome ? « Avons-nous triomphé ? » L'Amérique des Africains-Américains, tout comme l'Amérique tout court, a-t-elle triomphé de ses quatre siècles d'esclavage, de ségrégation et de violence raciale ? Après la jubilation de 2008 vinrent les assassinats en série de jeunes hommes noirs : Trayvon Martin, Eric Garner, Michael Brown... La liste est longue et malheureusement ouverte, comme une plaie qui ne se referme pas. Les terroristes racistes continuent à faire exploser des églises noires. De fraîche mémoire, le 17 juin 2015, un sombre écho du massacre de l'église de Birmingham détonne dans l'attentat terroriste de l'église épiscopale méthodiste africaine Emanuel de Charleston, en Caroline du Sud, qui fait neuf morts. *Black lives matter*, « Les vies noires comptent », proclame le mouvement social contemporain, comme nous le disait déjà Mrs. Rosa. « Il appartient à chaque génération de se défaire de ce qui est à défaire », répond Eugène Ébodé.

L'histoire de Rosa est connue mais comme rapportée à la vie, au vivace, au vif dans le roman d'Eugène Ébodé, *La Rose dans le bus jaune*. Comme son titre l'indique, c'est d'abord la couleur qui introduit le personnage historique, non pas celle, divise, du noir et blanc, mais celle du rose et du jaune. Le jaune du bus scolaire représente aux États-Unis l'enfance. Le rose et le jaune évoquent la fraîcheur, le parfum, la douceur d'un bouquet, du féminin, du beau, du fleuri. Ce quotidien féminin et intime, Ébodé nous le donne à voir et à sentir dans les détails du papier peint années quarante, le canapé vert bouteille, le fauteuil bordeaux, et la vieille Singer trônant dans la cuisine, tout cela formant un ensemble vivant de précisions.

Le titre du roman, ainsi qu'il nous l'est dévoilé dès la première page, sort de la bouche d'une enfant. « "Vous êtes pour nous la rose dans le bus jaune ! Vous avez enfanté un nouveau pays" », lance à Mrs. Rosa, comme un bouquet, une petite fille amérindienne du Connecticut qui appartenait, explique Ébodé, au « peuple des hommes de la longue eau » (p. 13). *La Rose dans le bus jaune* est donc, dès l'entrée en matière, un roman de droits civiques qui implique une solidarité globale entre peuples opprimés.

À l'image des titres musicaux évoqués plus haut, *La Rose dans le bus jaune* est un hymne, tantôt lyrique, tantôt complainte, tantôt sermon, tantôt litanie, tantôt élégie, tantôt ritournelle, tantôt blues, à la gloire d'une grande dame très discrète. Le roman d'Ébodé fleure bon la fraîcheur de l'intime. Il nous donne aussi et surtout à savourer sa bande originale, nous conviant avec chaque chanson citée à tout un univers : *Come on in my Kitchen* (p. 174). C'est en effet sur fond musical que se déroule le roman qui nous donne à voir, à humer et à ouïr dans une synesthésie sensuelle, simple, et heureuse : « J'aimais m'enfuir dans cette mélodie, m'aspergeant des phrases musicales comme d'un parfum enivrant » (p. 19). C'est dans l'air de *C'est si bon* interprété par Satchmo – Louis Armstrong – que la Rose se love, nous rappelant ainsi la conscience internationale d'un monde bercé par le jazz, où le plaisir ne connaît pas de frontières et fleurit envers et contre le chaos de la violence. Ébodé nous offre aussi les détails de cette belle histoire d'amour entre Rosa et Raymond, un homme au teint si blanc que seule l'Amérique « pouvait [le] prendre [...] pour un Noir » (p. 30) mais qui demeurait pourtant « un nègre intégral » (p. 31). Le refrain qui parcourt le roman, qu'Ébodé nous dit tiré tout droit d'un rêve de Rosa – « Il faut encore avoir du chaos en soi pour enfanter une étoile qui danse » (p. 68) –, est aussi, sous couvert de l'astuce de l'auteur qui ne nous le révèle pourtant pas, une phrase énigmatique du *Zarathoustra* de Nietzsche. Attribuée au rêve de Rosa, la sentence permet de transformer le chaos de la violence raciale en désordre créateur, qui donne lieu à la fleur, à l'étoile qu'est Rosa. Rosa, la mère qui n'a pas d'enfants, génère pourtant tout un mouvement, « enfante un nouveau pays », pour reprendre l'expression de la petite fille du Connecticut, et donne son nom aux objets. En Floride par exemple, on appelle le siège derrière le chauffeur, place habituellement réservée aux Blancs, le « *Rosa Parks' seat* » (p. 348).

Entre le monde et l'intime balance *La Rose dans le bus jaune*. Si le roman nous livre un portrait de groupe vivant des combattants des droits civiques et des horreurs perpétrées par le Ku Klux Klan, c'est à la première personne du singulier que le conte nous est conté. Ébodé nous fait partager la vie de cette héroïne discrète en nous révélant par ses « carnets intimes [ce qu'elle a] jusqu'ici volontairement tu » (p. 13). C'est aussi un revers magistral de l'histoire que nous offre Ébodé en présentant Mrs. Rosa comme le personnage principal d'une intrigue où des héros comme le révérend Martin Luther King Junior, Coretta Scott King, Andrew Young et leur entourage sont bien présents, mais dans le rôle de personnages secondaires qui dansent avec et autour de Rosa.

L'intime est de plus lié à un monde qui dépasse les frontières états-uniennes, en l'occurrence à l'Afrique et à la conscience de la traite et de l'esclavage. Les proverbes baoulé rythment l'Alabama de Rosa. L'image d'un océan Atlantique et d'une Méditerranée cimetières nous rappelle la prise de conscience du « meurtre collectif, d'une ampleur épouvantable [qui] avait eu lieu le long des mers et sur les sentiers oubliés des océans » (p. 172). Cette image d'un cimetière sous-marin évoque, de même que le passé de l'esclavage, la catastrophe humaine de notre présent, créée non par la traite mais par la guerre. Ainsi, l'histoire discrète et petite de Rosa, sa résistance tenace résonnent-elles dans la crise contemporaine de milliers de réfugiés frappant désespérément aux portes de l'Europe ou noyés en mer.

À la clôture du roman, la présence de l'Afrique n'a de cesse de s'affirmer. Nelson Mandela, lors de son premier voyage aux États-Unis en 1990 en citoyen libre et leader de sa nation, demande d'abord à voir Mrs. Rosa, raconte Ébodé. De cette étreinte entre une femme et un homme remonte à la surface une conscience transnationale de l'Afrique et de sa diaspora : « On aurait dit que tous les miens revenaient d'entre les morts, là, sur le tarmac de l'aéroport. [...] Notre lutte n'avait pas seulement été américaine » (p. 360). Ce n'est donc pas un hasard si le roman-hommage à Rosa Parks s'achève en Afrique. Le dernier chapitre, pertinemment intitulé « La lecture est une chirurgie de l'âme », présente une Rosa presque centenaire aux articulations rouillées mais à l'esprit tenace qui regrette de ne pouvoir se rendre en Guinée pour l'inauguration du musée Bah-Williams, à laquelle elle est invitée d'honneur. Elle utilise pourtant tous les documents à sa portée – cartes, textes, photographies et récits de son ami Douglas – pour s'y projeter par l'imaginaire ou, justement, par la lecture. Le musée de Dabala, consacré à la mémoire croisée africaine et africaine-américaine, offre une perspective guinéenne de la mémoire de la traite négrière. On peut trouver le petit musée, une petite case vraiment, dans une rue de Guinée désormais nommée « Rosa Parks ».

Ébodé clôt le roman par le refrain de *Depot*

Blues, un air de 1942 interprété par Son House qui pousse son cri dans le transistor de Rosa, « *Ain't gonna cry no more* », « Non, je ne vais plus pleurer ». Malgré la déclaration du chanteur, la complainte rauque de la voix et de la guitare affirme le contraire. Les pleurs continuent. Cette fin ironique, qui comprend à la fois le paroxysme de la tristesse et sa négation, pourrait clore, et ouvrir, tous les romans d'Ébodé.

Avant de nous faire entendre ce dernier cri de blues, Ébodé propose deux fins à l'histoire de Rosa. L'une d'entre elles évoque le passage d'« une motte de notre terre d'Amérique » des mains de Rosa à celles de son mari qui « la versera dans le pot commun des offrandes lors du rituel des retrouvailles » (p. 366). De quelles réconciliations et transmissions s'agit-il ? Il semble clair que le message de retrouvailles s'applique à de nouveaux liens d'amitié et de mémoire, à un « New Deal » entre l'Amérique et l'Afrique, et à leur renaissance commune par le transfert, hautement symbolique, comme on sait que le sol contient les ancêtres, de la terre à la terre. Par-delà cette amitié duelle, c'est au niveau du monde que se passent les retrouvailles chez Ébodé, comme le roman rhizome du poète et philosophe martiniquais Édouard Glissant : « une trame à mailles, un continu sans Ici ni Là-bas, sans périphérie ni centre » (*Tout-Monde*).

La Rose dans le bus jaune, plutôt qu'un égarement, une excursion aux États-Unis de l'écrivain de Douala et de Montpellier, est en continuation directe de son travail sur l'Afrique. Le roman poursuit l'épopée personnelle d'Ébodé dans la trilogie composée de *La transmission, La divine colère* et *Silikani*; s'inscrit dans l'écriture de feu et de sang de son livre de poésie du *Fouettateur*; annonce son dernier roman *Souveraine Magnifique* (Grand Prix littéraire de l'Afrique noire), récit du génocide de 1994 au Rwanda à travers le témoignage intime d'une survivante, délicatement recueilli et revu par la fiction.

Ébodé, pourtant, et c'est cela qui m'intrigue et me reste en mémoire, dans un roman profondément humain, nous entraîne au-delà des relations humaines. L'autre fin de *La Rose dans le bus jaune* est rapportée par l'ami Douglas qui conte à Rosa qu'en Guinée forestière les grands singes viennent assister aux palabres des hommes et repartent discrètement vers la brousse une fois la séance terminée (p. 365). En terminant sur le rapport de voisinage, d'hospitalité, et de silence manifesté par la digne discrétion des grands singes, ces visiteurs muets, Ébodé veut-il nous dire que, par-delà les rapports humains, demeure un monde de sagesse oublié, discret et vulnérable qu'il nous reste à voir les yeux bien ouverts? Qu'il nous reste, à nous humains, à développer une éthique fondamentale d'un rapport au monde?

Valérie LOICHOT,
Emory University

DU MÊME AUTEUR

Aux Éditions Gallimard, collection « Continents Noirs »

LA TRANSMISSION, roman, 2002.

LA DIVINE COLÈRE, roman, 2004.

SILIKANI, roman, 2006 (prix Ève Delacroix de l'Académie française).

MÉTISSE PALISSADE, roman, 2012.

LA ROSE DANS LE BUS JAUNE, roman, 2013 (Folio n° 6073).

SOUVERAINE MAGNIFIQUE, roman, 2014 (Grand Prix littéraire d'Afrique noire 2014 et prix Jeand'Heurs 2015).

Aux Éditions Gallimard Jeunesse, collection « Scripto »

CAPITAINE MESSANGA, nouvelle, ouvrage collectif, 2004.

ANATA ET BASILOU, nouvelle, ouvrage collectif, 2005.

LE MATCH RETOUR, nouvelle, ouvrage collectif, 2006.

Aux Éditions Gallimard, NRF n° 602

LE REVENANT, nouvelle, 2012.

Aux Éditions Vents d'Ailleurs

LA DAME ÉTOILE, nouvelle, 2003.

LA PROFANATION, nouvelle, 2006.

LE FOUETTATEUR, poème roman, 2006.

IL ME SERA DIFFICILE DE VENIR TE VOIR, correspon-
dances, 2008.

Aux Éditions Monde Global

GRAND-PÈRE BONI ET LES CONTES DE LA SAVANE,
conte, 2006.

Aux Éditions Demopolis

TOUT SUR MON MAIRE, journal, 2008.

Aux Éditions Apic, Alger

MAHROUSSA L'AFRICAINE, nouvelle, ouvrage collectif, 2009.
MADAME L'AFRIQUE, roman, 2010 (prix Yambo Ouologuem).

Aux Éditions Alter ego

SARAH VAUGHAN : LADY SCAT, nouvelle, Le tour du monde du jazz en 80 écrivains, ouvrage collectif, 2013.

Aux Éditions Fountain Publishers

CES MOTS QUI PANSENT LES PLAIES ET QUI APAISENT, préface, Pour une culture de paix dans la région des grands lacs africains, 2014.